UN RISQUE CALCULÉ

DU MÊME AUTEUR
AU CHERCHE MIDI

Le Huit, traduit de l'anglais (États-Unis) par Evelyne Jouve.
Le Cercle magique, traduit de l'anglais (États-Unis) par Gilles Morris-
Dumoulin.

KATHERINE NEVILLE

UN RISQUE CALCULÉ

Traduit de l'anglais (États-Unis) par
Gilles Morris-Dumoulin

COLLECTION
AILLEURS

le cherche midi

Titre original : *A Calculated Risk*
© Katherine Neville, 1992.

© le cherche midi, 2005, pour la traduction française.
23, rue du Cherche-Midi, 75006 Paris.

Vous pouvez consulter notre catalogue général et l'annonce
de nos prochaines parutions sur notre site Internet : cherche-midi.com

Donnez-moi du temps, et je ferai fortune.
Jay Gould

Je serai riche.
Jay Cooks

Je suis tenu d'être riche ! Je dois être riche !
John D. Rockefeller

Oh, je suis riche ! Je suis riche !
Andrew Carnegie

PREMIÈRE PARTIE

FRANCFORT, ALLEMAGNE

Juin 1815

Assis, solitaire, dans un bureau minable donnant sur la Judengasse, un jeune homme au teint pâle regarde le soleil se lever. Il n'a pas dormi de la nuit et, devant lui, s'empilent les nombreuses tasses souillées des résidus de l'épais café turc qui l'ont aidé à se tenir éveillé. Dans la cheminée, refroidissent les cendres d'un feu éteint. En allumer un autre eût constitué une dépense inutile. Ce jeune homme possède un sens très strict de l'économie.

Peu de meubles dans cette pièce aux murs nus. Juste quelques chaises et un vieux bureau usagé. L'âtre occupe le centre d'un des murs, en face de la fenêtre aux vitres sales qui regarde la rue. Près de la fenêtre, se dresse un rayonnage qui occupe la majeure partie du mur. Il pourrait s'agir d'une bibliothèque si des couvercles abattants de paille tissée n'en fermaient les compartiments. Tous ouverts et vides, pour l'instant.

Seuls objets de valeur dans ce décor austère : le riche fauteuil en maroquin, couleur chartreuse, sur lequel l'homme est assis, et la montre de gousset en or massif qui repose sur le bureau. L'un et l'autre ont beaucoup servi. Ils composent, avec la maison de la Judengasse, tout l'héritage paternel, et jamais le jeune homme ne s'en séparera.

Dans la Judengasse, comme l'indique son nom allemand, les Juifs avaient la permission de vivre et de gagner leur vie, tant bien que mal, la plupart d'entre eux en échangeant et prêtant de l'argent. À cette heure de la nuit, régnait encore le silence, car les aboyeurs n'avaient pas commencé à se faire entendre. Bientôt, les prêteurs sortiraient leurs tables sur la chaussée, et drape-raient les portes de leurs maisons des banderoles aux teintes criardes qui affichaient leur négoce. Dans quelques heures, la rue se remplirait des couleurs et des clameurs des spécialistes du maniement de l'argent et de l'or.

Toujours assis au sein du silence, le jeune homme regarda se lever le soleil et se pencha en avant pour allumer, à la chandelle, une mince cigarette turque. Puis un petit pigeon gris se posa sur la barre d'appui de la fenêtre ouverte, penchant la tête d'un côté et de l'autre pour accommoder sa vue à la lumière chiche. L'homme ne broncha pas mais, dans ses yeux bleus, naquit une lueur étrange, semblable à celle d'un tison soudain ravivé par un souffle de brise. Ce regard avait quelque chose d'effrayant. Un regard qui avait déjà donné, à de nombreuses personnes, d'excellentes raisons de ne jamais l'oublier.

L'oiseau marqua une pause avant de voleter, à l'intérieur de la pièce, jusqu'aux étagères proches de la fenêtre. Là, il s'intro-duisit dans un des compartiments dont la trappe de paille tissée se rabattit derrière lui.

L'homme acheva de fumer sa cigarette. But une dernière gorgée de café. Reprit sa montre en or. Il était cinq heures dix-sept. Il tra-versa la pièce, ouvrit le compartiment et calma d'une caresse l'oiseau qui s'agitait. Puis il le sortit de sa cage.

Un petit ruban de papier huilé entourait une des pattes du pigeon. Une fois déplié, avec précautions, il ne révéla qu'un seul mot, en capitales d'imprimerie : Gand.

Une rude semaine de cheval séparait Gand de Francfort, à travers un paysage jonché des restes épars d'armées qui se cher-chaient, dans les forêts des Ardennes. Mais cinq jours seulement après son départ de Francfort, le pâle jeune homme, épuisé et cou-vert de boue, attacha son cheval à un anneau de cuivre, devant une maison de Gand.

Aucune lumière ne brillait dans la maison lorsqu'il en ouvrit la porte à l'aide de sa clef, pour ne pas réveiller tout le monde. Une vieille femme apparut dans l'entrée, en vêtements de nuit, chan-delle à la main. Il lui ordonna, en allemand :

– Dites à Fritz de conduire mon cheval à l'écurie. Et je veux le voir, ensuite, dans mon cabinet de travail.

Le clair de lune pénétrait à travers les larges fenêtres à meneaux du cabinet. Des carafes de verre taillé, emplies d'alcools prestigieux, brillaient d'un éclat mat sur le buffet d'acajou. Roses trémières et glaïeuls fraîchement coupés s'épanouissaient dans les grands vases qui ornaient les tables de marqueterie encaustiquées à la cire d'abeille réparties dans toute la pièce. Près de l'entrée se dressait une massive horloge sculptée et, devant la cheminée de marbre, voisinaient de confortables fauteuils capitonnés de velours à côtes. Contrairement à celle qu'il avait quittée à Francfort, cette pièce était toujours soigneusement entretenue, dans l'attente perpétuelle d'une possible visite de son propriétaire.

Il s'approcha des fenêtres qui lui offraient une vue sans obstacle sur la maison d'en face, au-delà d'un étroit berceau de verdure. D'où il était, il découvrait clairement le grand et le petit salon de son voisin, inoccupés pour le moment. C'était la raison même pour laquelle il avait loué cette maison trois mois auparavant.

Abandonnant son poste d'observation, il alla se servir un cognac. Il était à bout de forces, mais il ne pouvait pas se permettre de dormir, pas encore. Au bout d'une demi-heure, la porte s'ouvrit, livrant passage à un gaillard fortement charpenté, en vêtements de travail.

– Monsieur ? s'informa-t-il avec un lourd accent allemand, avant d'attendre passivement la réponse.

La voix du voyageur n'était plus qu'un murmure enroué, à peine perceptible.

– Fritz, je suis très fatigué. Mais il faut que je sois sûr d'être immédiatement informé... immédiatement, j'insiste... de l'arrivée d'un messager dans la maison d'en face. Est-ce que c'est bien clair ?

– Soyez sans crainte, monsieur. Je vais rester ici et monter la garde. À la moindre alerte, je vous réveillerai.

– Sans faute, je vous le répète. C'est de la plus haute importance.

Fritz attendit, posté derrière les fenêtres, durant toute la nuit. Mais rien ne bougeait, au clair de lune, dans la maison voisine. Au petit matin, le maître se leva, prit son bain, s'habilla, et vint relayer Fritz à son poste.

Leur surveillance se poursuivit durant trois jours. Les pluies torrentielles avaient fait du pays un océan de boue, et rendu les routes à peu près impraticables. Mais à la fin du troisième jour, vers l'heure du souper, alors que la vieille femme venait d'apporter à l'intention du maître le plateau qu'elle avait préparé, Fritz entra sans frapper.

– Excusez-moi, monsieur, mais un cavalier approche. Seul. Par la route de l'ouest. La route de Bruxelles.

L'homme approuva d'un signe de tête. Rejeta sa serviette sur le plateau. Congédia, d'un geste, les deux serviteurs. Éteignit la chandelle et s'embusqua, près d'une des fenêtres, derrière le rideau damassé.

Quelque chose se passait dans la maison voisine. Des hommes couraient de pièce en pièce, allumant chandeliers et appliques à l'aide de longues mèches. Bientôt, les locaux furent brillamment illuminés, et le guetteur put distinguer le tableau dans tous ses détails : les cristaux qui étincelaient sous les plafonds hauts, et cascadaient comme des diamants sur les niches aux moulures festonnées ; le mobilier luxueux et les tentures richement brodées de rouge et d'or ; les miroirs muraux et les tables incrustées de motifs à la feuille d'or.

Le pâle jeune homme se raidit en voyant le cavalier surgir du brouillard dans le proche crépuscule, sur la route de l'ouest, et sauter à bas de son cheval, devant la maison d'en face. Les portes s'ouvrirent devant lui. On le fit entrer tel qu'il était, avec ses chaussures boueuses. Il se planta, mal à l'aise, au centre du grand salon, et s'y tint presque immobile, tournant et retournant son chapeau dans ses mains, les yeux fixés sur le parquet.

Enfin, les portes intérieures s'ouvrirent à leur tour, sous la poussée d'un personnage corpulent escorté d'hommes et de femmes qui restèrent en arrière, à la vue du cavalier humble et crasseux. Le gros homme s'arrêta juste devant lui, dans l'expectative, et le nouveau venu s'inclina très bas.

Le guetteur ne respirait plus. Il vit le messager s'avancer d'un pas et se jeter à genoux, comme en présence d'une altesse royale. L'homme ainsi honoré se pencha en avant, au centre de la pièce, tandis que les autres personnes présentes venaient s'agenouiller, une par une, à ses pieds.

Le guetteur ferma les yeux. Il ne regardait plus rien, comme concentré sur une vision intérieure. Puis il pivota sur lui-même et marcha rapidement vers la porte.

Fritz l'attendait dans l'entrée, à l'extérieur de la pièce. Il bondit de son siège et se figea dans un garde-à-vous approximatif.

– Selle mon cheval, ordonna le maître en grimpant deux par deux les marches du grand escalier pour aller quérir, dans sa chambre, ses effets personnels.

Jamais, sans doute, il ne reviendrait à Gand. Sa mission, dans cette ville, était terminée.

Depuis combien de jours et de nuits chevauchait-il ainsi, sous la pluie battante ? Il n'en savait rien et n'en avait cure. Seule comptait la vitesse. Tout le pays n'était qu'un immense marécage où terre et ciel se rejoignaient, sous les trombes d'eau, sans qu'il fût possible d'en déterminer la frontière. Le cheval trébuchait fréquemment, les pattes avalées par une boue visqueuse, sans fond apparent. Bien qu'à la limite de l'épuisement, le cavalier continuait d'éperonner sa monture. Il ne pouvait pas s'arrêter. Son but s'appelait Ostende. Ostende et la mer.

Le deuxième soir tombait quand il vit, à travers le brouillard épais, briller les lumières d'Ostende. En poursuivant sa route, il découvrit les bateaux amarrés côte à côte, le long des quais, bousculés au mouillage par les vagues venues du large. Personne dehors. Tous les habitants étaient calfeutrés dans les maisons, à l'abri des intempéries.

Sur un des quais, il trouva une taverne à matelots, dont le patron consentit à recueillir son cheval. Pendant que l'homme conduisait l'animal fourbu à l'écurie, le cavalier, non moins fourbu, pénétra dans l'établissement, commanda un cognac et l'avala d'un trait, assis près de la cheminée.

Les marins buvaient sec. Du whisky sans eau. Au sein d'une épaisse tabagie. Rotant et pestant sans arrêt après ce maudit temps de chien qui leur faisait perdre beaucoup d'argent. Quelques-uns d'entre eux louchaient, intrigués, vers cet étranger silencieux, qui n'appartenait visiblement pas à leur monde, mais dont la présence avait rompu la monotonie d'une longue soirée de beuverie. Jusqu'à ce que l'un d'eux, plus curieux que les autres, lançât finalement :

– D'où est-ce que vous venez par ce foutu gros temps, l'ami ?

– Je viens de Gand, et je vais à Londres.

Il avait employé le mot français pour *Londres*, car bien que la plupart des marins s'exprimassent en flamand, certains d'entre eux parlaient français, et c'était de ceux-là dont il entendait se concilier les bonnes grâces. L'âme française, en général, ajoute un fond de romantisme à l'intérêt pécuniaire qui guide la majorité des Flamands.

Au barman, le voyageur montra trois doigts collés à l'horizontale, afin de commander un autre cognac et de préciser la quantité désirée.

– Une semaine qu'on est bloqués ici, fulmina un autre marin. Nos cargaisons pourrissent sur les quais et dans les cales de nos bateaux. Hier, deux quais se sont écroulés, emportés par la tempête. Plusieurs bateaux se sont fracassés contre les pierres. Vous risquez d'être coincé un sacré bout de temps, avant que ce coup de tabac ne vous permette de traverser sain et sauf.

– Sain et sauf ou pas, releva paisiblement l'interpellé, il faut que j'aille à Londres, et que j'y aille cette nuit. Y en a-t-il un, parmi vous, qui en ait assez dans le pantalon pour m'y conduire ?

Un énorme éclat de rire balaya l'assistance. Les marins s'entreclaquaient dans le dos ou échangeaient des bourrades, au paroxysme d'une grosse gaieté éthylique. C'était la meilleure de l'année ! Jamais ils n'avaient vu de plus grand imbécile que ce freluquet qui leur faisait face.

Le plus âgé de tous était assis devant le feu. Son visage ridé, boucané par les embruns, ressemblait à une vieille noix de coco, et les autres le traitaient avec un certain respect. Peut-être était-il capitaine, voire propriétaire de son bateau.

– Mon gars, affirma-t-il rudement, vous ne trouverez personne à Ostende qui vous fera passer le canal ce soir ! La mer est la maîtresse du marin et, cette nuit, elle est plus enragée qu'une femme bafouée. Il n'y a pas un homme, à Ostende, qui ira la défier tant qu'elle sera de cette humeur !

Les autres rirent de plus belle, et l'un d'eux commanda une cruche de tord-boyau qui circula à la ronde, chacun s'en octroyant une bonne gorgée avant de la transmettre au voisin, comme pour se dissuader d'envisager même l'idée d'une sortie en mer par un temps pareil. Le capitaine, lui, portait sur l'étranger un regard scrutateur qui brûlait d'en savoir davantage :

– Quel genre d'affaire t'appelle à Londres, mon gars ?

Heureux d'avoir trouvé une oreille attentive, le jeune homme éluda :

– Une affaire urgente, et de la plus haute importance. Il faut absolument que je traverse cette nuit. Je ne veux pas croire qu'il n'y ait personne, ici, d'assez courageux... avec assez de cœur au ventre pour m'emmener de l'autre côté.

Ses yeux firent le tour des visages avant de revenir se poser sur le vieux capitaine. Qui se contenta de hausser les épaules en grommelant :

– Tu ne te rends pas compte du danger...

– Il faut que je traverse cette nuit.

– Tu y laisseras ta peau. Aucun bateau ne pourra même sortir du bassin, avec des creux pareils.

– Il faut que je traverse cette nuit.

D'une voix si ferme et si douce que les marins cessèrent de rire. Fascinés par le calme et la résolution évidente de ce blanc-bec couvert de boue présent au milieu d'eux. Jamais ils n'avaient vu quelqu'un d'aussi pressé d'aller au-devant de sa propre mort !

– Écoute, dit enfin le capitaine. Si tu le veux vraiment, c'est qu'il s'agit d'une affaire plus importante que ta vie. Parce que la mer te tuera, aussi sûr que deux et deux font quatre.

La détermination du jeune homme ne faiblissait pas. La peau de son visage, dans la lueur des flammes, semblait presque transparente. Et les yeux qui ne quittaient pas ceux du vieux capitaine étaient aussi clairs et froids qu'une mer hivernale.

– Tu as le mauvais œil ! conclut le capitaine.

Il cracha par terre afin de conjurer le sort, alors que la pluie redoublait ses attaques, contre les portes et les volets. Un morceau de bois craqua, sauta hors de l'âtre, et plusieurs des matelots bondirent sur place. Ils s'entre-regardèrent nerveusement, comme à l'entrée d'un fantôme. Plus personne ne parlait.

Le jeune étranger rompit le silence. Il parlait toujours sans élever la voix, mais en articulant nettement chaque syllabe.

– Je suis prêt à payer cinq mille livres françaises... en or... de la main à la main... à l'homme qui me fera traverser ce soir.

Le choc courut dans l'auditoire, d'un bout à l'autre de la salle enfumée. Il n'y avait pas un bateau, dans le port, qui valût une telle somme, à moins d'être chargé des marchandises les plus précieuses. En temps normal, elle couvrirait l'achat d'au moins deux bateaux.

La plupart avaient entrepris de bourrer leur pipe et tous contemplaient le fond de leur chope. Le voyageur savait qu'en cet instant précis, ils pensaient à leurs familles, à toute cette richesse qu'ils apporteraient à leurs enfants et à leurs femmes. Plus d'argent qu'ils ne pourraient gagner dans toute une vie. Il leur laissa le temps d'y penser. De peser le pour et le contre en songeant à la déveine qui les accablait, depuis des jours. Aux chances qu'ils auraient de traverser la mer, cette nuit, et d'en revenir vivant.

Finalement, le vieux capitaine déclara, d'un ton sans réplique :

– Moi, je vous dis que vouloir traverser par une nuit comme celle-ci, c'est du suicide pur et simple. Il n'y a que le diable pour tenter un matelot chrétien de cette façon. Et aucun chrétien ne vendra son âme au diable, même pour cinq mille livres !

Le jeune homme plaça son verre vide sur le dessus de la cheminée. Marcha jusqu'à la grande table de chêne qui occupait le centre de la salle. Tous les regards étaient sur lui lorsqu'il énonça, très distinctement :

– Et pour *dix mille* livres ?

Il jeta, sur la table, un sac de toile qui s'ouvrit partiellement. Médusés, les marins suivirent, en silence, la course des pièces d'or éparpillées. Quelques-unes ne s'arrêtèrent pas au bord de la table et tombèrent sur le plancher où elles poursuivirent leur course, interminablement.

Londres était noyée dans la brume.

Quand les portes de la Bourse s'ouvrirent et que les membres de la confrérie s'installèrent à leurs places, en vue des tractations de la journée, un pâle jeune homme aux yeux bleus y entra à leur suite. Il ôta sa cape qu'il laissa, avec sa canne à poignée d'or, entre les mains du concierge. Serrant quelques mains à la ronde, il s'assit à son tour.

Offertes à un taux très avantageux, les obligations consolidées de l'État britannique ou «bons de la Défense», n'éveillaient pas l'enthousiasme. On disait que Blücher était tombé de son cheval. Que son armée avait été décimée par les Français à Ligny. Qu'Arthur Wellesley, le duc de Wellington, était immobilisé par la pluie, à Quatre-Bras, incapable d'arracher son artillerie lourde à la boue du terrain.

La situation n'était pas brillante, car si les Britanniques de Wellesley capitulaient aussi vite que les Prussiens avant eux, Napoléon serait solidement rétabli en Europe, à peine trois petits mois après son évasion de l'île d'Elbe. Et les bons d'État britanniques émis en toute hâte pour financer une guerre coûteuse ne vaudraient même pas le papier sur lequel ils étaient imprimés.

Seul, un homme, dans l'assistance, avait des nouvelles plus fraîches. Debout à sa place, il achetait paisiblement tous les bons jetés sur le marché. S'il se trompait, lui et sa famille seraient ruinés. Mais son jugement se fondait sur une information et, dans ce domaine, information était synonyme de pouvoir.

À Gand, il avait vu le messager arriver du champ de bataille de Waterloo et s'agenouiller devant un gros homme, comme s'il s'agissait du régent. Ce simple geste signifiait que le sort de la guerre était entre les mains des Britanniques, et non des Français comme tout le monde le supposait. Car l'homme de Gand s'appelait Louis Stanislas Xavier, comte de Provence, connu de toute l'Europe sous le nom de Louis XVIII, roi de France. Déposé, cent jours plus tôt, par Napoléon l'usurpateur.

Mais une telle information n'est synonyme de pouvoir qu'à condition d'être utilisée très vite, et très intelligemment. Bravant la ruine et la mort en traversant la Manche par gros temps, le jeune homme avait précédé de quelques heures la nouvelle de la défaite des Français à Waterloo. Et plus tard, après plusieurs heures d'opérations boursières, il avait acquis tant de bons d'État dévalués qu'il avait fini par attirer l'attention.

D'où ce commentaire d'un courtier éberlué :

– Qu'est-ce qu'il mijote, ce juif, en achetant tous ces bons d'État ? Il n'a pas entendu parler de la défaite de Blücher à Ligny ? Il croit qu'on peut gagner une guerre avec la moitié d'une armée ?

Et son collègue de riposter posément :

– Vous feriez bien d'en prendre de la graine... comme je l'ai fait moi-même. Je sais, par expérience, qu'il a souvent raison.

Quand la nouvelle de Waterloo parvint finalement à Londres, on constata que le jeune homme avait proprement nettoyé le marché des bons d'État. À moins de dix pour cent de leur valeur nominale.

L'homme qui avait douté de son flair le rencontra quelques jours après, à l'entrée de la Bourse, et lui frappa cordialement sur l'épaule.

– Dites donc, Rothschild, vous vous êtes régalé avec ces bons d'État. Le bruit court que vous auriez empoché un million de livres en moins d'une journée.

– Vraiment ?

– On dit aussi que vous avez un talent pour flairer les bonnes affaires. Est-ce parce que vous avez un si grand nez ?

Le malappris, dont le nez bulbeux était beaucoup plus gros que celui de son jeune confrère, émit un éclat de rire sarcastique.

– Mais ce qu'il me plairait d'apprendre... et de la meilleure source, comme on dit... Était-ce vraiment la célèbre intuition juive ?... Ou saviez-vous, avant tout Londres, que Wellington tenait le bon bout ?

– Je le savais, admit froidement Rothschild.

– Vous le saviez ! Mais comment diable ? C'est un petit oiseau qui vous avait renseigné ?

– Vous ne croyez pas si bien dire ! approuva Rothschild, en souriant.

UN SOIR À L'OPÉRA

« Or du Rhin ! Or le plus rare !
Oh, puisse ta pure magie
se réveiller encore au sein des vagues.
Ce qui est précieux ne peut se trouver que sous les eaux !
Bas et vils sont ceux qui trônent au-dessus de la surface ! »

Lamentations des Vierges du Rhin
RICHARD WAGNER
L'Or du Rhin. Acte I

San Francisco

L'argent a inspiré plus de musiques que l'amour. Souvent avec une fin plus heureuse, et sur une plus jolie mélodie. La pauvreté peut en pousser quelques-uns à chanter le blues, mais la richesse et l'appât du gain réclament un traitement plus ambitieux : celui d'un opéra.

En ma qualité de banquier, je savais dans quelle mesure le thème de l'argent pouvait exalter l'âme humaine. Ou pour respecter le genre qui est le mien : en ma qualité de banquière, as de l'informatique, jeune cadre la mieux payée de la toute-puissante Banque mondiale.

Si je n'avais pas gagné autant d'argent, je n'aurais pas pu me permettre d'avoir mon siège réservé dans une loge de l'Opéra de San Francisco. Et si je ne l'avais pas occupé, en cette triste soirée de novembre, l'idée ne me serait jamais venue de me demander comment en gagner davantage.

L'opéra est le dernier refuge du capitaliste compulsif. Personne d'assez simplet pour payer l'abonnement n'en manquerait une miette. C'est la seule forme de spectacle où l'on dépense tant d'argent pour jouir d'aussi peu de spectacle.

C'était un mois avant Noël, pendant l'hiver des grandes pluies. Ces grandes pluies qui chassaient le brouillard, mais engendraient des montagnes de boue, rendant routes et ponts à peu près impraticables. Seuls, les imbéciles se risquaient en plein air par un temps aussi exécrable. Naturellement, la salle de l'Opéra était comble à mon arrivée.

Je ruisselais littéralement, sous mon velours et mes perles. Pas de parking près de l'Opéra : il m'avait fallu piétiner dans les flaques, comme un membre des forces spéciales à l'entraînement. J'étais en retard, trempée jusqu'aux os, et pourtant ma mauvaise humeur n'avait rien à voir avec ce temps de chien.

Je sortais d'une bagarre ouverte avec mon supérieur hiérarchique. Comme d'habitude, il m'avait contrecarrée, et d'une façon que je n'étais pas près d'oublier. En escaladant deux par deux les marches de marbre, je m'efforçais vainement de ravaler ma colère. La troisième sonnerie retentit au moment exact où l'ouvreur en gants blancs poussait devant moi la porte de ma loge.

Il y avait trois saisons que j'occupais cette loge, mais j'en repartais si vite que je n'avais jamais eu l'occasion d'échanger plus d'un signe de tête avec les autres abonnés. Tous appartenaient à cette race d'aficionados qui crient *bravi* au lieu de *bravo*. Ils connaissaient tous les livrets par cœur et ne manquaient jamais d'apporter leur champagne. Quand aurais-je pris le temps de nouer avec eux des relations moins formelles ?

Je suis sûre qu'ils devaient trouver bizarre que j'arrive toujours au dernier moment, et jamais accompagnée. Mais quand j'étais entrée dans la banque comme on entre en religion, j'avais tout de suite compris que les rapports sociaux, voire amoureux, ne s'accordaient guère avec le monde sous pression de la haute finance. Une banquière doit concentrer son attention sur le bas de la page, où se trouve généralement la signature.

Je me frayai un chemin jusqu'au premier rang alors que les lumières diminuaient, dans la salle, et m'effondrai sur la chaise capitonnée. Dans l'obscurité, quelqu'un eut la gentillesse de me passer une coupe de champagne. Je dégustai lentement ma ration de bulles en tirant sur un décolleté humide qui me collait à la peau. Et le rideau se leva.

L'opéra de ce soir était assorti à mon humeur. *L'Or du Rhin* reste un de mes favoris, la première des œuvres massives, surchargées, de Richard Wagner, dans le cycle des *Nibelungen*. Elle commence par le vol de l'or repêché dans les profondeurs du Rhin. Mais toute la Tétralogie de *L'Anneau* roule, en fait, sur le problème ancestral de la corruption des dieux, tellement assoiffés de richesses qu'ils échangent leur immortalité contre une propriété foncière appelée Walhalla. À la fin de *L'Anneau*, les dieux sont détruits, et le Walhalla paradisiaque disparaît dans les feux de l'enfer.

Au-delà d'autres feux, ceux de la rampe chatoyaient les étoffes bleues symbolisant le Rhin. Le nain Albéric venait de dérober l'or, et les stupides vierges du Rhin clapotaient à ses trousses, espérant le récupérer. Je baissai les yeux vers cet auditoire fantôme qui nageait, lui aussi, dans les joyaux, le velours et le satin, immense caverne aux trésors encore plus riche, au sein de la pénombre, que les eaux du fleuve. Et c'est à cette seconde que l'idée me frappa de plein fouet. J'en savais autant sur l'art de voler l'or ou l'argent disponible que ce misérable avorton wagnérien. N'étais-je pas banquière ? Et compte tenu de ce qui s'était passé aujourd'hui, j'avais toutes les raisons d'en envisager la possibilité.

Tandis que les eaux du Rhin se volatilisaient dans un brouillard bleu, et que le soleil se levait sur le réveil des dieux dans le Walhalla, mon esprit cliquetait comme une calculette. Déjà, l'idée se convertissait en obsession. J'étais sûre de savoir comment voler beaucoup d'argent, et j'avais hâte de passer à l'acte.

Bien que *L'Or du Rhin* ne comportât aucun entracte, les occupants d'une loge ont toute latitude, comme les rois, d'aller et venir à leur guise. Je n'avais qu'à traverser la rue pour accéder à mon bureau du centre d'information de la banque. Je drapai ma cape humide sur ma robe humide et redescendis les marches de marbre, au cœur de la nuit wagnérienne.

Les chaussées mouillées, couleur réglisse, reflétaient les phares des voitures qui, nimbées de brouillard, donnaient un peu l'impression de rouler sous l'eau, les quatre roues en l'air. Pour un peu, j'aurais eu peur de me noyer. Ce conflit avec mon supérieur m'avait littéralement ébranlée. Je me sentais sombrer, pour la troisième fois, dans l'égout, le dégoût de ma propre carrière, et mon « chef » était le nuage noir qui troublait, d'avance, la pureté des eaux.

Plus tôt dans la soirée, quand j'étais montée à mon bureau, après une longue journée de rendez-vous pénibles, en ville, j'y avais trouvé les lumières éteintes, et mon boss assis derrière ma table, chaussé de ses fameuses lunettes noires.

En sa qualité de vice-président de la Banque mondiale, Kislick Willingly, troisième du nom, occupait le sommet de la pyramide. Tout le monde l'appelait simplement Kiwi.

Kiwi émanait de cette région centrale d'Amérique que je baptisais « l'Intérieur ». Toute sa vie, il avait rêvé de devenir ingénieur. Une règle à calcul pendait, en permanence, à sa ceinture, et il portait des chemises à manches courtes, équipées d'une poche doublée de matière plastique, toujours pleine de stylos-billes. Plus un crayon à dessin mécanique, au cas où il devrait tracer quelque graphique, et un stylo-plume en or, au cas où on lui demanderait une signature. Il trimbalait également des tas de feutres multicolores afin de pouvoir, s'il lui venait une idée, se précipiter dans le bureau le plus proche, et concrétiser sa pensée sur le premier tableau mural.

En temps normal, Kiwi était une personne plutôt gaie et enthousiaste, qui avait acquis sa position élevée en poignardant dans le dos, sans se départir de sa gaieté et de son enthousiasme, un grand nombre de ses ex-collègues. Dans le milieu de la banque, cette combinaison de traîtrise et de bonne humeur porte un nom : le « doigté politique ».

Ancien joueur de football universitaire, Kiwi demeurait capable d'absorber d'énormes quantités de bière, et son estomac s'était dilaté en conséquence, de telle sorte que les pans de sa chemise pendouillaient le plus souvent par-dessus son pantalon lorsqu'il galopait dans les corridors pour aller parapher quelque pièce importante.

Guidé par la poigne de sa mère, il avait abandonné football américain, bière et carrière d'ingénieur pour devenir un expert financier de haut vol. Mais la pratique intensive de la comptabilité, même à cette échelle, ne comblait pas ses aspirations secrètes, un menu fait qui, selon moi, expliquait pleinement la noirceur de son âme.

Une noirceur avec laquelle il fallait compter. Et qui s'épaississait dangereusement lorsque Kiwi voyait ses projets contrariés au point de ne pouvoir aboutir. Il s'affublait alors au bureau de ses lunettes de soleil. Éteignait les lumières. Tirait les rideaux. Recevait ceux qu'il convoquait dans le noir. Je ne pense pas avoir été la seule à me sentir mal à l'aise quand je devais répondre aux questions d'une voix sans visage.

Parfois, à l'occasion de telles crises, il s'installait dans le bureau d'un de ses employés, sans aucune lumière, « station incognito », comme il disait. C'était ainsi que je l'avais trouvé, dans mon propre bureau, avant mon départ pour l'Opéra.

– N'allumez pas les lumières, Banks ! avait été son entrée en matière. Personne n'est au courant de ma présence. Je suis ici incognito.

– D'accord.

Et puisque la voix provenait de mon fauteuil, je cherchai, à tâtons, un autre siège disponible.

– Qu'est-ce qui se passe, Kiwi ?

– À vous de le dire !

Il brandissait quelque chose de rectangulaire, dans le clair-obscur ambiant.

– Cette proposition ! C'est bien votre œuvre ?

Kiwi pouvait être fort désagréable quand, à ses yeux, un employé outrepassait ses attributions. Surtout si l'employé possédait quelque chance, en agissant ainsi, d'attirer sur sa personne une partie de l'attention dans laquelle aimait à se pavaner le cher

Kiwi. En fait, j'avais, le matin même, soumis à la haute direction un plan d'amélioration des modalités de surveillance des systèmes informatiques régissant les mouvements de fonds, avec la demande de financement assortie.

Je n'avais pas consulté Kiwi, sûre qu'il rejetterait, sans même en prendre connaissance, toute idée qui n'était pas la sienne. Et cette notion de sécurité n'avait pas de quoi enflammer son imagination plus que réduite. Elle n'était pas assez flamboyante pour l'élever d'un degré supplémentaire sur l'échelle hiérarchique. Elle était simplement logique et, bien appliquée, serait simplement efficace. J'avais donc contourné Kiwi en adressant ma proposition à qui de droit, sans le consulter, et maintenant, il savait tout. Ou presque, car il ignorait encore quelque chose que j'étais seule à savoir, et qui me faisait sourire intérieurement.

Bientôt, je n'aurais plus à me soucier de sa tyrannie. Sous réserve de la vérification de mes états de service, et de la confirmation écrite officielle, ma candidature au poste de directrice des recherches en matière de sécurité était déjà acceptée par la Banque fédérale de réserve, l'organisme pourvoyeur d'assurance de toutes les institutions financières agréées des États-Unis. Dans quelques semaines, j'assumerais une responsabilité qui me donnerait plus d'impact sur l'industrie financière qu'aucune autre femme n'en possédait à ce jour aux États-Unis, sinon dans le monde entier. Et naturellement, ma tâche prioritaire, à ce poste, serait de m'assurer que les grands établissements bancaires tels que la Banque fédérale de réserve disposaient de systèmes de sécurité adéquats pour protéger les dépôts des investisseurs.

Ma proposition d'aujourd'hui était une façon de commencer la partie. Quand je serais à la Fed, Kiwi ne pourrait plus recaler toutes mes suggestions, comme il le faisait depuis des années.

Je souriais toujours en lui répondant :

– C'est bien mon œuvre, monsieur. Je sais que la sécurité est un sujet qui vous tient à cœur.

Comme les coliques néphrétiques, pensai-je. Je n'aimai pas du tout la façon dont il s'exclama :

– Parfaitement exact ! Ce qui explique ma surprise en apprenant que vous aviez rédigé cette proposition sans me consulter au préalable. J'aurais pu vous aider. Après tout, c'est le rôle d'un directeur de faciliter le travail de son personnel.

Traduction libre : c'est vous qui bossez sous mes ordres, pas le contraire. C'est moi qui fréquente toutes les huiles que vous n'approchez même pas, et qui possède le pouvoir de les influencer. Autant de menaces voilées qui, Dieu merci, perdraient bientôt toute importance. J'étais tellement occupée à me gargariser de cette certitude que je faillis manquer complètement la chute du couperet.

– Vous êtes votre pire ennemie, Banks, et je ne suis pas le seul à le penser. Le chef du marketing a lu votre proposition. Comment pourrait-il accepter de faire courir le bruit que notre maison aurait besoin d'améliorer sa sécurité ? Qu'en diraient nos clients si cela venait à leurs oreilles ? Ils s'empresseraient de solder leurs comptes et de porter leur argent ailleurs ! Nous ne pouvons pas envisager d'investissements qui risqueraient d'effrayer la clientèle existante plutôt que de nous en attirer une nouvelle. C'est ce manque de considération pour l'aspect commercial de la fonction de banquier qui m'a contraint à expliquer aux gens de la Fed pourquoi vous n'étiez pas la bonne candidate...

Je bondis sur ma chaise.

– Pardon ?

Un bloc de glace se formait au creux de mon estomac. J'espérais encore n'avoir pas bien entendu.

– Ils m'ont téléphoné cet après-midi. Comment ont-ils pu vous pressentir un seul instant pour un poste de cette importance ? Même les Indiens consultaient toujours leurs chefs, Banks. Mais naturellement, après le fiasco de votre proposition, il a bien fallu que je leur dise la vérité. À savoir que vous étiez loin d'être prête...

Mes mains serraient à les briser les accoudoirs de ma chaise. Loin d'être prête ? Qu'est-ce que j'étais, d'après lui ? Une potiche ? J'étais en état de choc. Incapable de respirer. À plus forte raison de lui répondre.

– Vous êtes une brillante technicienne, Banks.

Le sel sur la plaie, maintenant ! Je l'aurais tué, tandis qu'il poursuivait sur le même registre :

– Avec quelques conseils, et beaucoup de patience, vous pourrez faire, un jour, un bon cadre supérieur. Mais tant que vous persisterez à gloser sur notre organisation interne, en oubliant nos principes de base, j'ai bien peur de ne pouvoir vous apporter le soutien que vous attendez de moi...

Je l'entendis réduire ma proposition en lambeaux. Lentement. Délibérément. Je suffoquais de rage. Je sentais mes mains trembler, et j'étais heureuse qu'il ne pût les voir. Dix ans. J'avais travaillé dix ans pour atteindre cet objectif. Et il avait tout annihilé, d'un seul coup de téléphone. Je comptai jusqu'à dix avant de me relever. Jamais, de toute ma vie, je n'avais eu autant besoin d'aller respirer de l'air frais. Je songeai, brièvement, à lui fendre le crâne au moyen de la plaque de bronze qui se trouvait à portée de ma main. Mais je n'étais pas sûre de pouvoir bien viser, dans cette pénombre étouffante. Si je le ratais, ce serait une déception de plus, une déception de trop, pour une même soirée.

J'allais sortir quand il ajouta :

– Je vous ai couverte, pour cette fois, et j'ai donné ma parole que vous ne feriez plus à l'avenir de telles propositions inconsidérées. Soit dit en passant, nous n'avons nul besoin d'améliorer notre sécurité. Notre navire est aussi insubmersible que n'importe quel autre bâtiment, dans l'industrie de la banque.

On le disait aussi du *Titanic* ! J'allai me changer dans les toilettes des dames pour me rendre à l'Opéra. J'ajustai mon collier de perles, les yeux fixés, dans le miroir, sur mon visage blême et tendu. Je bouillonnais toujours intérieurement, une bonne heure plus tard, en traversant le vaste hall de granit poli du centre de données de la banque. Les gardiens bavardaient, au-delà du massif tableau de contrôle des sas et des caméras électroniques répartis dans tout l'immeuble. Ils durent me prendre tout d'abord pour quelque pocharde fourvoyée en ce lieu, car l'un d'eux se précipita à ma rencontre. Vite rejoint par un de ses collègues.

– Pas de panique, c'est mademoiselle Banks. Elle habite ici ! Pas vrai, m'dame ?

Je lui confirmai que je vivais littéralement dans ce maudit centre de données. J'y pensais en marchant vers les ascenseurs. Ce gardien avait tapé dans le mille ! J'étais ici beaucoup plus souvent que chez moi. J'avais autant de vie sociale qu'une machine à calculer. Depuis dix ans, je mangeais, buvais, respirais, transpirais de la haute finance. Sans marquer ni d'ailleurs ressentir le moindre intérêt envers tous ceux et tout ce qui ne se rapportait pas directement à mes obsessions, à mes objectifs.

J'avais la banque dans le sang. Question d'hérédité, sans doute. À la mort de mes parents, mon grand-père Bibi s'était appliqué à faire de sa petite-fille la première vice-présidente d'un important établissement financier. Il l'y avait préparée durant des années. Et maintenant, au terme de quelques petites heures, cette même petite-fille allait devenir la première femme d'affaires bien déterminée à dévaliser une banque de réputation mondiale.

Je pris le chemin du treizième étage. Il n'était pas question, bien sûr, de voler de l'argent, au sens propre. Non seulement tout enrichissement rapide d'un banquier ne manquerait pas d'attirer l'attention – en raison de ma position-clé dans l'organigramme, mes propres comptes faisaient l'objet d'audits trimestriels – mais, ayant passé l'essentiel de mes jours à m'en occuper, l'argent n'avait plus grand sens pour moi. J'en remuais tellement, chaque jour, que j'avais fini par acquérir une conscience ésotérique de sa nature éminemment transitoire.

Cette affirmation pourra sembler bizarre aux yeux d'un non-banquier, mais la plupart des gens commettent deux erreurs quant à la nature de l'argent. La première, c'est que l'argent possède une sorte de valeur intrinsèque, ou tout au moins établie. Il n'en est rien. La seconde, c'est que l'argent peut être matériellement protégé par les murs d'une chambre forte ou les parois d'un coffre-fort. Autre illusion dangereuse.

Il faut en effet accepter le fait que l'argent n'est rien de plus qu'un symbole. Plus vous déplacez de l'argent, et plus vous le déplacez *vite*, plus il devient abstrait et plus il est difficile de contrôler sa valeur absolue ou même de le localiser. Si des sommes suffisamment importantes passent à grande vitesse d'un endroit à un autre, elles disparaissent pratiquement de la circulation.

Et ainsi le vol n'a plus grand-chose à voir avec son acception classique, même si le changement est davantage de forme que de fonds. On volait déjà bien avant que l'argent ne fût inventé. Mais plus la richesse se concentre sous un faible volume, plus il est facile de s'en emparer. Au temps où les vaches constituaient la monnaie d'échange, les voleurs avaient de sérieux problèmes. Avec l'avènement de l'informatique, l'argent est devenu si peu matériel que c'est tout juste s'il existe encore, sinon sous la forme de bips électroniques. La haute technologie bancaire annonce l'Aube du Symbolisme fiduciaire, l'ère ultramoderne où l'argent ne sera plus qu'une succession de minuscules points lumineux rebondissant de satellite en satellite à travers l'espace.

J'étais bien placée pour le savoir. Je dirigeais, à la banque, un service baptisé Transferts électroniques de fonds, ou Tef. Notre travail était d'assurer la circulation de l'argent, et il existait de tels services dans toutes les banques du monde équipées d'un Télex, d'un ordinateur ou d'une ligne de téléphone. Je savais ce que faisaient ces services, quand ils le faisaient, et dans quelles conditions. Un savoir qui s'avérerait précieux, le moment venu.

Les transferts ou virements que nous opérions n'étaient que de simples mémos d'une banque autorisant une autre banque à prélever de l'argent sur le « compte correspondant » de la première banque. Comme une simple remise de chèque. La plupart des banques ont un de ces comptes ouvert dans les banques avec lesquelles elles traitent régulièrement de grosses affaires. Si elles n'en ont pas, elles doivent passer par une troisième banque où l'une et l'autre ont un compte.

Rien qu'aux États-Unis, environ trois cent mille milliards de dollars circulent à travers ce système de transferts. Plus que tous les avoirs bancaires de ces mêmes États-Unis réunis. Les banques n'ont aucune idée précise de l'argent qu'elle ont déboursé jusqu'à l'heure de la fermeture, quand elles font, chaque soir, le total des transferts qu'elles ont effectués.

Les gouvernements de nombreux pays se sentent mal à l'aise à l'idée que l'argent puisse franchir leurs frontières sans passer par la douane et être l'objet de taxes. Qui peut savoir si quelque Iranien n'a pas coutume de transférer des fonds, six fois par jour, de Salzbourg à San José ? Comment réglementer quelque chose que protège la confidentialité d'une poignée de main échangée par deux gentlemen, dans un club privé ? Les règles qui gouvernent la banque émanent de la nuit des temps. Celles des transferts par câble remplissent une carte de quelques centimètres carrés. Si quelque activité bancaire a besoin d'une sécurité renforcée, c'est bien celle-là.

Mais comme tout bon banquier aux veines garnies d'encre noire, je ne me lançais pas à l'aveuglette. Mon grand-père, Benjamin Biddle Banks, m'avait enseigné la première règle du jeu alors que je n'avais pas quatre ans :

– Calcule toujours soigneusement le risque.

Dommage qu'il n'ait pas suivi son propre conseil. Il avait lui-même été propriétaire d'une petite chaîne de banques californiennes qu'il avait créée à partir de rien. Bien que très éloigné des monstres tels que Wells Fargo, la Banque d'Amérique ou la Banque mondiale, ses modestes établissements avaient occupé un créneau que personne d'autre ne s'était soucié de remplir. Juste avant la grande dépression, lorsque les immigrants espagnols, russes et arméniens étaient arrivés en Californie, Bibi, homme de principes autant que grand financier, avait aidé ces gens à retomber sur leurs pattes, à acheter des lopins de terre, à créer fermes et ranches, bref, à bâtir la colonne vertébrale économique qui avait épargné à la Californie le marasme qu'avait subi le reste du monde civilisé.

Dans les années soixante, alors que la chaîne de mon grand-père était cotée en Bourse, un groupe d'hommes d'affaires du Midwest avait paisiblement acquis la majorité de ses titres et – moins paisiblement – l'avait relégué dans des fonctions honorifiques d'où il avait pu observer le pillage méthodique de ce qui était l'œuvre de sa vie. Il n'avait pas survécu à l'année en cours. J'avais alors décidé, qu'atavisme ou pas, la banque n'était pas la carrière dont je rêvais. À New York, j'avais étudié le traitement de données, et j'étais devenue dans cette branche une technocrate hautement appréciée sur la place de Manhattan.

À mon corps défendant, la deuxième société à laquelle je louai mes services fut revendue par son propre état-major, comme celle qui avait tué Bibi, et traîtreusement incorporée à Sa Majesté la Banque mondiale. Une offre que je ne pouvais me permettre de refuser fut à l'origine de mon transfert à San Francisco : celle du poste et du salaire les plus élevés jamais obtenus dans toute l'histoire de la banque par un cadre de sexe féminin, et un cadre de vingt-deux ans qui plus est. Le choc avait été si violent que dix ans après, j'y étais encore.

Mais ils me traitaient toujours comme si j'avais besoin d'un laissez-passer ou d'un garde du corps pour me rendre aux toilettes. J'avais vendu mon âme, et les rêves de mon grand-père, pour une plaque de bronze posée sur mon bureau, porteuse de mon nom et d'un titre ronflant, « Administratrice ». Pourquoi pas « Putain de la Banque » ? Mais il n'est jamais trop tard pour changer les cartes que le destin vous a distribuées. Ça aussi, je le tenais de Bibi, et j'étais sûre qu'il avait raison.

En outre, j'avais aujourd'hui les bons atouts dans ma manche.

Mon plan consistait à infiltrer le système de sécurité automatique, m'introduire dans celui des virements et transférer de l'argent où personne ne pourrait le retrouver. Puis déclencher l'alerte rouge et montrer à tous combien l'opération avait été facile.

La première responsabilité d'un banquier, c'est de sauvegarder les capitaux qui lui sont confiés. Si je pouvais pénétrer dans le système de sécurité comme un couteau chaud dans du beurre, et détourner des sommes importantes, non seulement Kiwi perdrait son sourire, mais je prouverais qu'il y avait un problème, et que la Fed aurait eu bien raison de m'en confier l'étude. Pour réaliser mon projet, toutefois, il me faudrait de l'aide.

J'avais un ami, à New York, qui en savait plus sur l'art de détourner des fonds que la plupart des banquiers sur la façon de les gérer, quelqu'un qui avait accès à toutes les archives criminelles du FBI, aux dossiers de police interétats, et même ceux d'Interpol. Il s'appelait Charles, et je le connaissais depuis une douzaine d'années. Serait-il assez fantaisiste pour partager avec moi sa science, surtout lorsqu'il saurait à quoi je la destinais ? Ça, c'était une autre paire de manches.

Bien qu'il fût près de minuit à New York, je savais qu'il serait éveillé. Charles m'était redevable de plus d'un service. Je lui avais sauvé la mise et peut-être la vie. Le jour était venu de lui rappeler sa dette de reconnaissance. J'y pensais en traversant le centre de données, à destination de mon propre bureau.

Mais le mot reconnaissance ne figurait pas dans le vocabulaire de Charles. Quand je lui expliquai ce que j'avais en tête, il me répondit avec sa réserve habituelle :

– L'idée de base est pourrie. La probabilité du succès est supérieure d'un virgule cent cinquante-sept pour cent à celle de la présence de neige éternelle en enfer.

Mon idée, en bref, était d'organiser un « effet de cavalerie » par l'intermédiaire de virements multiples. C'était en somme une utilisation à grande échelle du fameux principe du « chèque en bois ». La plupart des gens, au moins une fois dans leur vie, ont émis un ou plusieurs chèques dans l'attente d'une provision imminente, sans même réaliser, peut-être, que c'était illégal. Vous allez au supermarché, un samedi, et bien que votre compte courant soit à découvert, vous faites un chèque de vingt dollars. Le lundi, avant que votre chèque soit passé en compensation, vous encaissez un chèque, disons de trente dollars, vous en déposez vingt pour couvrir votre premier chèque et ainsi de suite.

La seule chose qui empêche la plupart de jouer en permanence à ce genre de roulette, c'est que les commerçants, de nos jours, peuvent déposer les chèques plus vite que leurs signataires ne peuvent les couvrir. Afin de conserver une avance suffisante dans cette course et de commencer à jouer sur des sommes intéressantes, il faut savoir combien de temps mettra chaque chèque en bois pour atteindre le débit de votre compte afin de créditer celui-ci au bon moment pour passer inaperçu. Heureusement, dans le système de transferts par câble de la Banque mondiale, non seulement ces données étaient gérées par ordinateur, mais j'étais à la tête des systèmes qui les contrôlaient.

Je n'avais pas besoin que Charles me dise ce qu'il pensait de mon idée. Tout ce que je voulais, c'était savoir, compte tenu des données dont il disposait lui-même, combien de chances mon projet avait d'aboutir. Par exemple, combien de comptes « écrans » je devrais ouvrir pour entreposer les fonds, combien d'argent je devais « emprunter » avant de le rendre et dans quels délais. Avec combien d'argent je pourrais jongler ainsi, sans craindre de laisser tomber mes quilles ? Et surtout, combien de temps je pourrais me livrer à ce petit jeu sans être démasquée avant l'heure ?

Les réponses à ces questions, j'étais prête à les attendre toute la nuit, si mon ami Charles tardait à entrer dans le jeu. À comprendre qu'en dépit de leur abstraction apparente, mes demandes étaient parfaitement sérieuses. J'attendais donc, en battant la charge du bout des ongles sur mon bureau de bois vernis (modèle réglementaire fourni par l'administration), en laissant mon regard se promener, au petit bonheur, sur le décor de la pièce.

Pas besoin de lunettes pour constater que cet endroit où je passais, en moyenne, une douzaine d'heures par jour, était à peu près aussi chaleureux qu'un quai de gare. La nuit, comme à présent, sous les lumières fluorescentes, il était carrément sinistre. Un mausolée. Rien, aucun objet personnel sur les étagères, et l'unique fenêtre donnait sur le mur de béton du bâtiment d'en face. Même les livres que j'avais apportés reposaient en pile sur le plancher plastifié. Depuis trois ans que j'occupais ce bureau, je n'avais jamais pris la peine de les aligner sur une des planches disponibles. Austère était le mot qui convenait. Je me promis d'acheter une plante verte.

Charles se manifesta enfin. Toujours optimiste.

– Statistiquement parlant, les femmes sont de meilleures voleuses – au genre près – que les hommes. Elles commettent, dans l'ensemble, plus d'infractions en col blanc que l'autre sexe, et se font prendre moins souvent.

– Serais-tu misogyne ?

– Terme dépourvu de sens dans le langage informatique. J'énonce les faits, c'est tout. Je ne formule aucun jugement de valeur.

J'allais lui répondre du tac au tac quand il enchaîna, non sans une certaine véhémence :

–J'ai pesé les risques que tu m'as exposés. Tu les veux en vrac, ou tu préfères que je les analyse ?

Un coup d'œil à l'horloge murale m'apprit qu'il était dix heures passées, donc un peu plus d'une heure du matin à New York. Loin de moi tout désir de l'offenser, mais il était lent comme un escargot. Il ne pourrait même pas analyser son nombril, dans le temps qui nous restait.

Comme si la Divine Providence m'avait entendue, un message apparut sur mon moniteur :

« ON LE COUCHE DANS CINQ MINUTES. ENRE-GISTRÉ. »

L'heure de boucler Charlie pour la nuit, en vue de sa maintenance nocturne, mais je connaissais bien ses opérateurs new-yorkais. Je pianotai en vitesse :

« J'AI BESOIN DE DIX MINUTES. RETENEZ LES CHEVAUX. »

« LA MAINTENANCE ÉTAIT PRÉVUE POUR UNE HEURE. ON A BESOIN DE SOMMEIL, NOUS AUSSI, MADEMOISELLE. MAIS TU MANQUES BEAUCOUP À CE CHER CHARLIE. PRENDS TES DIX MINUTES, FRISCO. SALUTATIONS AFFECTUEUSES... SIGNÉ : LES JUMEAUX BOBBSEY. »

« Frisco » ? Sans blague ? Je sauvegardai les données que Charles avait réunies pour moi. Même s'il n'était jamais qu'un bloc de quincaillerie d'un bon million de dollars, le bon Charlie, sous sa carrosserie de superordinateur, avait souvent plus d'intuition que la moyenne des hommes. Je glissai la disquette dans mon sac du soir à paillettes.

Avant de boucler pour la nuit, moi aussi, j'appelai sur mon moniteur les messages que mon algarade avec Kiwi m'avait fait oublier, plus tôt dans la journée. Et les opérateurs de Charlie y ajoutèrent une remarque de leur cru :

« ENQUÊTE INTÉRESSANTE, FRISCO. PUREMENT THÉORIQUE, BIEN SÛR ? »

35

Je pianotai :

« PAS LE TEMPS DE BAVARDER. FRISCO ? ICI, ON DIT SAN FRANCISCO. J'AI UNE SOIRÉE À L'OPÉRA. À PLUS. »

La riposte ne se fit pas attendre :

« LA JOURNÉE À LA BANQUE. LA SOIRÉE À L'OPÉRA. À PLUS, SAN FRANCISCO. »

Et l'écran retrouva sa virginité.

Je ressortis dans la nuit humide et froide, et repris le chemin de l'Opéra. Le champagne était dégueulasse, au bar de l'établissement, mais on y servait un superbe irish-coffee. J'en commandai un avant de remonter dans ma loge et en dégustai la crème fouettée en regardant les dieux franchir l'arc-en-ciel et pénétrer dans le Walhalla. Les motifs musicaux m'exaltèrent et le whisky de l'irish-coffee me réchauffa les os, m'apportant un tel réconfort que j'en oubliai presque Kiwi, mon projet avorté, ma vie gâchée, et mon idée stupide de démontrer à tous la vulnérabilité du système bancaire.

Les crescendos de l'orchestre déferlaient en vagues successives par-dessus les lumières de la rampe quand je dépliai la feuille de papier détrempée recelant tous les messages que j'avais imprimés avant de quitter mon bureau.

La liste habituelle, mon tailleur, mon traiteur, mon dentiste, quelques collègues, plus un qui était arrivé *après* ma conversation avec Charles, à New York. Un lent bourdonnement naquit dans mes oreilles tandis que j'en prenais connaissance.

« Si tu veux me parler de ton projet, appelle-moi.
Bien à toi.
Alan Turing »

C'était inquiétant à un double titre. D'abord, Alan Turing était un type célèbre, mathématicien et génie de l'informatique, mais je ne le connaissais ni d'Ève ni d'Adam. Ensuite, il était mort depuis une quarantaine d'années.

UNE JOURNÉE À LA BANQUE

« Un marché financier organisé présente beaucoup
d'avantages. Mais ce n'est pas une école d'éthique sociale
ni de responsabilité politique. »

R. H. TAWNEY

La véritable identité d'Alan Turing, le correspondant fantôme, m'apparut le lendemain matin, alors que je buvais mon jus d'orange, sous une douche brûlante.

Turing, le vrai, était un matheux de Cambridge qui avait considérablement perfectionné les premiers ordinateurs digitaux. Durant sa courte vie, à peine quarante et un ans, il était devenu l'une des figures essentielles du traitement de données, en Grande-Bretagne, et la plupart des spécialistes le considéraient comme le père de l'intelligence artificielle.

Tous les informaticiens ou presque avaient lu ses œuvres, à quelque stade de leur carrière, mais je connaissais quelqu'un qui en avait fait un sujet de conférences. Ce quelqu'un était l'un des magiciens de l'informatique les plus réputés des États-Unis, un technocrate de toute première classe.

Il avait aussi été mon maître, lors de mon arrivée à New York, douze ans auparavant. C'était l'un des êtres les moins sociables qu'il m'eût été donné de rencontrer, un homme aux mille visages et au savoir immense. Je pouvais me vanter de le connaître mieux que quiconque sur cette terre et pourtant, ce que je savais de lui n'aurait pas rempli une feuille de papier. Bien que je ne l'aie pas revu depuis des années, et que nous n'ayons eu que peu de contacts entre-temps, il avait eu, sur ma carrière, autant d'influence que Bibi, mon grand-père. Il s'appelait Zoltan Tor. Le docteur Zoltan Tor.

Tous les informaticiens connaissaient son nom. Tor était le père du travail en réseau, et l'auteur du texte classique sur la théorie de la communication. Tellement célèbre que les jeunes gens qui lisaient ses ouvrages le croyaient mort depuis longtemps. Mais il n'avait pas encore atteint la quarantaine et se portait comme un charme.

Maintenant qu'il m'avait téléphoné, après toutes ces années, combien de temps ma propre santé allait-elle demeurer prospère ? Chaque fois qu'il s'était immiscé dans ma vie, j'avais eu de gros ennuis. Plus que des ennuis, rectifiai-je en sortant de ma douche. Il m'avait mise en danger.

Parmi les nombreux talents de Zoltan Tor, figurait la cryptographie. Il avait à ce sujet rédigé une étude que tous les membres du FBI affectés à ce genre de recherche connaissaient par cœur. Voilà pourquoi j'étais nerveuse, car ce traité couvrait tous les aspects du décryptage de codes, du piratage de données, du vol d'informations, et donnait clairement les moyens d'éviter ces aléas.

Pourquoi Tor-Turing se rappelait-il soudain mon existence ? Comment avait-il pu apprendre, si vite, quel genre de « projet » je caressais depuis la veille seulement ? C'était presque comme s'il avait lu mes pensées, à plus de cinq mille kilomètres de distance, et qu'il eût déjà compris ce que j'envisageais de faire. J'en conclus que je ferais bien de découvrir au plus vite ce qu'il pensait de mon entreprise.

Mais pour cela, il fallait que je le trouve, et ce n'était pas si simple, car il ne croyait ni aux adresses fixes ni aux numéros de téléphone. Ni même au fait de signer ses messages de son propre nom.

Il était le patron d'une société de transactions financières, « Le Groupe Delphique », clin d'œil à l'oracle selon toute vraisemblance, mais il ne figurait pas dans l'annuaire téléphonique de

Manhattan. Pas grave dans la mesure où je le connaissais. Il n'allait jamais à son bureau, et quand on appelait ce numéro, on obtenait une étrange réponse. Mais j'essayai tout de même.

– Delphique ! aboya laconiquement la standardiste.

– Le docteur Tor m'a laissé un message me demandant de lui téléphoner. Le docteur Zoltan Tor. Est-il dans vos murs ?

– Désolée.

Ça ne se sentait guère, à sa voix, tandis qu'elle égrenait :

– Vous faites erreur. Vérifiez votre numéro.

C'était la « Delphique » ou la CIA ? J'insistai, à tout hasard :

– Si vous entendez parler de quelqu'un qui porte ce nom, pouvez-vous lui transmettre un message ?

– Quelle sorte de message ?

– Dites-lui que sur sa propre suggestion, Verity Banks aimerait lui parler.

Et je raccrochai sans lui donner le temps de me demander plus de détails ou l'orthographe exacte de mon nom. Le voile de mystère qui entourait la vie de Zoltan Tor, aussi impénétrable que les systèmes de sécurité bancaire, m'exaspérait autant que, des années plus tôt, ses incursions dans ma vie privée. En attendant qu'il se manifestât, j'avais un travail à faire. Il était neuf heures quand je descendis de chez moi, récupérai ma vieille BMW et la lançai dans la purée de pois qui recouvrait San Francisco. En général, je mets un point d'honneur à ne pas être en retard au bureau, mais en hiver, l'aube est paresseuse, et quelque chose me disait que, de toute manière, la journée serait longue.

La profession bancaire grouille de conseillers plus nombreux que les mouches sur une charogne. À la Banque mondiale, on a des experts en efficacité toujours prêts à vous dire comment organiser votre emploi du temps, des experts industriels qui vous expliquent comment faire votre travail, et des experts psychologues qui vous aident à rationaliser votre environnement. À aucun de ces éminents spécialistes, je n'avais jamais accordé la moindre attention.

Je ne m'étais pas intéressée, entre autres, à ces études qui vous démontrent par A plus B qu'un costume de flanelle grise pare d'une aura de force tranquille tout banquier digne de ce nom. Je préfère m'habiller comme si j'étais propriétaire de la banque, et n'y étais entrée que pour me renseigner sur mes dividendes.

J'arrivai, ce matin-là, vêtue d'assez de soie bleu nuit pour recouvrir un canapé géant. Le tout était d'une parfaite simplicité apparente, mais on m'avait assuré que les meilleurs esprits de Milan s'étaient épuisés à le réaliser. Au temps pour le code vestimentaire !

Ceux et celles de mon équipe ne prenaient pas non plus ces foutaises au sérieux. Quand je débarquai au treizième, ils vaquaient à leurs affaires en jeans, en baskets et en T-shirts imprimés de slogans informatiques tels que «Capacité de traitement maximale» ou «Initialisation en cours».

Je pensais au treizième étage comme à «l'étage des affaires». C'était un labyrinthe d'unités modulaires calculé, en principe, pour créer une «atmosphère de partage des problèmes». Peint en «bleu tranquillisant» sur fond de moquette d'un orange électrique aux vertus «stimulantes». Pour autant que je puisse en juger, le contraste engendrait plutôt une sorte de schizophrénie, mais les informaticiens sont rarement normaux, de toute manière.

Je pris une fois de plus l'itinéraire tortueux conduisant à mon bureau. J'en refermai la porte derrière moi, pour donner le temps à Pavel, mon secrétaire, de m'apporter la première tasse de café. Pavel était grand, brun et beau mec, avec les manières d'un aide de camp diplomatique. Il était fait pour le cinéma, et suivait d'ailleurs chaque soir des cours d'art dramatique. Devenir acteur était son ambition chérie, et il proclamait, à qui voulait l'entendre, que le domaine de la banque lui offrait une expérience de la vie, à son niveau émotionnel le plus primitif.

Tous ceux avec qui je travaillais connaissaient le «rite des deux tasses», et savaient que je ne communiquais avec personne avant, petit *a*, dix heures, petit *b*, ma seconde tasse de café. Jusque-là, je pouvais recevoir des messages, mais n'y répondais jamais tout de suite.

Pavel entra, le café à la main, et referma, lui aussi, la porte derrière lui, avant de placer la tasse devant moi.

– Tiède, comme tu l'aimes. Tu as trois rendez-vous aujourd'hui. Je les ai marqués sur ton planning. Veux-tu toujours la petite salle de conférence réservée pour quatre heures ? Fais-moi juste un signe de tête si tu es d'accord.

Ma riposte lui fit ouvrir de grands yeux :

– Annule les rendez-vous. J'ai déjà bu assez de café ce matin pour mettre un navire à flot. Kiwi a sabordé ma proposition, hier soir.

Comme personne n'était au courant de ma candidature à la Fed, je crus bon de ne pas la mentionner. Pavel acquiesça, pensif, en rabaissant machinalement les manches relevées de son pull :

– C'est ce que j'ai compris en trouvant sa version lacérée dans ta corbeille, ce matin.

Il s'assit en face de moi. Il avait l'air si profondément navré, avec son menton posé sur ses mains en coupe, que je lui adressai mon plus beau sourire, et qu'il s'informa gentiment :

– Qu'est-ce que tu vas faire ?

– Rédiger une autre proposition. Apporte-moi le dossier de routine. Tous les règlements les plus idiots de l'établissement !

Pavel sourit avec malice en repartant vers la sortie, le poing levé.

– Vive la routine ! Qu'ils se noient dans leur propre merde !

Connaître les règles, celles de la banque ou celles du base-ball, c'est indispensable pour gagner la partie. *Suivre* les règles, c'est tout à fait autre chose.

Certains vont jusqu'à déclarer que les règles sont faites pour être transgressées. Tel n'est pas mon sentiment. Les règles sont comme les poteaux qui délimitent une épreuve de slalom. On les contourne religieusement, d'aussi près que possible, sans leur permettre de ralentir la descente.

La Banque mondiale était une énorme machine, peut-être même, comme son nom le prétendait, la plus grande machine bancaire du monde. Conséquence de sa taille : elle débordait de règles et de règlements, en si grand nombre que personne n'avait le temps de les lire, encore moins de les observer.

La maison s'enorgueillissait d'un service dont la seule fonction apparente était de pondre, à jet continu, des règles nouvelles. Et parfois s'élevaient des querelles intestines visant à établir lesquelles de ces règles étaient « officielles ».

Mon propre bureau croulait chaque jour sous les procédures et marches à suivre, fraîchement promulguées par un groupe dont je n'avais jamais entendu parler. Pavel les classait soigneusement dans le « dossier de routine » et les oubliait. Moi de même. Mais je savais que je trouverais parmi ces joyaux de la connerie bureaucratique quelque chose qui servirait mon objectif. Après tout, s'il y avait autant de règles contradictoires en rapport avec la gestion de l'argent, il devait en exister au moins une qui me permettrait d'en détourner et de démontrer ainsi, une fois pour toutes, à quel point Kiwi était nul.

Il me fallut, pour la trouver, la majeure partie de la journée. Embusquée dans un paquet de procédures mijotées par la commission permanente du Système global de régulation interne, ou SGRI, selon un sigle qui leur était cher. Je les connaissais bien, ceux du SGRI, les pondeurs de règles les plus prolifiques de la banque. Ils détenaient le record toutes catégories du gâchis de papier, sans possibilité de recyclage. Cette fois-ci, pourtant, j'étais persuadée que leur production chronique de documents ineptes m'apporterait ce que je cherchais. Il y faudrait un peu d'imagination, mais cela avait toujours été mon point fort. Et les premiers mots qui me frappèrent furent :

« Cette méthodologie a été appliquée, avec un plein succès, à la United Trust, pour tester leur système de sécurité. »

Que demander de plus ?

Il s'agissait en l'occurrence d'une méthode connue sous le nom de Théorie Z. Je savais, en gros, de quoi il retournait, et elle m'avait déjà fait vomir. Importée du Japon, et considérée comme la méthode de management la plus avancée, c'était à mes yeux l'agression la plus implacable de la nation nippone depuis Pearl Harbour. Mais en ma récente qualité de voleuse potentielle, la Théorie Z m'apparaissait aujourd'hui sous un tout autre jour.

L'idée maîtresse était que les directeurs n'étaient pas nécessaires. Tout, au Japon, était géré par des équipes de petits hommes sans visage appelées « cercles de qualité ». Ils faisaient tout ce qu'il fallait pour produire un article donné, de la conception à la fabrication, en passant par tous les tests nécessaires, et, à chaque étape, la décision était prise à la majorité des voix : la direction collégiale. Notre communauté bancaire l'avait adorée. Adoptée. Presque *sanctifiée*. Sans savoir très bien par quel bout la prendre.

J'aurais été en mesure de le leur dire.

Je bipai Pavel et lui dis de m'obtenir au téléphone, d'urgence, le chef des systèmes de sécurité de l'United Trust. Il lui suffirait d'annoncer, de sa belle voix grave, que c'était la Banque mondiale, au bout du fil, et tout le monde serait au garde-à-vous. L'argent est persuasif, et la Banque mondiale en avait plus que tout le monde, y compris l'United.

Effectivement, mon téléphone ne tarda guère à sonner. Pavel annonça :

– Monsieur Peacock, chef de la sécurité.

– Madame Banks ?

L'excitation monta progressivement dans la voix de monsieur Peacock, tandis qu'il m'expliquait, en réponse à mes questions :

– Oui, chère madame, nous mettons en pratique la Théorie Z. Tous nos systèmes sont testés par des « cercles de qualité », qui englobent l'élite de nos collaborateurs.

D'après monsieur Peacock, l'un de ces cercles de qualité avait tout essayé pour forcer les systèmes de sécurité, afin de s'assurer que lesdits systèmes étaient assez étanches pour ne rien laisser passer qui ne fût immédiatement détecté. Le résultat avait dû faire du bruit !

– Le cercle de qualité chargé de ces tests se nomme le Redo, sigle de « Repérage et Destruction *on line* ».

Un autre tic de la profession, cette manie de tout traduire en acronymes. Une habitude que je qualifiais de FDME. Fléau de Mon Existence.

– Et donc, enchaînait monsieur Peacock, au comble du ravissement, nous sommes parvenus à décrypter le dossier des mots de passe de nos clients, nous avons branché deux dérivations actives et préparé une bombe logicielle qui devrait exploser cette semaine. Ha ! Ha ! Ha !

Il n'y avait rien de bien mystérieux dans tout ça. Une dérivation active permettait de pirater la ligne téléphonique pendant un transfert de fonds et d'en modifier le montant ou de le virer sur un autre compte. Par opposition à la dérivation passive où l'on se contente « d'emprunter » le numéro et le mot de passe du compte de quelqu'un d'autre pour ensuite lui dérober son argent.

La « bombe logicielle » est nettement plus intéressante, mais exige un recours direct à l'informatique. Il s'agit de truquer le système pour qu'à une date ultérieure, l'ordinateur fasse une chose qu'il n'a jamais faite auparavant, telle que – par exemple – déposer de l'argent sur votre compte. J'étais heureuse que monsieur Peacock fût aussi disposé à partager ses expériences récentes avec une parfaite étrangère. J'avais appris ce que je voulais savoir, et qui n'offrait guère de rapport avec le succès de son sacerdoce.

J'allais envoyer, dès ce soir, une autre proposition. Toute idée nouvelle mérite un nouvel auditoire, et celle-ci frisait la perfection. C'était le comité de direction, l'assemblée des plus « grosses légumes », qui attribuait les budgets à l'intérieur de la banque. Leur autorité transcendait tous les autres départements, y compris celui de Kiwi, et bien que lui-même ne siégeât point au comité, son supérieur direct en était le président.

Munie des informations que Charles m'avait données la veille, je préparai mon dossier. Se souciaient-ils de la vulnérabilité de nos systèmes ? Ils le devraient, car même un enfant de six ans aurait la capacité de percer nos défenses. Les crimes informatiques *connus* n'étaient que la partie émergée de l'iceberg, mais combien d'autres crimes étaient passés sous silence ? Les banquiers, plus que quiconque, ne pouvaient se permettre d'ignorer les statistiques. C'était eux, après tout, qui s'abstenaient de signaler certains crimes. Comment réagiraient les dépositaires s'ils réalisaient qu'au lieu de reposer derrière trois à quatre mètres de béton et d'acier, leur argent se promenait à travers le monde, *via* les câbles du téléphone, avec toute la sécurité d'un appel transatlantique ?

Ayant ainsi réveillé leurs angoisses, je touchai le point sensible. On possédait la technique indispensable, ici même, à la banque, pour résoudre ce problème : la Théorie Z, cette merveilleuse méthode employée avec tant de bonheur par nos homologues japonais ! Une technique qui constituait à présent la politique officielle de grandes banques new-yorkaises telles que l'United Trust. Si le comité de direction décidait de financer mon initiative, je choisirais les experts adéquats, et me chargerais de violer notre sécurité, sans coup férir.

En remettant ma proposition à Pavel, sous enveloppe, je me sentais magnifiquement bien dans ma peau. Je lui demandai de tamponner chaque exemplaire du cachet « Urgent et confidentiel », avant de les transmettre à qui de droit, le soir même. J'étais à peu près certaine que nul membre du comité ne s'y opposerait, car mon projet mettait en œuvre une nouvelle théorie, et promettait de résoudre un vieux problème. Le repousser aurait quelque chose de suicidaire.

Quant à moi, au lieu de risquer le pire en agissant sous le manteau, la restitution officielle de l'argent détourné me couvrirait de lauriers qui feraient de moi la grande Verity Banks, reine de l'informatique.

J'avais évité Kiwi en restant bouclée dans mon bureau toute la journée. À huit heures du soir, j'enfilai mon trench-coat, rangeai mes dossiers dans ma serviette et descendis au garage. Il était noir et désert, mais je savais qu'il y avait des caméras de surveillance un peu partout. Si j'étais agressée, les gens de la sécurité assisteraient confortablement, de là-haut, à mon assassinat. Je montai la rampe, montrai mon badge au scanner, attendis patiemment l'ouverture des grandes portes, et mis le cap sur mon domicile.

Quand je m'arrêtai devant chez moi, la pluie avait de nouveau vernissé les rues. Il me fallut un bout de temps pour caser ma voiture sur le parking mais, finalement, je pus entrer dans le hall dallé de marbre, et prendre l'ascenseur à destination de mon appartement de standing juché là-haut, sur la terrasse de l'immeuble.

Je n'allumais jamais l'électricité quand je rentrais au bercail. J'aimais contempler un instant les silhouettes de mes orchidées découpées sur le fond lumineux des lumières de la ville. Presque tout, dans mon appartement, était de couleur blanche, les grands canapés ventrus, les tapis de haute laine, les étagères laquées chargées de livres. D'épaisses plaques de verre formaient le dessus des tables, portant de grands vases de cristal où flottaient des gardénias blancs.

Ici, dans mon repaire, on avait un peu l'impression de graviter dans l'espace. La ville flamboyait alentour, perdue dans son brouillard perpétuel, au-delà des cloisons de verre, et les orchidées blanches me cernaient de toutes parts, fleurs des dieux poussant dans les nuages.

Malgré l'amour que je portais à mon chez-moi, j'y recevais rarement quelqu'un. Mes visiteurs occasionnels s'y sentaient le plus souvent comme dans un musée ou un mausolée dédié à ma solitude. Un cocon blanc. Et d'une certaine façon, c'était exactement ça. Tout ce qui m'entourait, je l'avais gagné à la sueur de mon front. Et j'avais le droit de m'en servir pour acheter ce qui me tenait le plus à cœur : paix et solitude, au sommet de la cité.

Après un dîner rapide, je repris contact avec Charles, pour terminer avec lui le calcul des risques que j'allais courir. Je savais déjà qu'il s'agirait de sommes considérables. Des milliards de dollars étaient propulsés chaque jour dans les lignes des Télex et des téléphones, et même si l'intégralité ne pouvait pas disparaître comme ça, purement et simplement, sans laisser de trace, je savais que je pourrais néanmoins en escamoter un bon paquet durant une période donnée. La question était : de quelle taille, le paquet ? Et comment en répartir le contenu, pour un temps, au mieux de mes activités illicites ?

Je désirais savoir également dans quelle proportion les risques s'accroîtraient, dans un contexte international. C'était pour cette raison que j'avais consulté Charles, au départ. Il allait pouvoir me synthétiser les données disponibles sur le nombre de crimes commis chaque année, le nombre d'audits effectués dans le même temps, et la nature des crimes révélés par ces audits ou tout autre moyen de recherche. Me reportant à mes notes sur mon premier contact avec Charles, je pianotai :

« DRESSE-MOI LE TABLEAU DES UTILISATIONS FRAUDULEUSES DU PARC ÉLECTRONIQUE DOMESTIQUE AU COURS DES CINQ DERNIÈRES ANNÉES. »

« JE COMPRENDS L'ANGLAIS, me rappela Charles. JE SUIS UNE MACHINE TOUT À FAIT CONVIVIALE. »

« DIS-MOI, SI TU PRÉFÈRES, COMBIEN D'ARGENT A ÉTÉ VOLÉ, DEPUIS CINQ ANS, PAR L'INTERMÉDIAIRE DES ORDINATEURS. »

« VOLÉ OÙ ÇA ? »

S'il voulait jouer à ce jeu-là, on serait deux !

« À L'ÉCHELLE DOMESTIQUE. »

« TU VEUX SAVOIR COMBIEN D'ARGENT A ÉTÉ VOLÉ CHEZ LES GENS ? »

« DOMESTIQUE AU SENS DE TERRITOIRE DES ÉTATS-UNIS D'AMÉRIQUIE. NE JOUE PAS SUR LES MOTS. »

« JE SUIS PROGRAMMÉ POUR PRENDRE LES MOTS AU SENS PROPRE. PAS À N'IMPORTE QUEL SENS DÉRIVÉ. »

Il radotait un brin. Question d'âge. Ce vieux Charlie était un ordinateur d'un modèle ancien et rare. Malgré sa personnalité parfois crispante, j'espérais qu'il tournerait encore pendant une bonne douzaine d'années. Après tout, j'étais bien placée pour être au courant de son âge exact. Je l'avais connu tout petit. Et si je n'avais pas existé, il n'aurait pas vécu jusque-là.

À la fin de mes études, douze ans plus tôt, j'étais entrée au service de la gigantesque fabrique d'ordinateurs de New York, la Monolith Corporation. Comme la plupart des programmeurs, je cherchais un centre de données ouvert vingt-quatre heures sur vingt-quatre, où je puisse m'entraîner sur de grosses machines. Je finis par en dénicher un, dans le massif Guide des centres de données de Manhattan. Il s'intitulait « Centre de données scientifiques », et compte tenu de son adresse, aucune personne saine d'esprit n'aurait eu l'idée de se rendre dans ce quartier, après la tombée de la nuit.

Ce soir-là, je me fis déposer par un taxi devant le petit immeuble de bureaux plutôt minable coincé entre des entrepôts sinistres à deux pas des quais de l'East End. Pas de gardien. Même pas d'interphone. Rien qu'un monte-charge manuel que je finis par découvrir, à l'arrière du bâtiment. Je me hissai, à la force des bras, jusqu'au sixième étage, où je découvris enfin les locaux du fameux Centre de données scientifiques.

Parler de locaux, au pluriel, était une exagération. C'était à peine si l'on pouvait passer, dans la pièce unique, entre les ordinateurs disposés à la diable. Des faisceaux de câbles pendaient de partout, même du plafond. Il y avait deux centimètres de suie sur les carrosseries de plastique, et l'ensemble évoquait, en fait, le croisement d'un vieux garage crasseux et d'une usine artisanale de spaghettis. Comment un seul ordinateur pouvait-il fonctionner encore, au milieu de cette décharge publique ?

Mon apparition excita prodigieusement les opérateurs nocturnes, deux Anglais nommés Harris, l'un et l'autre, qui ne recevaient aucune visite, depuis des années, et meublaient leurs nuits solitaires en jouant aux échecs, au go ou au mah-jong avec les ordinateurs.

Ils m'apprirent que le centre lui-même était pour le gouvernement – leur seul client – une sorte de dépôt d'archives où s'accumulait tout un tas de données, en vertu de quelque décret oublié exigeant, à l'appui d'archives historiques plus officielles, l'usage de références extérieures spécialisées.

Cette nuit-là, je fis la connaissance de Charlie, le merveilleux Charlie, toujours digne de confiance, dont les trésors de données hétéroclites n'ont jamais cessé de m'époustoufler. Et plus personne ne se souvenait, ni de son existence, ni de son savoir inépuisable, sur les sujets les plus variés.

Personne, sauf moi.

Au cours des années, les données dont disposait Charlie sur les transports, la banque et autres industries placées sous le contrôle du gouvernement, m'avaient été d'un grand secours, dans des tas de domaines. Quand je leur sortais, sans jamais oublier de me faire mousser, tous ces chiffres impressionnants qu'il m'eût fallu des années pour réunir, mes clients criaient au génie !

Vers une heure du matin, lorsque Charles fermait boutique pour la nuit, je dînais fréquemment, avec les deux Harris, dans un petit restau italien dont l'enseigne au néon était la seule source d'éclairage de la longue rue fertile en recoins inquiétants. À travers le treillage qui divisait la salle, on regardait les vieux jouer à la copa, avec pour enjeu quelque bouteille de chianti bon marché, et on mangeait des pâtes au vrai parmesan, en joignant nos voix aux interprétations chorales de vieilles chansons napolitaines.

C'est là, moins d'un an après cette première nuit, que les Harris m'annoncèrent la fin inéluctable de Charlie.

Les machines ne vieillissent pas comme les gens, entourés d'une famille prête à recueillir leur dernier souffle, et parfois leur héritage. Le modèle de Charlie était périmé. La dernière liste officielle le frappait d'obsolescence et bientôt, sans cérémonie mortuaire, sans fanfare, on le jetterait à l'arrière d'un camion qui le livrerait aux tueurs chargés de récupérer métaux précieux et pièces réutilisables avant de balancer tout le reste à la casse. Sinistre perspective pour un ordinateur de l'âge et de la valeur de Charlie. Mais il y avait plus sinistre encore : on installerait une autre machine à sa place, et quelqu'un s'aviserait peut-être des mines d'or informatiques que recelait son disque dur.

Un matin, je me rendis donc au service contractuel de la Monolith Corporation, remplis toute la paperasse, appliquai les tampons nécessaires pour certifier la vente de Charlie au gouvernement des US. Et voilà ! Il disparut des inventaires de la Monolith, j'antidatai sa « vente » d'un an, pour qu'il ne figurât plus dans le prochain audit, le gouvernement continua de payer pour sa garde, une goutte d'eau dans la mer. Et la Monolith Corporation continua d'héberger Charlie, propriété désormais intouchable du gouvernement, même si ce dernier n'était pas près d'utiliser ses services.

Rétrospectivement, je me rendais compte que ce tour de passe-passe, au bénéfice de Charlie, avait constitué ma première démarche illicite. Toujours de ce monde, grâce à mon geste criminel, quoi de plus logique qu'il me servît, aujourd'hui, à préparer d'autres crimes ?

Si précieuses que fussent ses banques de données, Vitesse n'était pas le second prénom de Charlie. Son heure de fermeture officielle était passée depuis longtemps lorsqu'il acheva de tracer les graphiques que je lui demandais, et qu'il me restait à coller bout à bout, manuellement, avant de pouvoir jouir du tableau d'ensemble.

Sur vingt-cinq millions de vols informatiques commis dans les cinq dernières années, le produit de seulement cinq millions d'entre eux avait été récupéré. Au sommet de la charte, figurait une répartition hebdomadaire s'étendant à une année complète, cinquante-deux semaines. Dans la colonne de gauche, s'inscrivaient, par milliers, des numéros de comptes. Les chiffres inscrits en regard précisaient combien d'argent je pourrais déposer, par semaine, sur chaque série de mille comptes. Et coiffant le tout, en petits *X* rouges, Charles avait imprimé le graphique qui montrait les risques, par semaine et par somme détournée. Ce graphique sortait de la page au niveau des dix millions de dollars, pas mal pour quelques mois de travail !

Je me servis un verre de cognac, et restai assise dans le noir, à observer les lumières d'un petit bateau rentrant de Tiburon, dans le port de San Francisco. Le brouillard s'était partiellement levé, mais je ne voyais toujours pas les étoiles. Une belle nuit pour être en vie, à San Francisco ! Il m'était encore impossible de mesurer les conséquences du pas que je m'apprêtais à faire, et je décidai de ne pas y penser pour l'instant.

Puis le téléphone sonna, ébranlant les fleurs sur la table. Je renversai une goutte de cognac et l'écrasai, du bout d'un doigt, avant de décrocher le téléphone.

– Salut ! Tu m'as appelé ?

C'était bien toujours la même voix familière, un peu trop impérieuse, le genre de voix qui vous donne le frisson, et pourtant, je me croyais immunisée.

– Salut, monsieur Turing ! Imaginez un peu, après tout ce temps ! Je croyais que vous étiez mort en 1923 !

– Les vieux technocrates ne meurent jamais, s'esclaffa Zoltan Tor. Surtout quand ils ont des petites protégées dans ton genre pour les tenir éveillés !

– Protégée veut dire chouchoutée. Au moins en sécurité. Le mot ne me semble guère conforme à la qualité de nos relations.

– Disons protégée contre toi-même.

Je coupai court.

– Il n'est pas un peu tard pour parler de la pluie et du beau temps ? Tu as une idée de l'heure qu'il est, ici ?

– Mais ici, les oiseaux gazouillent dans les arbres, chérie. Ce n'est pas la première fois que je t'appelle. Tu travailles toujours autant !

J'éludai de nouveau :

– Qu'est-ce que tu as à me dire de si urgent que ça ne puisse attendre jusqu'à demain ?

– Inutile de tergiverser. Je tiens mes renseignements de la meilleure source. Charles Babbage. Charlie. Tu sais très bien que je suis à tu et à toi avec tous les ordinateurs du pays, que j'appelle par leurs prénoms !

Telle était l'image que Zoltan Tor aimait donner de lui-même, mais ça ne me disait pas comment il avait appris l'existence de Charlie. Je ressentais un élancement derrière les yeux, et tentai de le calmer avec une autre gorgée de cognac.

– Comment peux-tu connaître Charles ? Il n'existe même plus sur le papier.

– Exact, ma chérie. Tu as escamoté son dossier, voilà des années, mais tu utilises ses services depuis lors…

– Tu pourrais prouver tes accusations ?

Naturellement, je connaissais déjà la réponse :

– Ma chère enfant, est-ce que le pape fait du ski à Gstaad ? Si tu étais à ma place, ne te demanderais-tu pas pourquoi, en quelques heures, une jolie fille comme toi s'est renseignée sur les systèmes de sécurité de la Banque fédérale de réserve et les règles qui régissent tout transfert de fonds à l'échelle nationale. S'est penchée sur les archives historiques de ces mêmes transferts, toujours à l'échelle internationale sur les annales criminelles du FBI, en matière d'écoutes téléphoniques interétats, ou sur les détournements informatiques qui…

Je l'interrompis sèchement pour la deuxième fois. Avec cette sorte d'indignation que procure, plus que toute autre, une conscience coupable.

– La banque ! C'est mon métier, tu te souviens ? Particulièrement dans le domaine de la sécurité. Ça peut paraître suspect, mais…

– Suspect ? Prémédité, je dirais ! Tu as falsifié le statut de cet ordinateur voilà plus de dix ans. Tu farfouilles dans des dossiers confidentiels avec l'assistance d'une machine volée !

– Personne ne les oblige à placer tous ces dossiers sous la garde de Charlie !

– Exact, une fois de plus. Ma chère enfant, je te connais trop bien pour attribuer tes actes à la simple curiosité. Tu pourrais faire ton boulot avec les yeux bandés et les deux bras dans le plâtre. Tes petits numéros de naïveté gamine ne m'impressionnent pas du tout. Une seule question à laquelle je te demande de répondre franchement... avant d'aller te mettre au lit.

– Je t'écoute.

– As-tu l'intention de pirater la Banque fédérale de réserve ?

Que répondre à cela ? Bien qu'il se fût trompé de banque, ce que je mijotais, vu à la lumière de la réalité crue, prenait des airs de caprice d'enfant. Je n'entendais plus rien sur la ligne. Pas même la respiration de Zoltan. Je murmurai finalement :

– Mon intention n'est pas de leur voler de l'argent.

– Non ?

– Non. Seulement d'en emprunter un peu, pendant quelque temps.

– La Banque fédérale de réserve ne prête pas d'argent. Sauf à une autre banque. Tu es une banque ?

– Aucune intention, non plus, de souscrire un emprunt.

Je parlais très près de l'appareil, la tête appuyée contre la vitre glacée de la fenêtre. Les yeux fermés, j'avalai une grosse gorgée de cognac.

– Je vois, souligna-t-il enfin. Si on en parlait plus longuement, dans la matinée ? Quand on sera plus frais, toi et moi.

– Tu es surpris. Moralement indigné ?

– Ni surpris ni moralement indigné.

– Alors, tu es quoi, au juste ?

Après une courte pause, il riposta d'un ton bizarrement détaché :

– Je suis curieux.

– Comment ça, curieux ? Je t'ai tout dit.

– C'est vrai. Mais je voudrais jeter un œil à ton plan.

– Mon plan ! Pourquoi ça ?

– Je suis un vieux routier, chérie. Qui sait ? Je pourrais peut-être y apporter des améliorations. D'ici là... bonne nuit !

Et il raccrocha. Moi aussi.

J'allumai une cigarette. Contemplai longuement le spectacle de la ville. Puis j'écrasai la cigarette et marchai vers ma chambre, parmi les orchidées. Écartelée entre des émotions qui ne m'étaient pas familières, et que je n'étais même pas en mesure de nommer.

Mais je savais au moins une chose. Je serais à New York ce week-end, et ça, c'était sûr.

LA MOTIVATION

« Peu leur chaut, aux brasseurs d'affaires, de bouleverser
ou non, par l'importance de leurs transactions, le système
financier en vigueur. À moins qu'ils n'aient des motivations à
long terme. Et la plupart des grands capitaines d'industrie ont
toujours des motivations à long terme. »

L'Ère des machines, THORSTEIN VEBLEN

« Je n'ai jamais brigué la richesse pour elle-même, mais
toujours en vue de réaliser des projets. »

THOMAS MELLON

Je ne me suis jamais demandé ce qui se serait passé si Tor ne
m'avait pas rappelée ce soir-là. À partir du moment où il était entré
dans ma vie, j'avais perdu toute illusion de maîtriser les événements.
Il s'était toujours efforcé de me persuader que les changements
venaient de moi, qu'il n'était qu'un simple observateur, mais je
savais que les ordinateurs ne lui suffisaient pas. Qu'il voulait, aussi,
changer la réalité. *Ma* réalité. C'était là tout le problème.

Cette sensation de n'être plus maîtresse de son destin m'assaillit
de nouveau, aux aurores, devant le miroir embué de ma salle de
bains. J'avais sacrifié, déjà, au rite du jus d'orange et du café corsé.
Plus on vieillit, plus on réalise l'importance des rites, mais en exa-
minant mon reflet, dans la partie du miroir éclaircie d'un petit
coup de serviette, j'avais peine à m'identifier. Ce visage, que je ne
connaissais ni ne reconnaissais, était celui d'une aventurière.

Avec quelle habileté me l'étais-je caché à moi-même, jusque-là. Après dix ans de frustration et d'amertume consacrés à bien faire, au mieux de mes forces et de mes capacités, un boulot qui ne comblait nullement mes aspirations secrètes, incroyable, mais vrai, j'avais *hâte* de retrouver mon bureau ! Je me sentais joyeuse, rajeunie de dix ans, et je savais pourquoi. Si Tor décidait de m'aider, comme il l'avait laissé entendre, je pourrais mystifier tous ces hypocrites de banquiers, mes collègues, et avec panache. En m'habillant, très vite, je me surpris à siffler quelques mesures de la « Chevauchée des Walkyries ». Et je sifflais encore, au volant de ma voiture, en prenant la direction du siège de la Banque mondiale.

Si mon chef direct, le Kiwi, avait une solide réputation de jovial faux-cul et d'arriviste sans scrupules, la mienne n'était pas meilleure. La rumeur selon laquelle je menais mon service à la baguette était cependant très exagérée. Je savais simplement, mieux que quiconque, ce qui motivait les informaticiens. Et cette matinée m'en apporta la preuve.

Les individus qui travaillent sur des ordinateurs ne sont pas des êtres humains ordinaires. Tous les psychologues du monde ne perceront jamais leur cuirasse, car ils partent du principe que ces étranges bipèdes partagent les mêmes besoins vitaux que le commun des mortels : entre autres le sommeil, la nourriture et la chaleur humaine. Il n'en est rien. Les individus dont je parle n'ont pas ces besoins. On les désigne sous le nom de tekos.

Les tekos sont plus proches des ordinateurs que de leurs congénères. Ils travaillent mieux la nuit, quand tous les animaux, à l'exception des rapaces, sont allés se coucher. Ils mangent peu et n'importe quoi, sans aucun souci de gastronomie. Ils ne voient jamais le jour. Ne respirent jamais de l'air frais. Ils ne s'épanouissent qu'à la lumière artificielle, dans une atmosphère climatisée. S'ils se marient, s'ils font des enfants, ils les répartissent en analogiques et en numériques. Ils peuvent se montrer arrogants, désordonnés, incontrôlables et antisociaux. Je sais tout sur les tekos, parce que je suis de la même race. Et je considère leurs traits caractéristiques comme autant de qualités, non comme des handicaps.

Aucun des tekos de la banque n'ignorait ma réputation. Ils étaient venus à moi parce qu'ils savaient que je les paierais bien, et que je les ferais bosser à mort. Je leur imposais des horaires démentiels, des travaux de galériens. Leur posais des problèmes qui auraient tué Einstein et déboussolé Dieu en personne. Comme je les faisais vivre, sans pitié, dans ce genre d'environnement, une rumeur complémentaire m'attribuait des couilles. Expression imagée du langage teko qui signifiait que je n'étais pas commode.

Ce matin-là, ma double réputation porta ses fruits. Je trouvai, sur mon bureau, un gros dossier accompagné d'une petite note émanant du DRH ou directeur des ressources humaines, nommé autrefois « chef du personnel » :

« Chère Verity,
J'ignorais que vous recrutiez de la main-
d'œuvre. Le DRH est toujours le dernier
informé. »

Dernier informé par le bouche à oreille ! Ma proposition datait de la veille, je n'avais encore publié aucune offre d'emploi et pourtant, les CV qui gonflaient ce dossier étaient ceux de tekos purs et durs avides de se dévouer, corps et âme, à mon projet de création d'un centre de qualité qui mettrait en pratique la Théorie Z. Cela signifiait, en substance, que le bouche à oreille tablait sur quelque chose que j'ignorais encore. À savoir que le comité de direction avait déjà lu mon projet, et n'était pas contre. Ils mordaient tous à l'hameçon.

Quelqu'un d'autre avait une forte envie de mordre, même si ce n'était pas à l'hameçon. Kiwi écumait dans le corridor, maintenu à distance par le valeureux Pavel. Ma porte était restée bouclée toute la journée sur les entretiens d'embauche des postulants que j'avais convoqués, dès réception du feu vert de la direction. J'avais déjà engagé Tavish, un des meilleurs techniciens de la banque, en dépit des objections de son propre chef. Et avant d'affronter la rage de Kiwi, pour être passée une fois de plus par-dessus sa tête, j'avais un autre problème à régler. Celui de mon voyage à New York pour le week-end.

Bon gré mal gré, Kiwi parapherait les papiers qui exigeaient sa signature, et j'espérais qu'il approuverait, sur son élan, mon excursion new-yorkaise. J'avais un budget pour ce genre de déplacement, et ce n'était en général qu'une formalité. Kiwi adorait m'expédier dans tous les azimuts afin de pouvoir s'en prendre en toute liberté à mon équipe. En temps normal, il n'avait de rapports directs qu'avec une poignée de chefs de service qui considéraient ses interventions toujours inopportunes comme autant d'entraves à leur travail. Durant mes absences, mon équipe se planquait dans les toilettes pour l'éviter.

N'entendant plus rien, j'entrebâillai ma porte et chuchotai à l'adresse de Pavel :

– Que voulait monsieur Willingly ? Avait-il mes billets d'avion à la main ? Les a-t-il approuvés et signés ?

Pavel émit une longue plainte.

– Qui peut jamais savoir ce que veut le Kiwi ? Il ne le sait pas lui-même. Il n'a jamais de quoi s'occuper vraiment. Tu devrais essayer de nous brancher directement sur le niveau supérieur, histoire de nous en débarrasser. Kiwi l'Étron, c'est comme ça qu'on l'appelle au secrétariat. Tout le monde te plaint de l'avoir sur le dos.

– Pavel, je t'ai posé une question.

Je devais avoir la voix fatiguée, car il me jeta un regard de compassion sincère.

– Sa Majesté t'attend dans son bureau. Maintenant ! Hier ! Avant-hier ! Quelque chose au sujet de Tavish. Le gars que tu as engagé. Et que son chef, cet abruti, ne veut pas lâcher.

L'abruti en question, patron de Tavish, était un Prussien pompeux du nom de Peter-Paul Karp. Mieux valait régler ça tout de suite. Je slalomai à travers le labyrinthe jusqu'au bureau de Kiwi, dont la secrétaire me fit signe d'entrer sans lever les yeux de son clavier. J'étais prête à tout. Sauf à la surprise qui m'attendait.

– Ah, Banks !

Il respirait à grands coups, comme après un long jogging en plein air, et je me cuirassai pour la bagarre.

– Bonne nouvelle ! Bonne nouvelle ! Mais que je vous remette, d'abord, tous vos papiers. J'ai tout signé. Vous serez à New York, cette fin de semaine. Et prête à lancer un nouveau projet, d'après ce que j'ai entendu.

Je m'emparai du dossier de voyage qu'il me tendait.

– Je venais justement vous en parler...

– Un projet important, m'a-t-on dit. Je veux que vous sachiez que je suis ici pour vous aider, Banks. Ma porte est toujours ouverte. Comme disait Benjamin Franklin : « Solidaires ou solitaires ? Il faut choisir ! »

Merci à Benjamin Franklin pour son soutien posthume ! La citation prouvait que j'avais eu raison de précipiter les événements. Non seulement les membres du comité de direction avaient approuvé ma proposition, mais leur financement dépassait celui du projet que Kiwi avait sabordé. M'éjecter une première fois ne l'avait conduit nulle part et là, il n'avait pas voix au chapitre. Il ne pourrait pas non plus s'attribuer une partie du crédit, puisque je m'étais assurée qu'il ne recevrait pas, avant l'heure, un exemplaire du dossier. Fidèle à son habitude, il allait donc essayer d'y fourrer son nez, mais je l'en tiendrais à l'écart, comme je l'avais fait dans le passé pour quelques autres représentants de son espèce.

Avant que je puisse me féliciter de mon triomphe, il ajouta :

– Vous imaginez ma surprise, en découvrant que vous n'aviez pas jugé bon de partager avec moi ces problèmes de recrutement qui vous accablent, dès le départ...

Pourquoi *ces* problèmes de recrutement, au pluriel ?

Je me posai la question tandis qu'il poursuivait :

– Notre ami Karp, du service des changes, vient tout juste de m'appeler. Il semble qu'il ne désire pas que le nommé...

Après un coup d'œil à son bloc-notes :

– ... Tavish quitte son service. Est-ce bien exact ?

Je maudis cet abruti de Karp pour avoir branché Kiwi sur le coup. Mais je me bornai à répondre :

– En fait, c'est arrivé voilà moins d'une heure. Karp s'est montré fort déraisonnable, de s'opposer ainsi au désir de Tavish.

– Et vous lui avez dit d'appeler Lawrence.

J'approuvai d'un signe de tête. Lawrence était le patron de Kiwi, l'élément le plus élevé du siège de la Banque mondiale, le président du comité de direction. J'avais suggéré à Karp de l'appeler parce que je savais qu'il n'en ferait rien. Personne n'appelait jamais Lawrence. C'était Lawrence qui vous appelait. Et quand il vous appelait, vous souhaitiez, en général, qu'il n'eût pas pris la peine de chercher votre numéro.

– Si nous voulons partir du bon pied sur ce projet, Banks, enchaînait Kiwi, la dernière chose à faire est d'importuner Lawrence avec nos petits problèmes de personnel. J'ai promis à Karp de vous en parler et de trouver une solution. Si ce Tavish lui est réellement indispensable, avons-nous le droit de l'en priver ? Karp prétend, d'ailleurs, que Tavish a une dette de reconnaissance envers lui...

Là, il y avait un vrai problème. Selon la Théorie Z, un cercle de qualité se devait de fonctionner, par définition, *sans* directeur. Je pourrais choisir les membres de l'équipe mais, une fois créée, elle opérerait derrière des portes fermées, hors de portée de mes interventions. Par conséquent, j'avais besoin d'un allié à l'intérieur du groupe, un technicien assez fort pour susciter le respect des autres, tout en restant mon porte-parole. Tavish était le seul qui pût tenir ce rôle, et garder Kiwi à bout de bras. Le genre d'argument que je ne pouvais présenter à ce cher Kiwi pour le convaincre !

Un Kiwi dont l'attitude continuait à me perturber. Il était trop raisonnable. Presque enjoué. Cette histoire de Karp me faisait l'effet d'une échappatoire. Il fallait absolument que j'en aie le cœur net.

– Et cette bonne nouvelle que vous m'avez annoncée à mon arrivée ?

– Mon Dieu... je suis censé n'en parler à personne...

Mais il souriait d'une oreille à l'autre. J'allai fermer la porte et revins m'asseoir en face de lui.

– Rien ne vous oblige à me le dire, mais vous savez que je sais tenir ma langue.

Il regarda autour de lui comme si les murs pouvaient être truffés de micros invisibles.

– Strictement entre nous, devinez où je dîne ce soir.

Je débitai les noms de tous les restaurants huppés que je connaissais. À chaque fois qu'il secouait la tête, son sourire s'élargissait encore, et la situation commençait à s'éclaircir, même si je n'aimais pas du tout la conclusion probable.

– Non, non, c'est plus exclusif que tout ça. Un club privé...

Une fureur croissante me tordait les entrailles. Kiwi était tellement excité qu'il en avait oublié ce qu'il m'avait fait l'avant-veille. J'essayai de me composer une expression hybride, mi-stupéfiée, mi-enthousiaste, mais comment empêcher mes sentiments réels de transparaître sur mon visage ?

– Le *Vagabond Club* !

Sa voix tremblait d'hystérie mal contenue.

– Et sur l'invitation de Lawrence !

Tout le monde savait que le *Vagabond Club* était le fantasme chéri du Kiwi. Il se serait tranché les veines du poignet s'il avait été sûr de gagner ainsi sa carte d'entrée permanente au *Vagabond*. À San Francisco, qui pouvait s'enorgueillir de posséder plus de clubs privés réservés aux mâles que toute autre ville d'Amérique, le *Vagabond Club* jouissait d'un renom extraordinaire. Ce n'était ni le plus vieux repaire masculin, ni le plus exclusif, mais plus d'affaires se traitaient, entre ses murs couverts de lierre, que dans toutes les salles de conférence de toutes les banques des États-Unis réunies.

À l'époque de ces chevaux de bataille appelés « parité » ou « égalité des sexes », il était révoltant que de tels établissements fussent encore ouverts, et d'autant plus scandaleux qu'ils connussent un tel succès. En fait, la banque permettait – avec l'argent des actionnaires – à ses cadres supérieurs d'inviter d'autres cadres au *Vagabond Club*. De solides vigiles se chargeaient d'interdire aux femmes de venir en polluer l'atmosphère et d'y grappiller quelques miettes du gâteau.

Je félicitai Kiwi de sa bonne fortune, due beaucoup moins à son cerveau brillant qu'à ce simple fait biologique incontournable : c'était un homme.

– Lawrence va me parrainer pour me faire obtenir ma carte de membre. Vous comprendrez donc à quel point il serait malvenu de l'importuner. Ne pouvez-vous jeter à Karp un os à ronger, en attendant que les choses se tassent ? Si ce Tavish vous est indispensable, fournissez à Karp un remplaçant qui puisse le satisfaire. Je m'en remets à vous, Banks, vous êtes intelligente. Je vais rappeler Karp pour lui dire qu'on lui a trouvé quelqu'un de formidable. À vous de dénicher cette perle rare, dans les plus brefs délais.

Je quittai le bureau de Kiwi, ma feuille de route pour New York pressée sur mon cœur. Heureuse de m'en tirer à si bon compte. J'allais garder Tavish au moins un jour de plus. Jusqu'à ce que je trouve le moyen de le conserver définitivement. Et dès ce vendredi, je serais à New York. Avec l'aide de Tor, rien ou presque ne pourrait m'arrêter. Et l'escamotage de quelques millions de dollars, leur restitution spectaculaire imposeraient silence aux récriminations de mes tristes employeurs.

C'est du moins ce que je pensais alors.

Ce même soir, j'invitai Tavish à dîner dans mon propre club. *Le Club*, tout court, mon restaurant favori à San Francisco. Quand je partirais pour New York, ce serait en laissant derrière moi un cercle de qualité déjà opérationnel. Et je savais exactement ce qu'il aurait à faire.

Tavish, prototype honorable du teko dans l'âme, émettrait sans doute quelque réserve sur le programme que j'entendais lui tracer. D'un autre côté, si je ne lui en exposais pas les grandes lignes, il risquerait de chercher les anguilles sous les mauvaises roches. C'était à moi de mettre quelques points sur les *i*. Après tout, j'allais leur demander de s'attaquer aux systèmes dont j'assurais la marche depuis des années.

Quand je me garai devant le restaurant, j'aperçus Tavish qui poireautait sous le dais vert olive. Il était en costume, cravate nouée très lâche et baskets. Ses longs cheveux blonds, shampouinés et coiffés de frais, lui donnaient presque son âge. Vingt-deux ans.

– J'espère que vous n'avez pas acheté ce costume rien que pour ce soir ? Et le T-shirt ? Je croyais que c'était votre seul uniforme !

Son sourire était désarmant.

– Je le porte sous ma chemise comme Superman. Ça me donne l'impression d'être le Justicier des garde-robes.

Malgré ce côté potache, Tavish-le-Teko avait déjà eu l'occasion de se faire les dents sur quelques dossiers particulièrement coriaces.

La bizarrerie du traitement de données, c'est que beaucoup de tekos, quel que soit leur âge, gagnent plus que certains cadres supérieurs. Selon les chiffres qui figuraient sur les relevés mensuels de Tavish, son salaire avait dépassé le mien alors qu'il n'avait pas dix-huit ans. Ses états de service étaient même tellement impressionnants que je me demandais comment et pourquoi il avait pu servir sous les ordres d'un clown tel que Karp, au lieu de parcourir les cinquante kilomètres qui le séparaient de Silicon Valley. Je voulais étudier ses motivations. Telle était la cause de mon invitation. Et je n'attendis pas le dessert pour mettre les pieds dans le plat.

Tavish lui-même m'en fournit l'occasion alors que nous siégions face à face dans la petite salle chaleureuse, sur les confortables banquettes vertes. Les garçons nous servaient, en silence, un repas bien calculé, sans oublier de remplir nos verres.

– Je me plais bien, ici, murmura mon vis-à-vis, en guise de préambule. Et je suis heureux de pouvoir vous remercier de m'avoir sorti des griffes de Karp.

Je pris le temps d'arroser ma blanquette d'une rasade de pouilly-fuissé.

– Ce n'est malheureusement pas encore fait. Votre ami Peter-Paul a téléphoné à Kiwi, histoire de nous coller des bâtons dans les roues. Il se peut que ce soit notre déjeuner d'adieu puisqu'il semble s'imaginer que vous lui devez quelque chose.

– Je lui dois quelque chose, en effet, même si ce n'est pas ce qu'il s'imagine. Ça n'a rien de secret, surtout pas avec vous. J'ai débuté chez lui, dans la péninsule. Il m'avait engagé pour développer des logiciels sous copyright que sa boîte devait lancer sur le marché. Ça me rapporterait cinquante pour cent des royalties, sans parler d'autre chose qui me tenait encore plus à cœur.

– Quoi donc ?

– Il me parrainerait pour ma carte verte. Sans lui, en tant qu'étranger, je ne pourrais pas travailler officiellement dans ce pays. Seulement au noir. Quand la boîte de Karp s'est plantée, elle me devait un demi-million en royalties. Il avait sniffé tous mes gains, mais pas question de le balancer, dans la mesure où c'était officiellement mon parrain.

Je réagis à retardement, stupéfaite :

– Sniffé ? Karp se drogue ?

– Un vice à cent mille dollars par an qu'il n'a pas les moyens de financer, même avec son salaire hypertrophié. Alors, bien que je n'en aie pas la preuve, il se sert du système informatique de la banque pour continuer à sortir des logiciels qu'il met sur le marché. Je crois que toute son équipe est dans le coup, et qu'il leur graisse régulièrement la patte. Il m'a forcé à suivre le mouvement, sous menace de me dénoncer à l'immigration.

– Mais vous n'êtes pas en infraction avec la loi. J'ai vu votre dossier ce matin. Vous avez un visa temporaire, en attente de votre carte verte.

– Il ne peut plus me parrainer. Sa propre boîte n'a plus aucune existence légale. Dans ce sens-là, je ne suis pas en règle, moi non plus, vis-à-vis de la banque, puisque c'est lui qui m'a fourni mes références. S'ils me renvoient en Angleterre, je n'y gagnerai qu'une fraction de ce que me rapportent, ici, mes connaissances techniques. Je n'ai rien de l'universitaire bardé de diplômes. Je suis un empirique formé sur le tas.

Quelle idée merveilleuse d'avoir organisé ce déjeuner. Le mensonge est un vilain péché, mais il faut bien se servir des atouts que le hasard vous glisse dans la manche.

– Voilà qui nous met dans le pétrin. On ne peut pas dénoncer Karp, puisqu'on n'a aucune preuve de ses activités illicites. Toute démarche inconsidérée pourrait vous nuire, voire vous perdre, dans la mesure où vous êtes entré à la banque sur de fausses références. Mais si je pouvais vous trouver un bon remplaçant, quelqu'un dont il ne pourrait repousser la candidature, ça nous donnerait le temps de tout arranger sans risque de vous compromettre.

– Je ne pense qu'à ça depuis ce matin, reconnut Tavish. J'étais sûr qu'il ferait une histoire. Et je pense connaître quelqu'un qui rêve, depuis toujours, d'entrer dans ce service.

– Quelqu'un qui rêve de travailler avec Karp ! Il doit avoir de sérieux problèmes mentaux !

– Pas il, rectifia Tavish. Elle. Pearl Lorraine, du service des changes. Une économiste, une de mes clientes, puisque je lui fournis ses logiciels. Très brillante. Et noire. Il faudra qu'il trouve une foutue bonne raison de la refuser !

– Pearl Lorraine ? De la Martinique. Elle connaît les changes dix fois mieux que Karp, et elle a une bonne formation d'informatique. Qu'est-ce qu'elle pense de l'éventualité ?

Pearl Lorraine était l'opportuniste militante la plus acharnée de toute la banque. Qui n'accepterait pas son transfert sans une foule de motivations plus sérieuses les unes que les autres.

– Elle traite Karp de nazi, entre autres choses, résuma Tavish, non sans truculence. Il qualifie ses collaborateurs noirs d'enfants de la jungle, et se targue volontiers de n'engager que des secrétaires noires parce qu'elles ont de belles fesses.

– Seigneur Dieu, si tout est vrai, pourquoi veut-elle travailler avec un type pareil ?

– C'est tout simple. Elle manie les devises étrangères infiniment mieux que Karp, et elle veut son poste ! Quel meilleur moyen de toucher au but que de s'en approcher un max ?

Il avait raison. Pearl représentait la solution idéale. Et je décidai, entre la poire et le fromage, qu'il était temps d'aborder le véritable objectif de ce dîner en tête à tête.

– Je pars à New York, ce week-end. Le cercle de qualité sera en place, d'ici là, avec un effectif de six personnes, et pleinement opérationnel. Mais il y a quelques petites choses qu'on doit mettre au point.

Il m'observait attentivement par-dessus sa fourchette et, tout naturellement, j'adoptai un ton plus familier :

– D'abord, je veux que tu pirates le dossier des données afférentes aux comptes courants de la clientèle et des établissements correspondants. Et ensuite, la même chose pour le système électronique des transferts de fonds.

– Les transferts par câble ? Ton propre système ? Le plus coriace, sûrement, de toute la banque. Il faudra l'attaquer à deux endroits au moins...

– Tu auras besoin des clés pour atteindre les transferts par câble proprement dits. Et aussi des numéros de compte et des mots de passe pour sortir de l'argent de comptes spécifiques.

– Tu veux dire qu'on devra pirater la clé d'accès pendant une journée, pour montrer que ce n'est pas impossible ?

– Aucune banque ne peut changer ses clés chaque jour. Il doit y avoir un logiciel dans le système qui déchiffre *toutes* les clés, et qui peut déterminer leur validité.

– C'est stupéfiant, conclut Tavish. Et presque impossible à croire. S'il existait un tel logiciel de décryptage, on pourrait le pirater et prélever de l'argent sur n'importe quel compte, et le transférer n'importe où, ailleurs, en admettant qu'on ait les numéros des comptes.

En souriant, je m'emparai d'une serviette en papier. Y dessinai un petit diagramme :

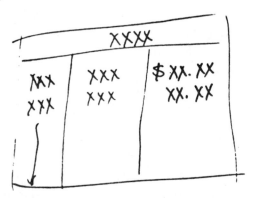

– Chaque agence bancaire tient un graphique de ce genre. Le chiffre supérieur indique quelle agence opère le transfert. Dans la première colonne, figure le code spécial du mois en cours, dans la deuxième s'inscrit la date, et dans la troisième, le montant du virement, en dollars. Ces quatre nombres, numéro de l'agence, code du mois, date du jour et montant en dollars, constituent la clé d'accès. Qui change avec la date et le montant du transfert. C'est tout.

– Tu rigoles ! Je travaille sur les systèmes de change des devises étrangères. Je ne connais rien aux transferts interagences. Mais si c'était aussi simple que ça, n'importe qui pourrait percer le système et détourner de l'argent.

– C'est peut-être déjà fait, dis-je en dégustant mon champagne. Et c'est ce qu'il faut découvrir. Naturellement, ce sera sans doute plus difficile que je ne l'imagine. Moi-même, je ne connais pas les systèmes de décodage des clés.

L'excitation interne de Tavish commençait à déborder doucement.

– Quel peut être leur degré de complexité, en partant d'entrées de cette sorte ? Après tout, ce ne sont que des programmes... Mais si c'est vraiment comme ça que ça se passe, les normes de la sécurité doivent être épouvantables.

– Tu regrettes d'avoir postulé pour cet emploi ?

– On a demandé à Lord Maynard Keynes, alors qu'il reposait sur son lit de mort, s'il regrettait quelque chose. Il a répondu : « Oui. De n'avoir pas bu davantage de champagne. »

On trinqua à la mémoire de Lord Maynard Keynes.

J'avais négligé de dire à Tavish que je connaissais Pearl Lorraine depuis des années. Je la connaissais si bien, en fait, que c'est elle qui me conduisit à l'aéroport, dans sa décapotable biplace Lotus vert émeraude.

Tout, chez Pearl, fleurait l'émeraude. Depuis ses invraisemblables prunelles vertes, dans son visage couleur de jais, jusqu'à son pantalon moulant de daim vert émeraude, en passant par l'émeraude authentique qui pendait entre ses seins, au creux d'un décolleté abyssal.

Pearl avait une classe folle, mais conduisait beaucoup trop vite à mon goût. Essayait-elle de franchir le mur du son, en contournant une rangée d'eucalyptus brouillés par la vitesse, avant de jaillir comme une fusée de la bretelle adéquate ?

– Bon sang, je t'aurais demandé de m'emmener directement à New York, si j'avais su que ce serait encore plus rapide que par avion !

Elle vit que je me cramponnais à la portière et s'esclaffa en volant un peu de la peinture d'un taxi au passage :

– Ma belle, n'achète jamais une voiture rapide si tu as peur de la conduire ! En plus de ça, tu es devenue une telle sauvage qu'on ne se voit plus jamais. Ça nous laissera le temps de bavarder autour d'un verre.

– Peut-être même autour de deux verres ! Tu as tellement foncé qu'on a remonté deux fuseaux horaires. Il n'y a pas de limitation de vitesse, à la Martinique ?

Elle freina, sec, devant l'entrée de l'aéroport.

– Au concours des langues bien pendues, toi, tu seras toujours sur le podium !

Elle sortit de la Lotus en voltige alors qu'elle était à peine arrêtée, jeta ses clefs à un porteur, avec un billet de dix dollars, et l'éblouit de son merveilleux sourire.

– On prend les valises !

Je m'étonnai :

– Ils ont des préposés au parking, ici ?

– Peu importe, pourvu que le boulot soit fait.

Elle m'entraîna dans le grand hall, un cauchemar de bric-à-brac en matière plastique d'inspiration vaguement polynésienne, conçu par une équipe d'architectes mormons à l'esprit dérangé.

– Merci de me pistonner pour le job avec Karp, cette espèce de poisson congelé. Si je peux te renvoyer l'ascenseur...

On s'assit de part et d'autre d'une paire de jus de tomate.

– Attends d'avoir trimé quelques semaines dans son ombre, et tu voudras plutôt me jeter par la fenêtre. Tavish m'a dit que tu voulais son poste. Et c'est un tel salopard que je me demande s'il ne s'agit pas, en plus, d'une vendetta. Quoique ce ne soit pas tellement ton style.

Elle invita, d'un signe, la serveuse à renouveler les consommations.

– Tu voudrais que je l'attaque pour discrimination raciale ? Pas question, bien sûr. Je déteste ces histoires d'avocats et de paperasse légale. J'ai toujours pensé que les Français avaient raison d'employer le même mot, avocat, pour ce genre de sbire et pour un fruit qui pourrit très vite. Non, je me fous de Karp. Ce qui m'intéresse, ma belle, c'est le pouvoir. Tenir les rênes ! J'ai une maîtrise d'économie, et ça veut dire que je suis capable d'additionner les chiffres sur ma feuille de paie. Actuellement, Karp gagne deux fois plus que moi, et tout ce qu'il produit, c'est des emmerdes ! En plus de lui piquer son poste, je veux lui asseoir le cul dans une catapulte et l'envoyer s'aplatir la gueule sur la planète Mars !

Quand j'avais fait la connaissance de Pearl, à New York, son père y était courtier en art africain et océanique, branche qui connaissait son âge d'or en raison de la demande des grands musées pour les objets qu'il collectionnait depuis quarante ans. Ancien contrebandier, il était parti de rien, mais avant de mourir, il avait eu la satisfaction d'assister à la remise en grande pompe des diplômes de sa fille, alors âgée de vingt ans. C'était à New York qu'elle avait acquis son goût de la truculence, des voitures rapides, du féminisme pur et dur et de la couleur verte, celle de notre monnaie nationale. Papa lui en avait laissé un sacré paquet, de billets verts. Lequel, encore plus que son cursus universitaire, l'avait aidée dans sa quête du pouvoir. Bien qu'elle fût d'un tempérament plus agressif que le mien, nous avions ce point en commun : l'argent en soi n'était pas notre priorité.

Comme si elle lisait mes pensées, elle déclara posément :

– Ce n'est pas l'argent, c'est le principe. L'éthique de la chose. Quelle différence cela fait-il que je sois riche et n'aie pas vraiment besoin de travailler ? Personne ne le sait, à la banque, à part toi. Je *mérite* ce poste alors que Karp ne le mérite en aucune façon. Depuis que je magouille dans le change, j'ai gagné des millions de dollars pour la boîte. Si l'argent avait été mon seul sujet d'intérêt, voilà belle lurette que j'aurais repris le bateau pour Fort-de-France, et que je me serais évité dix ans de galère.

– C'est clair, mais comment peux-tu espérer lui piquer son job en travaillant pour lui ?

– Il se cassera la gueule, prédit-elle en trempant ses lèvres dans notre second verre de jus de tomate. J'aurai toujours une peau de banane en réserve dans ma poche-revolver, pour hâter sa chute. Mais maintenant, dis-moi combien de temps tu vas passer à New York et ce que tu vas y faire. Après tout, c'est pratiquement notre lieu de naissance !

– Je n'y resterai pas plus d'une semaine.

Elle protesta :

– Laisse-toi aller. Prends le temps de te détendre un peu. Tout le monde sait que tu es une esclavagiste, mais pourquoi te tyranniser toi-même de cette façon ? Va au théâtre, achète-toi des fringues, rencontre de nouveaux visages, mange de la bouffe haut de gamme, tâche de t'envoyer en l'air, tu vois ce que je veux dire !

J'objectai, sans me fâcher :

– Tu n'empiètes pas un peu sur ma vie privée ?

– Trop privée, dans la seconde acception du terme ! Voilà dix ans qu'on se connaît, et la discrétion n'est pas mon fort. Je ne suis pas, comme toi, née dans la flanelle grise, avec un crayon entre les dents et les jambes soudées l'une contre l'autre. Je baise les mecs au business, dans tous les sens du terme, et pas qu'aux heures ouvrables. Toi, en revanche, tu commences à me faire l'effet d'un moine bouddhiste.

– Je vais à New York pour affaires.

– Bah, ce cercle de qualité n'a rien à voir avec les affaires. Pourquoi te lances-tu là-dedans, alors que tu as sous le coude un service de cinq millions de dollars ? Je peux te dire que parmi les cadres, aucun n'apprécie ton initiative !

J'intercalai sans hausser le ton :

– J'ai une excellente raison. Je vais ruiner la banque.

– Mon cul !

Puis, en me regardant droit dans les yeux, martelant de ses ongles le dessus de la table :

– Bon Dieu, si je ne te connaissais pas comme si je t'avais faite, je croirais que tu parles sérieusement.

– Je parle sérieusement !

– C'est pas possible. Toi, la banquière-née. La Femme de l'année. La Reine de la profession. Tu détruirais ce que tu aimes le plus au monde ?

Elle s'interrompit pour réfléchir.

– Bon Dieu, peut-être que tu parles sérieusement ! Au fond, c'est peut-être toi qui concoctes une vengeance, pour toutes les injustices que tu as subies ? Mais qu'est-ce qui a pu transformer à ce point le parangon de vertu que tu n'as jamais cessé d'être ? C'est ce que j'aimerais savoir.

On appelait mon avion à la porte d'embarquement. Je me levai en jetant un peu de monnaie sur la table.

– T'es-tu jamais demandé, Pearl, pourquoi les banques ont autant de cadres moyens bien élevés, hautement qualifiés, honnêtes et sous-payés, quand au plus haut échelon, foisonnent des personnages ignares, rapaces, grossiers, rustres, snobs, satisfaits d'eux-mêmes et soucieux uniquement de leur propre bien-être ?

C'était la question la plus longue que j'aie jamais posée à Pearl ou à qui que ce soit, et elle la laissa bouche bée.

– OK, je ne vois pas.

– C'est parce que la merde surnage.

Et je la laissai sur place pour monter dans mon avion.

L'ÈRE DES MACHINES

« Toute discipline mécanique sape l'assise d'ordre légal
sur laquelle se fondent les affaires importantes. »

« Que faire pour sauver l'humanité civilisée
de la vulgarisation et de la désintégration apportées
par l'industrie mécanique ? »

L'Ère des machines, THORSTEIN VEBLEN

Quel plaisir de prendre cet avion aux frais de la banque ! Je
voyage toujours en première, mais sur la plupart des lignes
aériennes, même la nourriture de première est de la dernière catégorie, raison pour laquelle j'emportais toujours un panier-repas
fourni par mon traiteur habituel.

Cette fois-ci, en soulevant la serviette, je découvris des trésors
de gastronomie : caviar et salade de flageolets blancs, croquettes
de figues, tarte au citron et demi-bouteille de verdicchio pour faire
descendre le tout. Je me renversai sur mon siège, réglai mes écou-
teurs sur Mozart et tentai de faire le vide dans ma tête, mais mon
esprit revenait sans cesse au projet amorcé. À ce qui allait se passer, là-bas, avec Tor.

Même si j'avais déjà lancé le cercle de qualité, en fanfare, et
suscité l'intérêt de Pearl, même si j'étais maintenant sur la route de
New York où commencerait vraiment ma mission, je savais qu'il
n'était pas trop tard pour revenir en arrière si je décidais de tout
annuler. Plus exactement, il n'était pas *encore* trop tard. Après ma
rencontre avec Tor, là, il serait trop tard !

Pas mal d'années auparavant, il m'avait tirée d'un sale pétrin. C'était sa façon très personnelle de s'impliquer totalement dans toutes ses entreprises qui m'avait scotchée sur place, au départ. Solliciter son aide, sur quelque problème informatique, équivalait à requérir l'assistance de Léonard de Vinci pour copier sa Joconde. Les services de Tor étaient inappréciables... jusqu'à présentation de la facture.

Et je savais aussi, par expérience, que Tor n'était pas un créancier facile. J'éprouvais la sensation de me tenir perchée sur un pied, au bord d'un abîme. Tout le contraire de la position idéale pour conserver son équilibre.

Quand j'avais fait sa connaissance, douze ans plus tôt, je n'étais encore qu'une jeune informaticienne enthousiaste, entrée depuis peu au service de la Monolith Corporation.

Encore très novice — je croyais qu'IBM fabriquait des pendules et Honeywell des thermostats —, j'avais reçu de mon nouvel employeur le titre impressionnant d'expert technique, habilité à mettre en place des circuits sophistiqués.

Naturellement, j'étais loin d'être au point sur les nombreux sujets dont ma clientèle me prêtait la connaissance pratique. J'apprenais vite, sur le tas, prenais des monceaux de notes et revenais consulter au bureau les experts techniques (les vrais) de la maison mère, rapportant le lendemain aux clients les réponses à toutes leurs questions. Je vivais dans la terreur perpétuelle d'être démasquée, accusée d'imposture, mais le système tournait.

Jusqu'au jour où...

Un matin, en rentrant, je trouvai Alfie, mon patron, un grand mou geignard qui ne m'aimait guère, debout près de mon bureau avec sa gueule des mauvais jours, et les poings sur les hanches. D'une voix forte, pour être bien sûr que tout l'étage soudain réduit au silence serait témoin de ma déconfiture, il articula :

– Verity, je veux vous voir tout de suite dans mon bureau !

Le bureau d'Alfie, tout au fond de la pièce, était une cage vitrée qui lui permettait d'observer l'ensemble des tables de travail chargées d'ordinateurs, alignées en deux travées parallèles, comme les bancs des galériens. Qu'un des programmeurs s'avisât de chuchoter quelques mots, à l'adresse d'un de ses voisins, et quelques petits coups secs martelés sur la vitre le rappelaient immédiatement à l'ordre. Quant au rendement de chacun, Alfie l'épluchait de très près, et l'épinglait avec les autres, sur le tableau d'affichage ponctué d'étoiles vertes, rouges et or. Comme à l'école maternelle, les bons élèves avaient la croix.

D'heure en heure, réglé comme du papier à musique, un chariot passait parmi nous, dans lequel nous étions tenus de déposer feuilles de décodage et cartons perforés, pour traitement immédiat par d'autres équipes. On disposait chaque jour de deux pauses-pipi et d'une demi-heure pour déjeuner. Toute absence injustifiée diminuait d'autant le salaire journalier. Œuvrant sur le terrain la plupart du temps, j'échappais largement à cette ambiance de travail forcé. Mais assise en face d'Alfie, je l'écoutai, résignée, entamer son speech :

– Verity, je vais vous demander de prendre quelques clients de plus.

La liste qu'il me passait remplissait toute une page. J'y jetai un œil, et protestai faiblement :

– Mais, monsieur, j'en ai déjà plus que n'importe qui d'autre ici, et certaines de ces firmes ont des ordinateurs différents, qui utilisent des langages informatiques que je ne connais pas. Il va me falloir un peu de temps pour...

J'aurais juré qu'il prenait son pied en me coupant :

– Pas question de temps ! Si vous ne vouliez pas travailler dur, il ne fallait pas entrer à la Monolith ! Ceux qui se roulent les pouces n'ont rien à faire chez nous. La moitié de vos collègues donneraient n'importe quoi pour être à votre place. Et je la leur donnerai, si vous ne pouvez pas suivre. Ce sera tout.

Je ne m'en tirerais pas, c'était impossible, et je le savais. Je couvrais deux fois plus de clients que n'importe lequel de mes collègues. Beaucoup de ces clients en savaient même plus que moi. En moins d'un mois, je devrais déclarer forfait.

Dès la fin de la première semaine, j'étais complètement crevée de trimer depuis l'aube jusqu'aux petites heures de la nuit. J'emportais du travail à la maison, et ne m'arrêtais pas le week-end. Un vendredi soir, très tard, Alfie déposa devant moi toute une pile de manuels techniques.

– Louis a décidé de vous faire beaucoup d'honneur...

Louis Findstone était le patron d'Alfie, le directeur général.

– Lundi matin, vous serez présentée au conseil d'administration des Chemins de fer transpacifiques, notre plus gros client. On ne vous demandera pas de prononcer un mot, lors de cette rencontre. Mais je veux que vous lisiez ce week-end ces ouvrages qui leur sont consacrés. Juste au cas bien improbable où vous devriez répondre à quelques questions.

Il s'agissait effectivement d'un grand honneur, car aucun teko n'était officiellement présenté, dans ces conditions spéciales, à des clients de cette importance. Comment pourrais-je lire toute cette littérature, en deux jours, sans prendre un retard considérable ?

Parfaitement conscient de mon dilemme, Alfie ajouta :

– Franchement, je désapprouve le fait qu'on vous ait choisie ! Vous ne ferez pas le poids, j'en suis sûr. Pas assez d'expérience ! Je vous vois déjà pédaler dans la sciure, rien qu'avec votre boulot quotidien. Mais c'est la décision de Louis. Bonne chance !

Et m'ayant ainsi rassurée sur l'étendue de mes propres capacités, il tourna les talons, et regagna sa cage.

Je passai la nuit sur place, à potasser les bouquins d'Alfie. Beaucoup trop nombreux et trop lourds pour les trimbaler dans le métro, et je n'avais pas les moyens de me payer un taxi.

Je compris très vite que j'étais dans de sales draps. Le contenu de ces manuels, c'était de l'hébreu mâtiné de sanscrit. Avec des hiéroglyphes en guise d'illustrations. Peut-être seraient-ils très clairs, aux yeux d'un lecteur versé dans le jargon de la haute finance ? Mais j'étais une matheuse, pas un expert-comptable.

Je décidai de me balader dans l'ensemble des locaux, pour le cas improbable où quelque autre imbécile se serait fait piéger par le boss, ce vendredi soir. Mais à mesure que les portes de l'ascenseur s'ouvraient sur des étages désertiques, mes espoirs tombaient au sous-sol. Je les y rejoignis, un gros bouquin sous chaque bras, dans la salle des banques de données ouverte toute la nuit. Peut-être un des nuiteux pourrait-il éclairer ma lanterne ?

– Du charabia ! opina celui que je trouvai en bas. Du jargon de boutique ! Les autres sont partis dîner, et je crois que toute la boîte est bouclée pour la nuit. Mais on peut jeter un œil.

Il se référa à son tableau de contrôle et finit par conclure :

– Ha, ça tourne encore au douzième. Quelqu'un dans ton genre, qui brûle la chandelle par les deux bouts. Qu'est-ce que tu risques à y faire un saut ?

Le douzième était plongé dans l'obscurité. À l'exception de l'éclairage de service, dans les corridors. J'arpentai lentement la moquette, entre les cloisons de verre, mais ne rencontrai personne. Aucune lumière ne brillait dans aucun des bureaux.

– Puis-je vous être utile, petite fille ?

La voix, mâle et douce, était très proche de mon oreille.

Je faillis bondir hors de ma peau, et découvris, en me retournant, le type le plus extraordinaire qu'il m'eût été donné de rencontrer. Grand. Douze à quinze centimètres au-dessus du mètre quatre-vingts. Courbé en avant, la tête penchée de côté, en homme habitué à parler, de là-haut, à une humanité très au-dessous de sa taille. Il était aussi mince qu'il était grand, le teint pâle, le regard vif, le nez busqué, les lèvres minces. Rouquin. La couleur exacte du cuivre. Trente ans, à tout casser, même s'il faisait plus vieux. Quelque chose dans son attitude me mit aussitôt à l'aise. Je devais apprendre, par la suite, qu'il était loin de faire cet effet à tout le monde.

Il avait encore autre chose de différent, plus difficile à expliquer, mais inscrit dans ma mémoire depuis toutes ces années. Une énergie volatile, comme s'il se dégageait de sa personne une sorte de champ magnétique impossible à maîtriser. N'ayant retrouvé cette caractéristique que chez fort peu de gens depuis lors, je me demande si ce n'est pas, tout simplement, de l'intelligence. Mais de l'intelligence à un tel niveau qu'on la ressent de l'extérieur, comme un courant induit. Ceux qui possèdent cette qualité rare ressemblent à des grenades mal goupillées, dont la puissance explosive risque de se déclencher à la moindre secousse. Ces gens-là parlent doucement, se déplacent doucement, et supportent, sans impatience, les contacts qu'ils ne peuvent éviter d'avoir avec le monde environnant.

Je ne trouvai rien à répondre, sous le feu tolérant de ces yeux pleins de curiosité bienveillante. Comme s'il voyait, lui aussi, quelque chose qu'il rencontrait pour la première fois. J'ignorais de quoi il s'agissait, mais j'avais la sensation désagréable qu'il percevait clairement ce qui se passait dans ma tête. Une sensation que je devais éprouver très souvent par la suite. À ce moment-là, dans la lumière chiche du corridor, je n'aurais su dire de quelle couleur étaient ses yeux.

– Je m'appelle Tor. Zoltan Tor. Êtes-vous perdue ? Puis-je vous aider à quitter cette prison ?

Il prononçait chaque syllabe avec une précision légèrement outrancière, comme s'il craignait de n'être pas compris, et je ne trouvais toujours pas le courage de lui répondre. Pourrait-il m'aider, non seulement à sortir d'ici, mais également à sortir de mes difficultés présentes ? Je m'entendis lui répondre :

– Je n'ai pas besoin d'un guide, mais plutôt d'un technicien.

Dont il n'avait pas du tout l'allure, dans son costume trois-pièces de bonne coupe. Sa chemise de soie, ses boutons de manchette, étaient plutôt ceux d'un diplomate que d'un teko de modèle courant.

– Si vous m'exposiez votre problème ? Je ne suis pas réellement technicien, mais la technique m'amuse et, parfois, ce que je peux en dire amuse également ceux qui m'écoutent.

Le message était ambigu, mais je me sentais moi-même dans une position tellement inconfortable que je lui débitai l'essentiel, en quelques phrases, dans la pénombre de ce corridor.

Quand j'en arrivai au « grand honneur » qui me serait fait le lundi suivant, il m'arrêta en posant sa main sur mon bras.

– Une minute, une minute. Vous travaillez pour un nommé Alfie. C'est le département de Findstone. Les transports. OK ?

J'acquiesçai d'un signe qui amena sur son visage un lent sourire de complicité.

– Alfie et Louis vous font un grand honneur, c'est ça ? Je trouve ça très intéressant. Vraiment très intéressant.

Il marqua une pause, les yeux dans le vague. Parut atteindre quelque conclusion secrète. Relança :

– Mais vous n'y croyez pas.

C'était moins une question qu'une affirmation. Je murmurai :

– Bien sûr que non !

Et j'étais sincère, mais je venais seulement de m'en rendre compte. Le regard scrutateur, comme s'il cherchait la vérité dans une boule de cristal, Tor enchaîna :

– Ce que vous croyez, c'est que vous serez appelée, lundi, à faire une sorte de présentation, en présence de leur client, sans y être préparée. En fait, vous avez toujours appréhendé ce genre de situation. Bien avant qu'ils ne vous jouent ce tour.

– Je ne comprends pas toujours tout ce que je devrais peut-être comprendre. Mais je pense que vous vous trompez, au sujet d'Alfie et de Louis. Ça ne rimerait à rien. Pourquoi mes propres employeurs me placeraient-ils en mauvaise position, devant leur plus gros client ?

Il eut un haussement d'épaules.

– Voilà bien longtemps que je n'essaie plus de comprendre les motivations des ignorants et des incapables. C'est du temps de perdu qu'il vaut mieux consacrer à des choses utiles. Quand, exactement, aura lieu cette rencontre historique ?

– Lundi matin, de bonne heure.

– Bien que vous soyez très jeune, je suis sûr que vous n'ignorez pas qu'une bonne préparation n'a jamais nui à personne. Tout ce que vous risquez, c'est d'en savoir un peu plus à la sortie. Vous plairait-il d'apprendre, d'ici à lundi, comment fonctionnent les ordinateurs et ce qui fait marcher les firmes commerciales ?

– J'adorerais ça. Alfie m'a donné des tas de bouquins comme ces deux-là.

Dont le poids commençait à me donner des crampes. Il secoua la tête.

– Vous n'en aurez pas besoin. Ils ne valent rien, de toute façon. J'ai tout ce qu'il vous faut, au sujet de Transpacifique. Le président s'appelle Ben Jackson, si je ne me trompe ?

– Absolument !

J'en tremblais d'excitation. J'avais au moins appris ça, en feuilletant ces gros livres.

Il m'en allégea, galamment, en partant du pied gauche.

– Attendez-vous à deux jours de travail soutenu. J'espère que vous n'avez rien prévu pour le week-end. Moi non plus. Et je suis toujours heureux de rendre service.

Je n'en croyais pas mes oreilles. Comment un parfait étranger pouvait-il envisager de prendre sur son temps pour venir en aide à quelqu'un d'aussi peu important que ma petite personne ?

– Comptez sur moi pour prendre des notes.

– Ce ne sera pas nécessaire. Je veux que tout soit *gravé*, lundi matin, dans ce petit cerveau réceptif. La première chose, c'est d'apprendre à *penser* comme un ordinateur. Tous ceux qui ne seront pas capables d'emboîter le pas à la révolution technologique s'apercevront, dans un an ou deux, que c'est eux qui sont devenus obsolètes !

Ainsi commença le week-end le plus important de ma vie. J'abordai le cocon informatique comme n'importe quel novice, mais en ressortis dans la peau d'une spécialiste. On passa la quasi-totalité de ces trois nuits et de ces deux jours dans le bureau de Zoltan Tor, à part quelques heures volées, à deux reprises, pour rentrer chez moi, dormir un peu, prendre un bain, changer de fringues et rappliquer aux aurores. Ce qui avait démarré comme un calvaire se transforma peu à peu en plaisir proche de la volupté, comme l'alpinisme, quand on a beaucoup souffert pour atteindre les sommets.

Tor possédait la faculté rare de décortiquer les sujets les plus complexes et de les rendre clairs comme de l'eau de roche. Comprendre ce qu'il me disait semblait aussi facile qu'avaler du miel.

À la fin de la première nuit, j'en savais assez sur les différents ordinateurs, leurs annexes et leurs langages de programmation pour l'expliquer à des néophytes. Le samedi soir, je savais tout sur les produits des firmes concurrentes, leurs défauts ou leurs avantages par rapport aux nôtres. Le dimanche matin, j'étais capable d'expliquer comment et pourquoi chaque machine disponible sur le marché était utilisée par telle ou telle catégorie de compagnies industrielles. L'absorption de tous ces détails constituait une belle aventure. Tous étaient gravés dans mon esprit, sans aucune note, conformément à la promesse de Zoltan.

Au premier coup d'œil, le bureau de Tor m'en avait appris davantage sur l'homme que les heures passées en sa compagnie.

J'avais supposé que ce bureau ressemblerait à tous les autres répartis dans nos locaux standardisés, cloisons de verre, tables de travail métalliques, classeurs et bibliothèques. Au lieu de ce genre de décor, il m'avait d'abord introduite au sous-sol dans un réduit à balais, un monde de serpillières, d'étagères chargées de produits d'entretien et de fournitures de bureau, cartes perforées, ramettes de papier, stylos-billes et manuels techniques, le tout recouvert d'une mince couche de poussière.

Tirant une clé de sa poche, il ouvrit une lourde porte cachée derrière les étagères du fond, en m'expliquant à mi-voix :

– Derrière la batterie d'ascenseurs, il y avait un espace de stockage inemployé, auquel j'ai donné une meilleure utilisation. J'aurais détesté travailler dans un des aquariums de là-haut. Alors, j'ai isolé cet espace avec des cloisons étanches au bruit, et j'en détiens la seule clé. J'aime bien me sentir chez moi.

On entra dans une vaste pièce oblongue au sol parqueté, aux parois tapissées de livres, reliés de cuir pour la plupart. Peu d'entre eux se rapportaient aux ordinateurs. Aucun, peut-être.

Des tapis persans recouvraient le parquet, de place en place, entre des fauteuils de cuir usagés et des lampes Tiffany probablement authentiques. Sur une étagère reposait un service à thé de porcelaine, et sur une petite table trônait un samovar de cuivre à trois robinets, très ancien. Une immense table ronde à dessus de cuir, nappée de serge, occupait le centre du local. Des douzaines de figurines d'émail, d'ivoire, de métal et de bois, s'alignaient en son milieu. Je me penchai pour les admirer. Il en saisit une et me la tendit. Je la retournai pour examiner sa base ciselée.

– Ce sont des signets. Vous savez à quoi ils servaient ?

– À sceller les lettres à la cire, au bon vieux temps ?

– Au bon vieux temps, c'est exact. Ils résument, aux yeux de l'homme moderne, tout ce qui s'est passé au cours des cinq mille dernières années. Oui, ils servaient à sceller lettres et documents, mais ils étaient beaucoup plus encore. Les premiers cryptogrammes. La marque qu'ils laissaient était une sorte de code, non seulement par ce qu'ils représentaient, mais par la place qu'ils occupaient sur le document, ou bien associés à d'autres signes.

– Vous avez étudié ces cryptogrammes ?

– Je suis un étudiant boulimique de tout ce qui se rapporte à l'art du secret. La culture du secret est la seule liberté qui nous reste, dans ce « meilleur des mondes possibles ».

Était-ce un effet de mon imagination, ou le sujet lui inspirait-il une certaine amertume ? Je me hâtai de relever :

– Une citation du docteur Pangloss ? Ou de son créateur qui a dit : « Je ris pour ne pas céder à l'envie de me pendre. »

Il fit claquer ses doigts.

– Voilà qui vous me rappelez ! Candide ! Vous avez gardé cette sorte d'attitude envers la vie qu'on perd rapidement quand on se trouve confronté au monde réel. Une bonne attitude si vous savez la tourner à votre avantage. Sans lui permettre de déboucher sur le cynisme et la solitude, comme Candide à la fin de son histoire. Pour le moment, votre esprit est une cire fraîche que nul sceau n'a encore marqué.

– Mais que vous avez l'intention de marquer du vôtre ?

Tor, qui mettait de l'ordre dans sa collection, se retourna brusquement vers moi. Alors seulement, je remarquai la couleur de ses yeux. Ils avaient quelque chose de déconcertant. Une flamme aux reflets de cuivre brûlait dans leur profondeur. Tellement différente de ses manières désinvoltes. Pénétrante comme un laser. Capable de traverser les couches de vernis avec lesquelles on tente de se protéger, et de pénétrer jusqu'au fond d'une âme. Puis il cligna des yeux, et la flamme diminua d'intensité, sans s'éteindre.

– Vous êtes une drôle de fille. Vous discernez la vérité sans en comprendre le sens. Un talent précieux, quoique dangereux, si vous exprimez toujours ce que vous pensez avec plus de franchise que de tact.

Ne sachant pas trop si je venais de me montrer sincère ou indélicate, je me contentai de sourire. Il conclut :

82

– J'étudie l'art du secret depuis si longtemps, codage, décryptage, recherche du renseignement, espionnage, que j'ai fini par aboutir à une vérité d'ailleurs évidente : aucun secret ne résiste à un certain type de clairvoyance, si bien gardé qu'il soit. La vérité a des propriétés divines, et savoir la reconnaître est un don inné, pas un talent qui peut s'acquérir.

– Qu'est-ce qui vous fait penser que je possède ce don ?

– Peu importe. Je peux l'identifier quand je le vois. Toute ma vie, j'ai recherché les défis. Pour découvrir, en fin de compte, que le plus grand défi de tous, c'est d'en trouver un vrai. Quelle tristesse de penser que le jour où ce plaisir m'échoit, ce soit sous la forme d'une enfant de quatorze ans.

– Mais j'en ai vingt.

Il soupira, vint à moi et posa ses mains sur mes épaules.

– Vous en paraissez quatorze, et vous vous conduisez comme si vous aviez cet âge. Croyez-moi, mon ange, si je vous dis que personne ne m'a jamais taxé d'altruisme. Dans tous les langages où intervient le concept de temps, on parle de le perdre, de le gagner, de le passer et même de le tuer. Mais quand je consacre le mien à quelque chose, j'entends recevoir autre chose, en échange. Si j'entreprends de vous éduquer, mon petit, je peux vous jurer que mon objectif n'est pas de vous façonner à mon image.

Je le regardai droit dans les yeux.

– Alors, quel est-il ?

Il sourit. Le sourire le plus étrange qu'il m'eût jamais été donné de voir.

– Je suis Pygmalion. Soyez ma Galatée. Quand j'en aurai fini avec vous, vous serez mon chef-d'œuvre.

Le lundi matin, je me sentais dans la peau d'un chef-d'œuvre, sans en avoir exactement le physique ! J'étais mal réveillée, mal coiffée, et j'avais de larges cernes sous les yeux.

Mais j'étais outillée pour répondre à toutes leurs questions, et conformément à la prédiction de Tor, ils m'en posèrent de nombreuses. Pour la première fois de ma vie, je ressentais cette confiance en moi-même, ce calme inébranlable qui ne viennent qu'avec une parfaite connaissance du sujet d'actualité. En un mot comme en cent, j'étais prête. En dépit de ma fatigue physique, j'avais soudain l'impression de ressortir, fraîche et dispose, d'un plongeon dans les eaux délicieuses d'une piscine.

J'aurais voulu apporter à Tor la bonne nouvelle. Mais le rendez-vous et sa suite avaient pris beaucoup plus de temps que je ne l'avais prévu. Je descendis plusieurs fois, dans le courant de la journée, sans jamais trouver la lourde porte ouverte.

J'allais rentrer chez moi quand je reçus la petite note qui disait :

« Venez me rejoindre en bas dès que vous le pouvez. »

Quand je frappai à la porte, il l'ouvrit aussitôt, très élégant dans sa tenue de soirée. Dès mon entrée, je vis à la place du samovar une bouteille de champagne dans son seau à glace, et deux coupes de cristal.

– Champagne, madame ? suggéra-t-il en s'inclinant comme un maître d'hôtel, serviette pliée sur le bras. J'ai ouï dire que vous aviez fait un carton, aujourd'hui.

– Désolée, je ne bois pas.

Il n'emplit pas moins les deux coupes et m'en tendit une.

– Boire du champagne n'est pas boire. C'est un symbole de victoire. Incidemment, avez-vous au moins une robe ?

– Bien sûr.

– J'aimerais que vous rentriez chez vous pour vous habiller. Je veux emmener dîner quelqu'un qui a des jambes, et pas seulement des jambes de pantalon. Je voulais que nous en discutions, de toute manière. Cessez de vous déguiser en garçon, vous ne trompez personne !

Je n'en revenais pas.

– Vous voulez me sortir ?

– Cette innocence est inconvenante. Buvez votre champagne.

Je l'avalai d'un trait, et les bulles me montèrent au nez. Je suffoquai. Tentai de lui rendre la coupe. Il la remplit en déclarant, réprobateur :

– On ne boit pas le champagne comme un cheval à l'abreuvoir. Le champagne se prend lentement, à petites gorgées.

– Ça chatouille le nez.

– Alors, évitez de le mettre dans votre verre. Et racontez-moi votre journée. Ensuite, je vous conduirai chez vous, et vous essaierez de vous rendre présentable... si possible.

Je lui fis mon rapport. Alfie, comme prévu, comptait bien assister à ma déroute. Il m'avait annoncée comme un spécialiste en tout, et se débrouilla, très vite, pour laisser peser sur mes seules épaules tout le poids de l'entrevue. Louis, qui n'était pas au courant du plan d'Alfie, se mit à croquer des pastilles digestives, en lui jetant des regards noirs. Il avait compté sur Alfie pour décrocher le contrat et, totalement dépassé, n'était nullement en mesure d'assumer la direction des débats.

Grâce aux cours express de Zoltan, j'en savais assez sur l'industrie des transports et le rôle que nous pouvions y jouer pour damer le pion à tous ces messieurs. Avant que nous quittions la salle du conseil d'administration, le président, Ben Jackson, qui avait failli écourter la rencontre, signa sans broncher une grosse commande de matériel informatique. Et les félicita tous les deux, Louis et Alfie, de m'avoir confié le dossier. Tor buvait du petit-lait. Mais je buvais toujours du champagne et commençais à sentir des picotements dans les orteils.

– Et qu'est-ce qu'ils faisaient, Laurel et Hardy, pendant que vous passiez à la vitesse supérieure ?

– Vous allez me soûler.

– J'en serai seul juge !

– Ils m'ont interrogée tout le long du chemin, dans le taxi du retour. Ils voulaient savoir où j'avais appris tout ça. J'espère que je n'ai pas gaffé en leur disant que j'étais votre élève. Ils ne m'ont pas cru, tout d'abord. Et puis ils se sont chamaillés pour savoir comment ils pourraient tourner la situation à leur avantage.

– Comment ça ?

Mais ses yeux souriaient.

– Il semble que vous ne m'ayez pas tout dit sur votre propre statut professionnel dans cette maison. Zoltan Tor, l'arme secrète, le cerveau à pattes de la Monolith.

Il fit la grimace, mais je poursuivis :

– Louis pense que s'ils pouvaient vous persuader de passer quelques heures, de temps à autre, avec des clients potentiels, comme vous l'avez fait avec moi, la Monolith Corporation y gagnerait des millions.

– C'est absolument vrai, mais je préfère passer ces heures-là avec vous. Une chose, parmi d'autres, que Louis ne comprendra jamais. Il a une âme de carton-pâte.

La bouteille de champagne était vide. Il la retourna dans le seau à glace et me tendit la main, pour m'aider à me relever. Je complétai mon rapport :

– Ils s'imaginent qu'ils pourront m'utiliser comme un *levier* pour parvenir à vous convaincre. Ils se figurent que vous allez poursuivre ma formation, jusqu'à la fin des temps. J'ai beaucoup progressé dans l'estime de Louis, et Alfie fait semblant de penser la même chose, bien que ni l'un ni l'autre ne puissent comprendre vos motivations.

Doucement, il me pilotait vers la porte.

– Ils ont raison sur toute la ligne. Je vais poursuivre votre formation, et je ne sais pas pourquoi, moi non plus. Mais pour discuter de ces problèmes, je suggère que nous allions dîner quelque part.

Tor conduisait sa Stingray vert foncé comme Pearl Lorraine conduisait sa Lotus. Il me déposa en bas de chez moi, près de l'East River, et m'attendit dans le hall.

J'endossai une robe de velours noir, très courte. Quand je redescendis, il quitta, d'un bond, la chaise qu'il occupait, et vint au-devant de moi, la main tendue.

– Bel immeuble ! La réplique exacte du château de Barbe-Bleue, en plus sinistre. Mais dans un beau quartier.

Un peu plus tard, en reprenant son volant :

– Mes compliments. Vous avez des jambes, après tout. Mais vous faites bien de les cacher. Il y a assez d'accidents de la circulation, à Manhattan, sans risquer de distraire les conducteurs... Ça vous dit de souper au *Lutèce* ?

– Je n'y ai jamais mis les pieds. Trop cher pour moi, je ne comprends pas le français et je ne mange pas beaucoup, alors...

– Les portions sont petites, et je commanderai pour vous. On ne doit jamais permettre aux enfants de commander leurs propres plats.

Il était très connu au *Lutèce*. Tout le monde l'appelait « Docteur » et le traitait comme un prince. Une fois installés sur nos chaises tirées et repoussées dans le respect des règles par le personnel, j'attaquai le sujet qui m'intriguait depuis près de deux heures :

– Vous m'attendiez avec le champagne débouché. Comment saviez-vous que c'était une victoire ?

Il acheva d'étudier la carte des vins, comme s'il l'apprenait par cœur.

– Un de mes amis m'a téléphoné. Marcus.

– Marcus ? Marcus *Sellars* ?

Marcus Sellars était le président du conseil d'administration de la Monolith. J'avais déjà compris que Tor était important, mais important à ce point-là...

– Marcus a reçu un coup de fil de Ben Jackson, le président de la Transpacifique. Il voulait s'inscrire sur la liste d'attente, pour les équipements qu'on va sortir bientôt. Comme le matériel n'a encore bénéficié d'aucune promotion, même interne, il a voulu savoir comment vous pouviez être au courant. Il a dû déceler dans le topo des traces de mon style, et voilà.

– Vous voulez dire que vous m'avez fait parler d'équipements qui ne sont pas encore sur le marché ! Comment Marcus a-t-il réagi ?

– J'imagine qu'il a sorti son stylo et noté la commande ! Puis il a décroché son téléphone et il m'a appelé. Heureux que je m'intéresse, de nouveau, à la marche de la maison. Il dit que j'ai besoin d'être stimulé. Je n'ai pas visité beaucoup de clients, ces temps-ci. Marcus prétend que je leur manque.

– Et vous, qu'est-ce que vous en dites ?

– J'aimerais mieux parler du vin. Vous avez un cru préféré ?

– J'ai entendu parler du lancers...

– Parfait.

Sur un signe à peine perceptible, le sommelier se matérialisa auprès de lui. Au terme d'une brève consultation, Tor lui indiqua son choix, sur la carte. Le sommelier apporta la bouteille et la lui présenta, puis la déboucha solennellement. Tor goûta le vin, exprima son approbation, d'un hochement de tête. Enfin, il se retourna vers moi.

– Vous savez, c'est amusant, ce que vous avez dit au sujet de Louis et d'Alfie qui comptent faire de vous leur instrument... Et si on retournait la situation à votre avantage ?

– À mon avantage ? Alors que je me demande quelle attitude prendre vis-à-vis d'eux. Ils vont compter sur moi, en effet, pour vous soutirer toutes les informations possibles. Et si je refuse, Alfie m'en voudra à mort.

– Qu'est-ce que ça peut vous faire ?

– Comment ça, qu'est-ce que ça peut me faire ? C'est mon patron !

– Parce que vous l'acceptez comme tel !

– C'est lui qui me paie mon salaire.

Je ne voyais pas du tout où Tor voulait en venir. Il rectifia :

– C'est la firme qui vous paie votre salaire, n'oubliez jamais ça. Ils ne vous le paieront plus si vous cessez de leur rapporter de l'argent. Alors, pourquoi auriez-vous besoin d'Alfie ?

J'y réfléchis un instant et sentis un nuage se dissiper dans ma tête. À la réflexion, je devais admettre qu'Alfie n'avait jamais rien fait pour moi, sinon entraver mes efforts pour faire du bon travail. Pas plus tard que ce matin, avec ses manigances, non seulement il pouvait me nuire, mais perdre un gros client, par-dessus le marché.

C'était peut-être le champagne qui me montait à la tête, mais je concédai finalement :

– Sans lui, les choses se passeraient sûrement beaucoup mieux.

– Alors, c'est réglé. Débarrassez-vous de lui.

Il me porta un toast avec le vin qu'il avait commandé, et je fis de même alors qu'il ajoutait, comme si tout le reste coulait de source :

– Dites tout simplement à Louis que vous n'avez plus besoin d'Alfie, il comprendra l'allusion.

Était-il possible que ce soit aussi facile ? Je n'avais pas encore résolu le problème, au retour du garçon, avec nos fruits de mer.

– Les huîtres, souligna Tor, sont généralement considérées comme la nourriture de l'amour. Ne les mâchez pas, on doit les avaler tout rond, à même la coquille. Voilà... laissez-les glisser... Qu'est-ce qui vous arrive ?

– Mais elles sont crues !

– Bien sûr qu'elles sont crues ! Je me demande ce que je vais bien pouvoir faire de vous.

– Ne vous inquiétez pas, je vais les manger toutes. Ma mère m'a toujours dit que les gens qui ne savent pas s'adapter à des nourritures nouvelles devraient être expulsés des restaurants.

– Une femme pleine de bon sens ! Si seulement elle était ici. Je n'ai aucune expérience des enfants fraîchement sevrés.

– Je ne suis pas une enfant.

– Oh si ! Vous avez les émotions d'un bébé de trois ans, le cerveau d'un vieux sage de quatre-vingt-dix ans, la grâce d'un adolescent, et le corps d'une nymphe prépubère. Ne me regardez pas comme ça, et mangez vos huîtres. J'espère être là le jour où toutes ces composantes se réuniront pour faire une femme. Ce sera sans doute un bien joli spectacle.

– J'aurais préféré être un homme.

– C'est ce que j'ai cru comprendre, mais c'est raté. Vous n'êtes et vous ne serez jamais un homme. Acceptez donc votre qualité de femme, et je vous jure que vous y gagnerez. Vous avez déjà beaucoup progressé.

L'hôtesse de l'air nous ordonnait gentiment de vérifier nos ceintures, pour la descente amorcée vers l'aéroport J. F. Kennedy. Je me demandai quelle serait ma fortune si j'avais touché un dollar pour chaque ceinture ainsi vérifiée depuis l'avènement des vols commerciaux. J'avais toujours eu le goût de ces calculs farfelus, mais celui-là me déprimait. En regard des avantages d'être une femme, Tor avait négligé quelques inconvénients. Peu de temps après m'avoir dressée contre Alfie, mon patron, il avait quitté la Monolith Corporation pour ouvrir sa propre société, me laissant, de nouveau, livrée à moi-même.

– Vous connaissez la marche à suivre, m'avait-il dit en me tapant sur l'épaule. Nouez ensemble les bouts qui dépassent.

Alfie, j'avais fini par l'écarter de mon chemin. Sans recevoir, pour autant, de promotion décisive à la Monolith. Selon les cadres supérieurs bien en place, jamais les techniciens de sexe mâle ne s'accommoderaient d'une *patronne*. Que feraient-ils dans ce cas ? Quitteraient-ils la firme au pas cadencé ? Boiraient-ils de la ciguë ? Quand j'en parlais à Tor, il se contentait de rire.

– Pour acquérir les mêmes droits que les hommes, les femmes doivent d'abord renoncer à quelques-uns des leurs.

Personne n'avait l'air de comprendre que je ne courais pas après de nouveaux « droits ». Je n'attendais pas que la société me les tende sur un plateau d'argent, posés sur un socle d'obligations invisibles. Dix ans auparavant, ma décision de m'affranchir de la tutelle de Zoltan Tor m'avait coûté très cher, et pas au sens financier du terme.

Maintenant, tandis que mon avion s'incorporait, en souplesse, à la spirale d'attente de l'aéroport Kennedy, je me demandais combien ces retrouvailles allaient me coûter, dans toutes les acceptions du terme.

LE CONTRAT

« Si quelqu'un confie de l'or, de l'argent ou quoi que ce soit
de précieux à la garde de quelqu'un d'autre, il le fera
devant témoins et rédigera le contrat avant de se séparer
des valeurs engagées. »

Extrait du code d'Hammurabi

À leur première visite, la plupart des Américains détestent New
York. Misère et saleté, bruit et graffitis, violence, hystérie, déca-
dence et gaspillage outrancier, toutes ces impressions frappent
le voyageur fraîchement débarqué des villes proprettes et mieux
entretenues de l'Ouest. Mais comme aucun New-Yorkais ne l'ignore,
ce n'est là qu'un habile camouflage destiné à repousser les hési-
tants, les pusillanimes hors des limites de la cité.

– Vous êtes de New York, ma petite dame ? me lança le chauffeur de taxi, par le truchement de l'interphone chargé d'assurer
la communication, à travers la vitre à l'épreuve des balles qui
nous séparait.

– Il y a un bout de temps que je n'y étais pas revenue.

– Vous avez rien loupé, dans l'intervalle. Neuf ou vieux, c'est
kif-kif ! Plus ça change, plus c'est pareil. Le même poubelle sans
couvercle, mais c'est chez moi, et ça me va.

Je comprenais parfaitement ce qu'il voulait dire. Rien n'avait
changé dans la bonne vieille atmosphère d'agitation violente,
permanente, productrice d'une énergie que j'absorbais par
tous mes pores. Longtemps avant d'atteindre mon hôtel, tous mes

biorythmes étaient déjà synchronisés sur les battements du cœur de la Grosse Pomme.

Je m'inscrivis à la réception du *Sherry*, escortai mes bagages jusqu'à ma suite, et redescendis manger un morceau, boire un cocktail, au restaurant de l'hôtel. Boire un sherry au *Sherry Netherland* faisait partie de mes traditions personnelles. En souvenir de mes réveillons de New York.

Assise à l'écart, avec un verre cliquetant de glaçons, les yeux perdus dans le décor de la Cinquième Avenue, je voyais, à travers la vitre dépolie par le gel, les passants chargés de paquets piétiner la neige boueuse des trottoirs. Et je me demandais comment j'allais retrouver Zoltan Tor.

New York était peut-être immuable, mais les personnes changeaient. Depuis notre dernière rencontre, Tor était devenu très riche, célèbre et plus sauvage encore que naguère, tandis que je faisais carrière dans la banque. Avait-il perdu ses cheveux ? Arborait-il une brioche ? Comment me trouverait-il après toutes ces années au cours desquelles, assez bizarrement, j'avais pensé à lui beaucoup plus souvent qu'il ne m'avait téléphoné ?

Je regardai mon reflet dans le miroir. J'étais toujours aussi mince, pour ma taille, avec un visage tout en bouche, en yeux et en pommettes saillantes. J'avais toujours l'air, conformément à sa description, d'un garçon de quatorze ans partant pour la pêche.

Je grignotai un petit en-cas et, vers dix heures, retournai prendre ma clé à la réception. Avec la clé, l'employé me remit un message :

« À ton restaurant favori. Midi pile. »

Pas de signature, mais je reconnaissais le style. J'empochai le message et montai me glisser dans mon lit.

Mon restaurant favori, à New York, était le *Café des Artistes*. De l'autre côté du parc, par rapport au *Sherry*.

Comme une imbécile, je décidai de traverser à pied le vaste espace enneigé. Je le regrettai bien avant d'avoir atteint le milieu de Central Park Sud. M'arc-boutant contre le vent glacial, j'enfonçai mes poings dans mes poches, et jusqu'au bout de la sinistre randonnée, m'efforçai d'évoquer les soleils étincelants de la baie de San Francisco, les petits voiliers blancs piquetés sur les eaux bleues. Plus j'avançais, moins m'attirait ce déjeuner vers lequel je marchais dans le froid de l'hiver.

Quelque part dans les profondeurs de mon subconscient, je savais que mon angoisse ne provenait pas tellement des risques auxquels j'allais exposer une carrière désormais stagnante, ou de la perspective d'entraîner mes collègues dans une histoire qui pouvait nous exploser au visage. Ce qui me rendait nerveuse, c'était de me retrouver à New York, avec Tor, et de ne pas vraiment comprendre les raisons de ma fébrilité.

Mais dès mon premier pas à l'intérieur du *Café des Artistes*, je retombai, d'un coup, sur mes pieds. Ouvert dans les années vingt, le café ressemblait toujours au Paris de l'époque, alors que les intellectuels le désertaient. Ancien repaire d'artistes peintres dont les ateliers réunis dans l'immeuble avaient cédé la place à des appartements de grand luxe, il exposait, alentour, ses murs décorés de jungles riches en perroquets multicolores, ses fresques de conquistadores espagnols descendant de leurs galions, ses singes, ses fleurs sauvages et ses nus féminins à la peau dorée partiellement habillés de feuillages. Le tout dans une pagaille picturale combinant Watteau, Gibson Girl et le Douanier Rousseau. Le vrai kitsch new-yorkais des décennies enfuies.

Une desserte roulante de métal jaune en occupait à présent le centre, croulant sous les fleurs, les fruits, les pâtisseries, le pâté de lapin, la mousse de saumon et les pains tout chauds. À quelques pas sur la gauche, au-delà du bar oblique, j'aperçus Zoltan dans une des logettes. Il avait tellement changé que s'il ne m'avait pas fait signe, je ne l'aurais sans doute pas reconnu. Sa chevelure de cuivre descendait en boucles dans son cou, débordant sur son col, il avait le teint encore plus pâle, le regard encore plus intense que naguère. Au lieu de l'élégant costume trois-pièces qui avait été son uniforme, il portait une chemise de cuir à franges, ornée de perles de bois, avec un pantalon de daim moulant qui révélait la tension musclée de ses jambes. Viril et d'allure sportive, il ne paraissait pas un jour de plus qu'à notre dernière rencontre, et son sourire en coin était toujours le même. Quand il se leva pour m'accueillir, je constatai qu'il n'avait pas perdu un centimètre de sa taille.

– Tu es venue à pied de San Francisco ? Tu as trente minutes de retard, et un nez qui ressemble à une grosse cerise !

– Zoltan ! Quel joli compliment, au bout de toutes ces années ! Moi qui allais te dire que tu étais formidable, sous ce déguisement !

Il approuva d'un signe, tandis que je me glissais dans la logette, en face de lui. J'allongeai la main pour tirer sur les franges et sur les perles de bois, afin d'échapper à ce sourire éblouissant qui déclenchait des sonneries d'alerte dans mon cerveau.

– Merci, dit-il enfin. Tu n'es pas mal non plus. Surtout si tu t'abstiens de dégoutter sur la nappe. Tiens, prends ce mouchoir et fais-en bon usage.

Je m'essuyai la figure et me mouchai discrètement. Il commenta, hilare :

– Le chant du rossignol... les manières d'une reine...

Je suggérai :

– Si nous passions tout de suite aux choses sérieuses ? Je n'ai pas fait tout ce chemin pour écouter des fadaises.

– Pas si vite. Ton absence a été très longue. Et tu as oublié qu'on s'y prenait autrement, ici. D'abord, l'apéritif, puis le poisson, la volaille, la salade, le fromage, le dessert. Pas de conversation sérieuse avant le café. Jamais plus tôt.

– Je serai très heureuse de te regarder t'empiffrer, si c'est la coutume. Mais moi, je ne mange pas autant.

– Bravo. Alors, je vais m'occuper de tout.

Un léger signe cabalistique, et le sommelier vint déposer auprès de nous la bouteille déjà débouchée dans son seau à glace. Je m'étonnai sincèrement :

– Comment fais-tu ça ?

– Simple question de télépathie et de perception extrasensorielle. Ça marche à tous les coups. Pas besoin d'un fil de cuivre pour établir la communication. Comment crois-tu que j'aie pu repérer ton ami Charlie et reprendre contact avec toi ?

– Alors, tu t'es branché sur nos longueurs d'onde. Terrible ! Je vais déjeuner avec Nostradamus. Je n'aurais jamais cru revenir à Manhattan pour t'écouter parler de manifestations para-normales.

– Tu préfères qu'on parle de la façon normale de dévaliser une banque ?

Instinctivement, je m'assurai d'un regard que nous étions hors de portée des plus proches oreilles. Je n'étais pas là depuis plus de cinq minutes que Tor m'avait déjà court-circuité le système. Comment s'y prenait-il pour me mettre immédiatement sur la défensive ? Deviner, rien qu'en me regardant, ce qui m'agacerait à coup sûr, et le deviner aussi vite ?

– Parlons plutôt du menu.

– J'ai déjà tout commandé. Comme je te l'ai déjà dit, on ne doit jamais permettre aux enfants de...

– J'ai trente-deux ans, je suis vice-présidente d'une banque, et j'ai commandé moi-même, entre-temps, pas mal de déjeuners. Je suis une femme adulte. Plus du tout ta petite protégée. Alors, tu peux arrêter de jouer les grands frères.

Je n'aurais su dire pourquoi je bouillonnais, tout à coup, de colère intérieure. J'avais compris, une fois de plus, quand il s'était levé à mon arrivée, que c'était à cause de lui que j'avais quitté New York pour San Francisco dix ans plus tôt. Beaucoup plus que pour répondre à une offre tentante de la Banque mondiale. Plus que mon grand-père, Tor était toujours à la recherche d'une argile à modeler. Il l'avait dit, non ? Était-ce ma faute si j'avais envie de sculpter mon propre destin ?

À la suite de ma petite apostrophe, il m'observait avec une expression ambiguë. Indéchiffrable.

– Je vois. Tu as raison. Tu es une femme adulte. C'est ça qui a changé. Je n'y avais jamais pensé sous cet angle.

Après une courte pause :

– Il va falloir que je révise mes plans.

Quels plans ? J'allais lui poser la question. L'arrivée de la sole meunière me dispensa de commettre cette erreur. Durant tout le repas, on bavarda de choses sans importance. Qui ne m'apportèrent nullement l'explication de mon trouble intérieur. Après le poisson, vinrent les côtes de veau aux petits légumes, puis la salade, une laitue très tendre, magnifiquement assaisonnée, et des fraises fraîches à la crème, un luxe en cette saison.

La conversation ne reprit vraiment que lorsqu'il tendit vers ma bouche, empalée sur une fourchette à dessert, la dernière fraise dégoulinante de crème.

– Merci, mais personne ne me force à manger. Je ne suis pas une plante verte. Ni une enfant...

– Un point clairement établi. Puisqu'on est là pour parler affaires, parlons-en. Si tu me montrais ton programme.

Je sortis le dossier de mon sac et le lui remis. Il examina, un par un, les diagrammes collés bout à bout que Charlie avait dressés pour moi. Ainsi que ses estimations des risques courus.

– Seigneur Dieu, sur quoi as-tu imprimé ces trucs ? Un dinosaure ?

Il tira de sa poche un petit appareil, plus petit qu'une calculette, un de ces micro-ordinateurs de poche dont parlait la presse, et qu'on ne trouvait pas encore dans le commerce. Tandis que son regard faisait la navette entre mes chartes artisanales et son minuscule écran, je me commandai une crème caramel, avec beaucoup de sucre brûlé. Malgré toute sa concentration, il me jeta un coup d'œil écœuré.

– Je croyais que tu ne pouvais pas avaler une bouchée de plus.

– C'est une prérogative féminine que de changer d'avis, non ?

Mais quand la crème brûlée arriva, sans lever les yeux de son travail, il en préleva une grosse cuillerée vengeresse, en grognant :

– Celle-là, elle est meilleure parce que tu l'as commandée toi-même, d'accord ?

Puis il tapota, de son crayon, les documents dépliés devant lui.

– D'après ces chiffres, tu disposes d'une fenêtre de deux mois pour organiser ton coup. Et le maximum que tu puisses espérer détourner se situe autour de dix millions de dollars.

Il m'observait, l'œil sarcastique, par-dessus sa tasse de café. Toujours le chic pour me prendre à rebrousse-poil. Je me rebiffai :

– Tu penses que tu pourrais faire beaucoup mieux ?

Son sourire s'élargit.

– Ma chère fille... Strauss savait-il composer une valse ? Il semble que tu aies oublié tout ce que tu as appris sous la baguette du maestro.

Il se pencha en avant pour me regarder droit dans les yeux, à vingt centimètres de distance.

– Je me fais fort de détourner un milliard de dollars dans un délai de deux semaines.

Le garçon nous apporta du café et balaya méthodiquement les miettes éparses. Tor réclama l'addition, la régla sans attendre. Mon bouillonnement intérieur touchait au paroxysme.

– Tu m'as dit que tu pourrais m'aider, pas multiplier les enjeux. Maintenant que je t'ai montré mon plan, comment comptes-tu t'y prendre pour l'améliorer ?

– Je l'ai *déjà* amélioré, murmura-t-il, le sourire plus félin que jamais. J'en ai même dressé un autre, beaucoup moins aléatoire. J'ai toujours su qu'il était facile de détourner des sommes *réellement* importantes sans passer du tout par un ordinateur.

– Oh, non, cette fois-ci, tu ne m'auras pas.

Je réunis mes papiers. Les rangeai dans ma serviette.

– Si tu me crois assez idiote pour penser que je pourrais voler un milliard de dollars sans passer par un ordinateur...

– Je n'ai jamais dit ça, coupa-t-il en posant sa main sur la mienne pour m'empêcher de me lever. Je ne dirais jamais une chose pareille. C'est de moi que je parlais.

Je me congelai sur place. Ses yeux flamboyaient, ses narines palpitaient comme celles d'un pur-sang au départ d'une course. Ce regard m'avait coûté cher dans le passé, mais ma curiosité restait la plus forte.

– Comment l'entends-tu au juste ?

– J'aimerais te proposer un défi. On va s'engager à voler chacun la même somme. Toi, avec, et moi sans ordinateur. Je serai l'artisan avec son petit marteau, et toi la conductrice de la grosse pelleteuse, avec ton équipement industriel. L'homme contre la machine. L'âme contre l'acier.

– Très joli. Mais pas tellement pratique.

– D'autres artisans ont déjà gagné contre les grosses machines.

– Mais ils en sont morts.

– Tout le monde meurt, tôt ou tard. Mieux vaut une belle mort grandiose que des tas de petites morts quotidiennes, tu ne crois pas ?

J'avais une folle envie d'endiguer sa rhétorique. J'essayai :

– Ce n'est pas parce que je suis mortelle que je veux mourir aujourd'hui, en fanfare ! Mon objectif, c'est de détourner une certaine somme, pour prouver que les systèmes de sécurité de la banque ne sont pas au point. Tu as dit que tu m'aiderais, mais tu parles de voler un milliard de dollars. Tu es tombé sur la tête ou quoi ?

– Crois-tu que les banquiers qui te paient ton salaire soient les seuls pourris au monde ? Je travaille journellement avec la sécurité bancaire, avec les bourses de commerce et les bureaux de change. Je sais des choses sur leurs opérations courantes qui te glaceraient le sang dans les veines. L'aide la plus précieuse que je puisse t'apporter, ma chère soubrette, c'est d'élargir ton horizon, comme je m'apprête à le faire.

Il se leva d'un bond, la main tendue. Je lui demandai, alors qu'on enfilait nos manteaux :

– Où va-t-on ?

– Chez moi. Je veux te montrer mes estampes japonaises.

Dans la chaleur douce du taxi, Tor ajouta :

– Il faut que tu voies la face cachée de notre futur pari. Pour que tu puisses comprendre à quel point je suis sérieux.

– Tu as bien compris, toi-même, que mon intention était de restituer l'argent ? Pas de le garder. Ni même de le prendre. Juste de le balader pour le rendre quelque temps indisponible. Introuvable. Je veux voir leurs têtes quand ils ne pourront pas remettre la main dessus. Même si j'acceptais ton idée de pari, qu'est-ce que ça te rapporterait ?

– La même chose qu'à toi. Une intense satisfaction. Et beaucoup plus encore. Je ne veux pas seulement voir leurs têtes. Je veux qu'ils révisent toutes leurs données.

– Qui ça, ils ? Tu ne m'as toujours pas dit d'où viendrait ce fameux milliard.

– Sans blague ? C'était une simple omission. J'ai l'intention de m'en prendre à la Bourse de New York. Ainsi qu'à la Bourse d'Amérique, pour faire bon poids.

On a toujours dit que le génie confinait à la folie, et j'étais convaincue que Tor avait passé la frontière. Quoique, à la réflexion, mon propre petit projet ne fût pas exactement le produit d'un esprit clair et sain, baignant dans l'ordre et la raison.

Le taxi nous déposa au bas de Manhattan, dans le labyrinthe du quartier financier, où le brouillard du fleuve stagne dans les profonds canyons urbains, entre des bâtiments qui semblent littéralement « gratter le ciel ». Devant nous, se dressait une tour de béton et de verre d'une quarantaine d'étages, avec le numéro 55 fièrement affiché, en lettres d'or, sur sa façade.

– C'est ici que se trouvent mes estampes japonaises, annonça Zoltan, tout sourire, en se battant les flancs, à cause du froid glacial. Ou je devrais peut-être dire mes eaux-fortes. Cette forteresse recèle la majorité des titres et des actions négociés dans les plus grandes bourses internationales au cours des trente dernières années.

« Le concept remonte aux années soixante, alors que les centres de courtage du monde entier croulaient sous des montagnes de papier. Les transferts incessants de bons et d'actions d'une main à l'autre représentaient une telle masse de travail qu'il fut décidé d'y mettre un terme. Les titres sont conservés, désormais, sous ce qu'on appelle la "rue des noms" – le nom en question étant celui de la dernière firme de courtage qui en a négocié l'achat. La propriété est établie par ces firmes, et les instruments matériels eux-mêmes sont entreposés ici. Ce bâtiment financier, le plus important de New York, s'appelle la Depository Trust. Une Caisse des dépôts et consignations, en somme.

J'en suffoquais littéralement.

– *Tous* les titres négociés sur le territoire des États-Unis sont dans cet unique bâtiment ?

– Nul ne connaît le pourcentage de ceux qui sont entreposés ici, par rapport à ceux qui se trouvent entre les mains des courtiers, des banques et des particuliers, mais on s'efforce d'en transporter ici un maximum, pour raison d'efficacité.

– C'est dingue ! Supposons, par exemple, que quelqu'un y lâche une bombe ?

– C'est un peu plus complexe que ça.

Il m'entraîna autour de la gigantesque bâtisse, afin de me permettre de la découvrir sous toutes ses faces. Au coin de la rue, il brossa doucement les flocons de neige qui adhéraient à mon visage, passa son bras autour de mes épaules et continua :

– J'ai assisté la semaine dernière à une réunion de cadres supérieurs, représentants des grandes firmes de courtage et des banques d'affaires. Le but de la réunion était d'amener courtiers et banquiers à utiliser un nouveau système informatique mis au point par l'Office central de sécurité, capable de répertorier la localisation réelle de tous les titres.

– Les titres ne sont donc pas enregistrés sur ordinateur ?

– Les transferts, oui, mais pas la localisation des titres. L'Office central de sécurité estime que cinq à dix pour cent de tous les titres déposés dans les chambres fortes des banques ou conservés par des particuliers, et jusqu'à l'intérieur de la Depository Trust, sont des faux. Ils voulaient en connaître l'inventaire réel, et ils le voulaient vite.

– Une belle occasion de procéder au grand nettoyage de printemps !

– Tu crois ça ?

Il m'observait, un sourcil levé, dans le crépuscule qui s'épaississait rapidement.

– Alors, peux-tu m'expliquer pourquoi tous les établissements concernés, sans aucune exception, ont repoussé le projet ?

Pas besoin d'être sorcière pour le comprendre. Les banques n'appartenaient pas à l'Office central de sécurité. Il ne pouvait les forcer à faire des inventaires qu'elles ne désiraient pas, même s'il leur en fournissait les moyens. Et pas un seul de ces établissements ne désirait que l'on découvrît quelle proportion de leurs titres était sans valeur. Tant que leur restait la possibilité de prétendre qu'ils étaient en possession des originaux, ils pouvaient

100

continuer à les négocier ou à les utiliser comme garantie pour obtenir autre chose. S'il était prouvé qu'il s'agissait de contre-façons, ils n'auraient plus rien dans les mains ! Je réalisais soudain toute l'étendue potentielle de cette sorte de fraude dans le domaine financier. Et je voyais rouge.

Mais je réalisais par la même occasion combien j'avais sous-estimé Zoltan Tor, et je me sentais de plus en plus mal à l'aise. Comment avais-je pu me croire unique, dans ma conception de la justice et du droit ? Il avait eu raison de me dire que je gagnerais à élargir mes horizons. Maintenant, je savais ce que j'avais à faire.

En relevant les yeux, j'interceptai son regard fixé sur moi dans le brouillard léger qui, de nouveau, ramenait la neige. Il arborait son fichu sourire de guingois et mes soupçons revinrent au galop. N'avait-il pas toujours su comment fonctionnait mon esprit, au point de pouvoir le manipuler avec une habileté consommée ?

– Alors, tu tiens le pari ?

– Minute. Je n'ai jamais été très parieuse. Et quel en serait l'enjeu ?

Ma question l'avait déconcerté. Pas pour longtemps :

– Je n'avais pas pensé à ça. Tu as raison. Je crois qu'il faut fixer un enjeu précis.

Il s'absorba dans ses pensées tandis que nous repartions, bras dessus, bras dessous, en quête d'un taxi. Finalement, il s'arrêta. Reposa ses deux mains sur mes épaules, comme il lui arrivait de le faire. Avec une expression particulièrement insondable. Et son sourire ne me disait rien qui vaille.

– J'y suis ! Le perdant s'engage à exaucer le souhait le plus cher du gagnant.

– Et si le perdant n'a pas les moyens d'exaucer le souhait du gagnant ?

La malice monta de plusieurs crans, dans ses yeux et dans son sourire.

– Moi, au moins, je sais que tu seras toujours en mesure d'exaucer le mien !

ASSOCIATION LIMITÉE

« Les hommes à peau tendre que leur conscience titille
sans arrêt n'ont pas leur place dans le monde des affaires.
Cette conscience trop sensible fait d'eux des forgerons qui
se protégeraient du feu à l'aide d'un tablier de soie. »
« Ce qui compte n'est pas la façon de gagner son argent,
c'est ce qu'on en fait quand on l'a. »

Le Livre de Daniel Drew, BOUCK WHITE

J'avais été soulagée de pouvoir remonter à pied jusqu'à Wall
Street, après déjeuner. Mais en dépit de cette marche digestive, je
ne pus avaler le quart du dîner que Tor commanda, le soir, au
Plaza, saumon en papillotes au soufflé Grand Marnier, et autre
canard à l'orange, alors que nous mettions au point les modalités
de notre pari.

Tor refusant toujours de révéler la nature de son vœu, s'il
gagnait le pari, j'estimai préférable de proposer des enjeux plus
spécifiques. La négociation démarra au saumon et se prolongea
jusqu'au café. Ma migraine commença bien avant le cognac, mais
je ne me souvenais pas de m'être jamais autant amusée.

Les explications de Tor, quel qu'en fût le sujet, restaient toujours claires, quoique assaisonnées d'un humour baroque qui lui
était personnel. C'était un maître de l'intrigue et de la complexité,
qui aimait envisager toutes choses sous tous les angles possibles.
C'était l'ennui plus que la nécessité qui lui avait suggéré cette idée
de pari. Comme d'habitude, la vie quotidienne ne lui posait pas
de défis à sa hauteur.

– C'est presque trop simple. Détourner provisoirement un milliard de dollars, n'importe quel hacker peut faire ça. Pour que la chose reste intéressante, je crois qu'on aurait tort de limiter le montant du vol.

– Comment savoir, dans ces conditions, qui a gagné ou perdu ?

– On va fixer un temps limite. Disons trois mois. Un peu plus pour mettre au point les détails. On *investira* notre emprunt durant ces trois mois, pour « intéresser le pari ». Et le gagnant ne sera pas celui qui aura détourné la plus grosse somme, mais celui qui s'en sera le mieux servi. On va fixer un rapport raisonnable...

– Comme si voler un milliard de dollars n'était pas suffisant !

Mais il pianotait déjà du bout des doigts sur son micro-ordi de poche.

– Trente millions de dollars. Voilà ce que tu peux espérer gagner, raisonnablement, en plaçant un milliard pour une durée de trois mois.

Puis, sans attendre mes commentaires, il sortit son minuscule agenda électronique.

– Nous sommes le vingt-huit novembre. Autant dire le premier décembre. Quinze jours pour disposer du fric, plus trois mois pour l'investir. Avec le temps de préparation, tout sera fait, de mon côté, pour le premier avril.

Je ne pus réprimer un éclat de rire.

– La date rêvée... pour le fameux poisson ! Mais... et moi ? Charlie a fixé le montant de ma tentative à dix millions, pas davantage. Comment dix millions de dollars pourraient-ils m'en rapporter trente, en trois mois ?

– Loin de moi toute idée de mépriser l'opinion de Charlie. Mais j'ai bien regardé tes graphiques. Tu ne lui as pas posé les bonnes questions. Combien de transferts *domestiques* accessibles, c'est une goutte d'eau dans la mer. Tu n'as pas inclus, dans ta recherche de données, les transferts *extérieurs* aux États-Unis.

Bon sang, il avait raison. Je n'avais pas inclus ces transferts dans mon étude. Bien que n'ayant aucun contrôle sur les systèmes de transfert par câble du gouvernement, de nombreuses interfaces nous reliaient à ces systèmes. J'expédiai d'un trait le reste de mon cognac.

– Grâce à toi, je commence à voir le jour. Marché conclu, au montant près. Je sais ce que je veux. J'y ai pensé toute la journée. Je veux être directrice de la sécurité, à la Fed. J'avais déjà le poste, jusqu'à ce que mon patron me coupe l'herbe sous le pied. Je sais qu'avec tes relations, tu pourrais me le faire attribuer. Mais je ne te le demanderai pas. Sauf si je gagne le pari, sans bavures.

– Très bien, mais ma chère, comme je te l'ai dit voilà une douzaine d'années, ta place n'est pas dans un organisme financier. Ces gens-là ne distinguent pas le blanc du noir. Ils considèrent les prêts comme des placements et les dépôts comme des disponibilités. Ta place est auprès de moi. J'ai investi trop d'années dans ta formation, de près comme de loin, pour que tu continues à aligner des colonnes de chiffres sous la férule de minables qui ne t'arrivent pas à la cheville !

J'objectai faiblement :

– Mon grand-père était dans la banque...

– Pas vraiment. Et les vrais banquiers l'ont dépouillé de sa chemise. Crois-moi, je connais l'histoire. T'es-tu jamais demandé ce qui lui avait manqué ? Ni l'intelligence, ni l'intégrité, j'en suis sûr.

Il réclama l'addition d'un geste, avant de continuer, non sans une touche d'irritation :

– Très bien, tu auras ce que tu veux. Mais si je gagne... et je vais gagner... je réclamerai mon dû, sans vergogne. Tu viendras travailler pour moi, comme tu aurais dû le faire depuis longtemps.

– Travailler à quoi ? La statue de Galatée, ton grand œuvre ?

Souligné d'un éclat de rire, quoique sans gaieté particulière. Je lui avais échappé pendant dix ans, et je me retrouvais à la case départ. Même si je perdais, je n'avais pas l'intention de bosser pour Zoltan jusqu'à la fin des temps !

– D'accord, mais on fixe un délai. Pas question d'une condamnation à vie !

Silence. Puis, au bout d'un long moment :

– Pour un an et un jour, OK ?

– Soit le laps de temps légal pour qu'un objet vous appartienne, si personne d'autre ne l'a réclamé dans l'intervalle !

Il se composa une expression horrifiée.

–Je ne t'ai jamais considérée comme un objet, mon chaton ! Qui sait ? Si je gagne mon pari, c'est peut-être toi qui voudras prolonger la durée de l'enjeu.

–Je n'y compterais pas trop, si j'étais à ta place !

La seule chose qui manquait à Tor pour initier le défi, c'était un photographe. Il en avait absolument besoin pour pouvoir remplir sa part du contrat. Bien que l'informatique passée, présente et future n'eût aucun secret pour lui, c'était l'un des talents qu'il ne possédait pas.

–Il m'en faut un, me dit-il. Et un bon.

Le hasard faisant parfois bien les choses, je connaissais l'un des meilleurs sur la place de New York, et proposai de le lui présenter, le lendemain.

–Parle-moi de lui, me demanda-t-il le lendemain matin, alors que nous roulions, en taxi, vers le centre. On peut lui faire confiance ? On peut lui dire toute la vérité sur nos intentions ?

–Ce n'est pas « lui », c'est « elle ». Georgiane Daimlisch. C'est ma meilleure amie, bien que je ne l'aie pas revue depuis des années. On peut lui faire totalement confiance... à condition de ne pas croire un mot de ses bavardages.

–Tu vas me présenter une mythomane digne de confiance, c'est ça ? Sait-elle pour quelle raison on vient la voir ?

–Je ne suis même pas très sûre qu'elle sache qu'on vient la voir.

–Tu ne m'as pas dit que tu avais annoncé notre visite à sa mère ?

–Si. Mais avec Lélia, ça ne signifie pas grand-chose.

Tor n'insista pas jusqu'à notre arrivée au domicile de l'étrange couple mère-fille.

Bien qu'il s'agît réellement de ma meilleure amie, depuis plus d'années qu'elle m'eût interdit de le révéler, j'ai toujours eu beaucoup de mal à décrire Georgiane. Quoique possédant une autre adresse, elle occupait en permanence une partie de l'appartement de sa mère, dans le secteur le plus chic de Park Avenue. Aucune de ses autres adresses ne restait officielle bien longtemps. Georgiane était un papillon d'une espèce rare, presque toujours en vol, et d'une farouche indépendance. Y compris sur le plan financier, même si personne ne savait quelle était sa fortune, et surtout pas elle-même. En tant que photographe, elle voyageait à travers le monde, de châteaux en palaces inaccessibles au commun des mortels. Toujours en T-shirt et jean effrangé, mais les mains parées de tant de bagues en or qu'elle semblait porter, nuit et jour, un « coup-de-poing américain ».

La plupart de ses amis la considéraient frivole, extravagante, et plus qu'à moitié cinglée. Je la savais plutôt sérieuse, réservée, femme d'affaires avisée, et scrupuleusement fidèle dans ses amitiés. Comment quelqu'un pouvait-il engendrer, chez différentes personnes, des opinions aussi divergentes ? Tout simplement parce qu'elle était unique en son genre. Une sorte de chef-d'œuvre autocréé. Elle était devenue photographe pour modeler son univers à sa guise, et pouvoir y vivre sans entraves.

Je la voyais rarement, mais c'était conforme à ses goûts nomades. Dès que j'avais parlé d'elle à Zoltan, spontanément, trop peut-être, je l'avais un peu regretté. Ils avaient beaucoup de points communs. Possessifs à mon égard et persuadés de pouvoir arranger tout ce qui clochait avec ma petite personne. Mais leurs deux façons d'envisager l'entreprise étaient incompatibles. Tor ambitionnait de me ramener à la réalité, alors que Georgiane entendait rayer le mot de mon vocabulaire. Pourraient-ils se rencontrer sans se haïr mutuellement au premier contact ?

L'entrée de l'immeuble de Georgiane et de Lélia, sa mère, ressemblait à un hall d'exposition d'automobiles de luxe. Il n'y manquait que les Rolls et les Cadillac. D'énormes lustres pendaient des plafonds comme autant de grappes de raisin congelées, au-dessus des sièges de velours à côtes flanqués de crachoirs en cuivre. Il y avait plus de colonnes de marbre qu'à Pompéi, et des fenêtres riches en dorures perçaient les parois environnantes. De gros bouquets de fleurs artificielles jaillissaient d'urnes funéraires, en guise de vases, et près de la batterie d'ascenseurs s'étendait un présentoir surchargé de fruits factices. La traversée de cet univers composite arracha à Tor une grimace d'écœurement.

– Qu'est-il arrivé au bon goût ?

– Attends de voir l'intérieur de Lélia. Elle donne dans le style français décadent.

– Tu ne m'as pas dit qu'elle était russe ?

– Russe blanche, élevée en France. Lélia ne parle pas très bien sa langue maternelle. Ni aucune autre, d'ailleurs. Elle s'exprime dans une sorte de salmigondis linguistique.

À notre approche, Francis, le liftier, s'écria :

– Mon Dieu, miss Banks ! Ça fait combien de temps ? La baronne va être enchantée de vous voir. Sait-elle que vous êtes en ville ?

Façon discrète de nous dire qu'il ferait mieux de nous annoncer. Je l'y invitai, d'un geste.

Au niveau du vingtième étage, il ouvrit la porte de l'ascenseur avec sa clé. Nous conduisit dans l'immense entrée où la soubrette nous gratifia d'une petite révérence. Puis elle nous escorta jusqu'au centre de l'étage, dallé de marbre, plus riche en miroirs que la galerie des Glaces de Versailles.

Quand elle s'esquiva pour prévenir notre hôtesse, Tor me glissa à l'oreille :

– Qui est la baronne ?

– Lélia von Daimlisch. Je crois que c'est du bidon, comme de descendre des Romanov. Mais qui dispose des moyens de le vérifier ?

Des sons étouffés nous parvenaient, de sources diverses. Des voix féminines, ponctuées de claquements de portes. Puis l'une d'elles claqua plus fort que les autres, ébranlant les appliques murales de cristal.

Lélia ne tarda pas à jaillir, en kimono de satin orné de plumes de marabout qui oscillaient au rythme de sa démarche. Bien qu'il fût presque midi, sa chevelure blonde emmêlée suggérait qu'elle venait de quitter son lit.

Elle m'empoigna chaleureusement. M'embrassa sur les deux joues, à la mode française. Puis m'infligea une étreinte d'ours, à la russe, en me chatouillant les narines de ses plumes.

– Ma *cherrie* ! Bienvenue, bienvenue ! Dommage de te faire attendre, mais Djordjione est très mauvaise, aujourd'hui.

108

En plus de ses mélanges linguistiques, Lélia oubliait fréquemment le début de ses propres répliques et les couronnait de réponses à des questions qu'on ne lui avait pas posées. Quand elle prononçait le nom de sa fille, il valait mieux la connaître depuis longtemps pour comprendre de qui elle parlait.

– Lélia, je te présente un de mes bons amis, le docteur Tor.

Elle le mesura d'un œil étincelant avant de lui tendre la main, en gloussant sur le mode lyrique :

– *Ce qu'il est charmant !*

Et que je sois pendue si l'animal n'effleura pas d'un baiser les doigts fuselés de la baronne. Qui s'écria, enchantée :

– Quel bel homme ! Une statue dorée ! *Onn mnie otchien nravitsia !* Et ce costume ! Très chic ! La meilleure coupe italienne.

Elle palpa délicatement son manteau, comme elle eût touché une œuvre d'art, et se retourna vers moi.

– Tu me désespères, ma *cherrie*. Toujours au travail. Pas de vie privée. Pas de temps pour les jeunes gens de ton âge. Alors, ce très bel homme...

Je me hâtai de l'interrompre, car les commentaires de Lélia sur ma vie privée pouvaient devenir gênants. Le genre de sujet dont je n'étais pas prête à discuter. Même si sa conception de ma « vie privée » n'était pas exactement conforme à la mienne. Je lui précisai tandis qu'elle prenait la tête du cortège :

– Le docteur Tor est un de mes *collègues.*

– *Quel dommage !* commenta-t-elle tristement, en lui jetant, par-dessus son épaule, un regard de pêcheur qui vient de laisser échapper une belle pièce.

Toutes les portes de l'appartement étaient entrebâillées sur des pièces invisibles. J'ajoutai en élevant la voix :

– Il faut qu'on parle affaires avec Georgiane. Elle est bien là, j'espère ?

– Oh, celle-là ? Elle est impossible. Elle s'habille comme un chauffeur de camion. Et pour la faire changer à l'intention des visiteurs... *Quelle enfant terrible !* Que peut faire une mère ? Asseyez-vous, je vais préparer quelque chose à manger. Djordjione vient tout de suite.

Elle nous introduisit dans la Chambre bleue, sa couleur favorite, preuve absolue de l'opinion favorable que Tor lui avait inspirée. Lélia classait toujours les gens par couleur. Elle m'embrassa, me caressa les cheveux, gratifia Zoltan d'un dernier regard approbateur et s'escamota.

Quelques instants plus tard, la soubrette revint avec un plateau garni d'une bouteille de vodka et de deux verres. Tor les remplit, mais je refusai celui qu'il me tendait. Il avala le sien en une seule lampée, et déclara :

– *Stolitchnaya !*

– Inutile de jouer les connaisseurs. C'est Lélia qui la distille. Deux millions de degrés. Un autre comme ça et tu tombes à la renverse.

– C'est la bonne façon de boire la vodka. Et c'est très mal vu de refuser un verre chez les Russes.

Quand la soubrette revint nous dire que « Mademoiselle allait nous recevoir », Tor expédia mon verre, par-dessus le sien, sûrement pour ne pas offenser notre hôtesse, et nous suivit à travers l'appartement.

La Chambre prune avait été une salle de musique, tapissée de miroirs au-dessus des lambris. Presque tout ce dont je me souvenais avait changé de place. Le vieux piano Bösendorfer n'occupait plus le centre, mais un coin de la pièce. Des housses recouvraient tous les sièges capitonnés, et les tapis d'Aubusson gris, mauves et pêche, qui avaient habillé jadis le parquet ciré, reposaient, en rouleaux serrés, contre le mur du fond.

À présent, le parquet disparaissait sous une bâche verte supportant un échafaudage pareil à un grand portique de gymnastique. Juste au-dessous, se tenaient trois mannequins anguleux drapés de satin, de sequins et de plumes blanches, figés dans d'étranges postures. Et juste au-dessus, telle une araignée dans sa toile, trônait Georgiane, deux appareils photo pendus autour du cou, plusieurs autres fixés aux barres métalliques qui l'entouraient. Pas de lumière au plafond, mais des spots convergents braqués sur l'étrange scène.

– La hanche ! ordonna Georgiane.

Un des mannequins porta son pelvis en avant de quelques centimètres. Georgiane poursuivit, impérieuse :

110

– Noémi, je ne vois pas ta cuisse... Ça va, c'est bon... Brigitte, tu as le nez dans les plumes. Menton haut, sur ta droite. Stop !

Un appareil photo cliqueta. Puis :

– Phoebe, l'épaule gauche en arrière, le pied droit en avant. Écarte-moi ces plumes, elles font de l'ombre. C'est bon.

Clic !

Tor n'en perdait pas une miette, étudiant attentivement la répartition des projos, la position de Georgiane sur l'échafaudage, l'orientation des appareils vers les modèles qui se déplaçaient comme des automates, sous des tonnes de ferraille et d'équipement photographique. Finalement, il se retourna vers moi, avec un large sourire.

– Elle est excellente !

Il n'avait pas parlé fort, mais Georgiane aboya :

– Silence sur le plateau ! Baissez la tête, levez le bras. C'est bon.

Clic !

Au bout d'une demi-heure de ces jappements mystiques, entre elle et ses proies, Georgiane se redressa sur son perchoir métallique, pendit appareils photo, cellules et autres accessoires aux patères de l'échafaudage et descendit de là-haut, avec toute la souplesse simiesque de l'habitude. En ordonnant :

– Lumières !

Quelqu'un tira les tentures qui occultaient les fenêtres, et le jour froid de l'hiver inonda la pièce. Encore plus bizarre dans cet éclairage blafard, les modèles se déshabillèrent rapidement, jusqu'à la culotte, avec ou sans soutien-gorge, et se passèrent de la crème sur le visage, sans se soucier des spectateurs.

– Seigneur ! Tu es revenue !

J'encaissai la charge de Georgiane qui, négligeant Tor, m'embrassa sur la bouche, m'empoigna par le bras et m'entraîna hors de la pièce.

– On revient tout de suite !

Sitôt hors de vue, toutefois, elle me chuchota à l'oreille :

– Où est-ce que tu l'as déniché ? Pour une fille qui ne sort pas beaucoup, on dirait que tu as tapé dans le mille !

– Le docteur Tor est un collègue. Mon prof, en quelque sorte.

La mère et la fille se conduisaient comme si je leur avais amené un dieu de l'Olympe.

– J'aimerais avoir des collègues comme ça ! dit Georgiane, catégorique. Tous les miens sont du genre qui parlent avec le petit doigt en l'air. Tu l'as déjà montré à maman ?

– Oui. Et il lui a baisé la main.

– Elle est sûrement à la cuisine, en train de confectionner un strudel. Toujours sur le coup, maman ! Pas comme toi, on dirait.

Son œil désapprouvait ouvertement mes fringues superposées contre le froid extérieur, sentiment qu'elle exprima sans chercher à l'adoucir, au contraire :

– Tu as l'air d'un char d'assaut équipé pour la Sibérie. Je ne t'ai donc rien appris, durant toutes ces années ? C'est comme ton histoire de collègue. Présenter ce garçon comme le « docteur » Machin. Il n'a pas de prénom ? Quelque chose de viril et de très sexy, comme Philolaus ou Mtislav. Il s'appelle Thor, comme le grand dieu viking ?

– Mais sans *h*. Et son prénom est Zoltan.

– À la bonne heure ! Je parie qu'elle fait aussi des *pirojkis*.

– Qui ça ?

– Maman, voyons. Viens avec moi, j'ai quelque chose à faire.

Elle m'entraîna, sans cesser de parler, jusqu'à sa propre chambre, à travers le labyrinthe des nombreuses pièces de l'étage. Tout ce qui touchait à Georgiane était spectaculaire. Ses mains de sculpteur aux longs doigts habiles, ses grands yeux bleu-vert et ses pommettes au relief accusé. Sans oublier son visage à l'expression changeante, comme un caméléon sur une couverture écossaise, toujours drôle ou tragique selon son humeur de l'instant, avec cette large bouche pleine de sensualité, et ces fortes dents blanches.

– Si j'avais eu ce genre de bouche, disait sa mère, j'aurais bouffé la moitié de l'Europe.

Dans l'antre de Georgiane, apparemment conçu par une fillette de six ans, tout en fanfreluches et en porcelaine, elle m'installa devant sa coiffeuse et se mit à me brosser les cheveux, après avoir ôté toutes mes épingles. J'essayai de me défendre :

112

– Tu es gonflée de critiquer mes fringues, avec ton T-shirt déchiré par-devant comme si c'était fait exprès !

Elle s'esclaffa :

– J'ai tout de même pas mal de succès... pour une souillon !

À présent, elle me maquillait les lèvres et m'appliquait du fond de teint, puisant dans le chaos des pots et des bouteilles qui se reflétaient dans son miroir.

– Si tu suivais mes conseils, ils te mangeraient tous dans la main.

Je protestai :

– Robes en lamé et talons aiguilles ne me mèneraient nulle part, Georgie. Je suis cadre supérieur à la Banque mondiale. Pas membre de la jet-set comme toi, et je n'ai aucune raison de me donner en spectacle.

– Donner en spectacle ? Au diable ta putain de banque ! Est-ce qu'ils te font suivre, pour voir qui tu fréquentes ? Tu t'amènes avec une bombe que toutes les filles rêveraient de se faire, et tu persistes à le présenter comme ton collègue ! Ton prof ! Comme s'il te regardait comme une collègue ou comme une élève ! Crois-moi, j'ai le nez pour ce genre de chose, et je ne me trompe jamais. Sincèrement, quand, pour la dernière fois, as-tu sauté de ton lit, le matin, et ouvert ta fenêtre en disant : «Dieu soit loué, je suis vivante ! La journée s'annonce merveilleuse, et je vais faire quelque chose, aujourd'hui, qui va changer toute ma vie ! »

J'éclatai de rire.

– Tu veux dire avant le café du matin ?

Elle me releva les cheveux alors que je me remettais sur pied.

– Tu sais que je t'aime. C'est pour ça que je te demande de beaucoup moins penser et de *ressentir* davantage !

– Ça fera quelle différence ?

– Ça fera *toute* la différence !

Rejetant son T-shirt par-dessus ses cheveux très blonds, coupés court, elle enfila un pull froufroutant, de couleur rose.

– Peux-tu prétendre, honnêtement, qu'il ne t'attire pas ?

La question précise que j'avais toujours évité de me poser. Tor était mon prof, mon Pygmalion, mais personne n'avait jamais raconté l'histoire du point de vue de Galatée. Comment avait-elle réagi, intérieurement ? Que s'était-il passé, quand la statue de pierre était devenue créature de chair ? Avec tous les problèmes que me posaient déjà ma vie et ma carrière, je n'étais pas prête à résoudre celui-là. Et pas à la veille d'en comprendre toutes les données.

– S'il t'encombre vraiment, proposa Georgiane, je serais heureuse de t'en débarrasser.

– Tu aurais tort de te gêner !

Mais pourquoi ma voix sonnait-elle aussi peu convaincante à mes propres oreilles ?

– Touchée ! ricana Georgiane. Un peu trop prompte à dégainer, je dirais !

Je regrettais d'avoir amené Tor dans ce repaire de femelles implacables. Quand Georgiane adoptait ce ton et cette attitude, quelque chose de terrible se préparait. Je ne voulais même pas imaginer les possibilités existantes.

– Calme-toi, veux-tu ? C'est mon collègue, et je ne veux pas que tu transformes le projet qui nous amène en cirque à trois pistes !

– J'ai mon propre projet, maintenant, et je sais où est mon devoir. Comme toujours, tu te mens à toi-même, et même si tu ne l'as pas encore compris, j'adore faire voir la lumière aux aveugles.

Elle me prit par la taille pour retraverser l'appartement, en sens inverse. Elle fredonnait gaiement, et j'avais envie de prendre mes jambes à mon cou pour fuir ce qui me perturbait profondément. Mais quand on les rejoignit, Zoltan demandait à Lélia :

– Ces gens sur les photos c'est votre famille ?

– *Niet.* Ma famille, ils sont tous morts. Elle, c'est mon amie Pauline, qui faisait les costumes. Ma couturière, Pauline Trigère, quoi. Lui, c'est Schlap, un autre costumier, mort aussi. Là, c'est la Contessa di...

– Pourquoi ennuyer notre visiteur avec ces vieux souvenirs, maman ? intervint Georgiane alors que Zoltan s'informait :

– Et celui-là ?

– Ah... c'est Claude, mon très cher ami. Il était si gentil. Il aimait tant ses fleurs. Mais hélas, il était... comment dit-on... très malvoyant. Il me recevait dans ses jardins de Giverny, je lui disais comment je voyais les fleurs, et il les peignait sur ses toiles. Il disait que j'étais ses yeux.

– Giverny ? releva Tor, médusé. C'était Claude Monet ?

– *Da*. Monet. Il était très vieux, et j'étais très jeune. Comment s'appelaient ces fleurs que j'aimais tant ? Tu te souviens, Djordjione ? Il m'en a fait une petite aquarelle. Comment s'appelaient-elles donc ?

– Les nymphéas, suggéra Georgiane.

Lélia secoua la tête.

– Non. C'étaient des fleurs très longues. Purpurines. Couleur raisin. Pourpres, voilà le mot.

Je supputai, à mi-voix :

– Longues et pourpres comme du raisin. Du lilas, peut-être ?

– Aucune importance. Ça va me revenir.

– Maman, s'impatienta Georgiane. Personne ne m'a encore présenté l'ami de Verity.

Mais Lélia n'était pas femme à laisser quiconque lui en imposer, même pas sa propre fille.

– Naturellement ! S'il n'y avait que toi pour recevoir, les gens pourraient mourir sur place. C'est comme tes modèles. Personne pour les raccompagner. Elles doivent repartir par l'escalier de service, comme la femme de ménage. Remercie le bon Dieu de t'avoir conservé une mère qui veille sur tes mauvaises habitudes.

– Je l'en remercie tous les jours, affirma Georgiane, d'un ton sec.

C'était le moment ou jamais d'intercaler :

– Je te présente le docteur Zoltan Tor, Georgie. C'est un ami depuis presque aussi longtemps qu'on se connaît toutes les deux.

– Ce qui signifie exactement, Very ?

– Very ? répéta Zoltan. J'aime beaucoup.

– J'adore les diminutifs, dit Georgiane.

Puis, à Lélia :

– Maman, Very et moi devons parler sérieusement. Tu veux veiller à ce que personne ne nous dérange ?

Lélia parut déçue, mais Georgiane lui entoura les épaules de son bras et la poussa hors de la pièce. Il y eut quelques éclats de voix en français de l'autre côté de la porte, et Georgiane revint seule.

– Excusez maman. Elle aime se mêler de tout.

– Elle est adorable, riposta Zoltan. Elle a vraiment connu Claude Monet ?

– Qui maman n'a-t-elle pas connu ? Elle est tellement *fouinarde*.

On entendit des pas feutrés s'éloigner de la porte. Haussant les épaules, Georgiane se laissa choir dans un fauteuil. Nous indiqua deux sièges, en face d'elle.

– Pardonnez-moi d'avoir kidnappé Very un moment. Elle vient souvent à New York, mais elle ne m'appelle jamais quand elle est dans sa « phase banquière ». C'est un cas typique de dédoublement de personnalité.

Elle battait gaminement des paupières. Je l'aurais étranglée de bon cœur, car je savais que ce n'était pas fini, loin de là.

– Une double personnalité ? s'étonna Zoltan. Moi, je ne lui en connais qu'une.

– Elle vous annonce comme un collègue, mais ce n'est pas du tout son incarnation habituelle. Alors, j'ai des doutes.

– Mais qui peut être cette Verity seconde ? Vous en avez une petite idée ?

Georgiane, la garce, roulait de grands yeux innocents.

– Elle ne vous a jamais raconté nos exploits ? Notre séjour dans le harem du sultan, à Riyad. Notre expérience du Kama Sutra, au Tibet, et de la traite des Blanches, au Cameroun. Le transport du bétail, au Maroc...

– Georgiane !

Mes dents grinçaient, mais Tor coupa vivement :

– Non, non, continuez, madame. On dirait que Verity m'a caché bien des choses. Il vaut mieux que je connaisse ses antécédents, si nous devons travailler ensemble.

Antécédents, mon œil ! Georgiane était impossible.

– Lors de notre première odyssée commune, nous étions très jeunes...

Autant entrer dans son jeu :

– On avait quel âge ?

– Très jeunes ! Et très pauvres ! On rêvait du Maroc, mais le seul navire qu'on pût se payer était un affreux cargo bétailler, grouillant de vermine, bouses infestées de mouches, etc. On dormait avec les bœufs. Un vrai cauchemar. Mais Very a eu de la chance. Une nuit, le capitaine est descendu à fond de cale, il l'a vue dormir dans la paille et il s'est écrié : « *Ach ! Das ist eine* belle femme !* » ou quelque chose d'approchant.

– Donc, un Allemand ! feignit de déduire Zoltan avec son sourire de faux-jeton.

– Grand, blond, superbe, lui confirma Georgiane. Très proche de vous, en fait.

– Vraiment ?

Bras croisés en travers de sa poitrine, Zoltan évitait soigneusement de me regarder, tandis que Georgiane poursuivait avec le même aplomb :

– Il l'a soulevée de terre. Il l'a montée dans sa cabine et l'y a aimée en silence. Elle est restée là-haut trois jours, sans manger et sans boire, mais quand il l'a libérée, elle n'a pas semblé spécialement traumatisée. Au contraire, elle avait beaucoup apprécié l'aventure. Et moi, pendant ce temps-là ? Je ramassais le fumier à la pelle. Tandis que Very payait notre voyage en dispensant ses faveurs au beau capitaine et à son équipage de jeunes Adonis...

– Oh ? L'équipage aussi !

– Tu n'as tout de même pas oublié, Very ? Aucun n'avait plus de vingt ans. Je te revois nager, nue, en compagnie d'un dauphin et de cet officier qui te faisait manger des papayes...

– C'était le Maroc, Georgiane. Pas Tahiti !

– On se serait cru sur le *Bounty*, pendant la mutinerie...

Cette torture ne s'arrêterait donc jamais ?

– Naturellement, c'est le beau capitaine qui avait sa préférence. Une femme comme Very doit être *dominée*. Elle l'a admiré d'avoir su prendre tout ce qu'il voulait sans lui demander son avis...

Tor ne me regardait toujours pas, mais affichait un large sourire.

– Il y a une leçon à tirer de cette histoire.

– Je suis sûre qu'elle vous tient à distance, en vous appelant cher collègue et tout, mais vous auriez tort de vous laisser abuser par sa froideur et son camouflage vestimentaire...

Debout derrière moi, à ce stade, Georgiane parachevait activement le désordre de ma coiffure, articulant sur le mode théâtral :

– ... alors que sous cette enveloppe hermétique bouillonne une passion sauvage. Insatiable. Irrépressible !

Et Tor mit le comble à ma fureur en concluant, très mondain :

– Heureusement que vous m'avez ouvert les yeux, madame. Chère Verity, maintenant que je connais cet autre aspect de ta personnalité...

– Quel aspect ? Il n'y a pas d'autre aspect ! Si on se mettait au travail, après cet opéra bouffe ?

– Naturellement. Grâce à cette mise au point, vont s'établir, entre nous, j'en suis sûr, des relations très positives.

Georgiane se tenait toujours derrière moi. C'est donc avec elle plutôt qu'avec moi qu'il échangea un clin d'œil complice.

La « Chambre bleue », il est bon de le souligner, était la huitième merveille du monde. Je me souvenais d'avoir aidé Lélia à mettre en place la cheminée de faux quartz ciselé de chérubins à fossettes, de cygnes et d'églantiers qui occupait le centre d'un des murs.

La pièce ne contenait pas moins de dix-sept chaises, fauteuils, canapés et autres sièges, tous capitonnés de tissu bleu ciel à lisérés blancs, appartenant aux styles les plus disparates. Sur les tables, hautes ou basses, s'empilaient Lalique, cloisonnés, porcelaines, en tel nombre que tout ce bric-à-brac semblait à deux doigts de s'écrouler, avec les tables elles-mêmes. Circuler ou pivoter entre ces murs peints de treillis en trompe-l'œil engendrait une ronde insensée de visions évanescentes qui donnait le vertige. Et comme si ça ne suffisait pas, Lélia avait accroché, un peu partout, des photos et des gravures qui dispersaient l'attention sans la fixer nulle part.

Que Georgiane, Tor et moi eussions trouvé la force d'y séjourner pendant quatre heures prouve la solidité de nos systèmes nerveux respectifs. Peut-être la vodka y fut-elle pour quelque chose. La troisième heure nous trouva tous assis par terre, à chanter en chœur *Troïka sur la piste blanche*. Ne parlant pas un mot de russe, j'imitais le son des grelots. La soubrette interrompit la chorale en nous enjambant adroitement pour poser, sur le seul guéridon disponible, un plateau bien garni.

– Qu'est-ce que je vous avais dit ? s'écria Georgiane. *Pirojkis* et strudel.

– Et bortsch, compléta Zoltan. Avec des vrais blinis russes.

Il entreprit de nous servir et de nous passer bols ou assiettes, d'une main légèrement incertaine. Je n'avais pas réalisé à quel point j'avais faim avant de sentir la cuisine de Lélia.

– Ce bortsch est divin, constata Zoltan entre deux gorgées.

Toujours allongée par terre, Georgiane lui conseilla de ne pas trop extérioriser son enthousiasme, sous peine de voir arriver, illico, des montagnes d'autres victuailles.

– On va disparaître sous l'avalanche et mourir étouffés.

Tor soupira, sans reposer sa cuiller :

– Il y a des morts plus douloureuses. Mais puisqu'on est là tous les trois, autant que je vous dise pourquoi.

Georgiane, gémissante, roula sur elle-même et cacha sa tête sous un gros coussin.

– Finie, la rigolade ! Retour au boulot !

– Verity et moi avons fait un petit pari.

Il s'interrompit brièvement pour ingurgiter sa dernière cuillerée de bortsch comme si sa vie en dépendait.

– Si c'est elle qui perd le pari, elle exaucera mon souhait le plus cher.

La tête de Georgiane réapparut à la surface, l'œil fixé sur moi.

– Un souhait ? Redonne-moi un bol de cette soupe. Quel genre, ce pari ?

Tor s'esclaffa, la louche au poing :

– Le genre auquel tu auras plaisir à participer, je pense. Pour gagner, il va me falloir un allié. Un très bon photographe.

– Qu'est-ce qu'elle gagnera, Very, si c'est toi qui perds ?

– Elle décrochera un poste encore plus ennuyeux, dans un organisme financier, que celui qu'elle occupe actuellement. Mais si je gagne, elle viendra travailler pour moi, à New York. Elle sera mon esclave, en d'autres termes, pour une durée d'un an et un jour. Tu vois que ton petit conte des *Mille et Une Nuits* aura une morale, au dernier chapitre !

Un sourire extatique, donc dangereux, s'étala sur le visage de Georgiane. Elle tendit la main à Zoltan, qui s'empressa de la saisir.

– Alors là, je suis ton homme. Je peux t'appeler Thor ?

– C'est mon nom.

– Thor avec un h. Le puissant dieu nordique.

J'évitai le regard de Zoltan, mais précisai calmement :

– Le patron du Walhalla. Dont le nom signifie, je crois, « mort par conspiration ».

DEUXIÈME PARTIE

FRANCFORT, ALLEMAGNE

Automne 1785

Trente ans avant que Nathan Rothschild reçût la visite d'un petit oiseau, dans une pièce obscure de la Judengasse, deux hommes jouaient aux échecs, au cœur d'un château rempli de courants d'air situé hors de la ville. Ils ignoraient encore que cette partie d'échecs marquerait les prémices de la dynastie bancaire des Rothschild. En poserait, cette nuit même, la première pierre.

– Vous avez suivi mon conseil, monsieur le Landgrave ? s'informa le général en dégustant son cognac.

– Cavalier en E 7, émit enfin le Landgrave, les traits crispés par la concentration.

Lui aussi s'empara de son verre de cognac et se renversa contre le dossier de son siège, sans quitter l'échiquier des yeux.

– Oui, général, j'ai expédié le message ce matin. Ils ont l'autorisation de ramener les juifs du camp retranché. Tout est parfaitement régulier. Mais on ferme les portes de la ville au coucher du soleil, et plus rien ne passe. Il faudra qu'on le garde ici jusqu'à demain.

– C'est une honte de les boucler comme ça, opina le général. Cavalier en G 5.

– Ne fût-ce que pour leur propre sécurité, enchaîna le Landgrave. Vous vous rappelez à quels bains de sang nous avons assisté, quand tous ces juifs pouvaient courir en liberté ? C'est beaucoup mieux ainsi. Encore un peu de cognac ? Il est excellent, n'est-ce pas ? Je l'ai rapporté de France et mis à vieillir dans ma cave. Tendez-moi votre verre.

– Merci. Mais c'est tout de même une honte. Prenez ce Meyer Amschel, par exemple. Un garçon très brillant...

– Oh, ils le sont tous, je n'en ai jamais douté. Mais pour les aspects les plus matériels de la vie quotidienne. Les affaires. Le commerce. Aucune culture réelle. Vous le savez aussi bien que moi, von Estorff.

– Ce gaillard-là vous surprendrait. Vous n'êtes pas obligé de me croire sur parole. Pourquoi ne pas vous en assurer par vous-même ?

– Voilà. À votre santé, éluda le Landgrave en achevant de remplir les verres. Si j'arrive à vous soûler, je finirai peut-être par vous battre.

Le général eut un bref éclat de rire.

– Avec l'aide de la Providence ! Ce serait la première fois en vingt-cinq ans. Et c'est à vous de jouer.

– Mon cavalier prend votre fou. De toute façon, je n'aime guère placer mes intérêts entre les mains de ces gens-là, von Estorff. Alors, ne me le demandez pas. Je veux bien entendre ce garçon. Si je trouve ses idées plausibles, et qu'elles puissent me rapporter de l'argent, je ne l'oublierai pas dans mes prières !

– Que demander de plus ? Puis-je souligner, toutefois, qu'il s'agit là d'un expert reconnu en numismatique, votre péché mignon. Mon cavalier prend le pion en F 7.

L'entrée soudaine d'un serviteur fit sursauter le maître de maison, qui s'exclama :

– Tu vois bien que nous sommes occupés ! Qu'est-ce qu'il y a ?

– Un juif qui vous demande, monsieur. Il affirme que vous l'avez convoqué. Je lui ai rappelé le couvre-feu, et dit que vous étiez occupé, mais il insiste...

– Bon, bon, fais-le entrer.

– À vos ordres, monsieur.

Le serviteur s'inclina. Se retira. Revint presque aussitôt. Claqua des talons et annonça :

– Meyer Amschel, le juif.

Puis s'inclina de nouveau, et repartit en fermant la porte.

Le Landgrave contemplait toujours l'échiquier, étudiant la disposition des pièces. Au bout d'un moment, une ombre s'étendit sur la partie en cours. Relevant les yeux, il vit que le visiteur s'était approché, sur la pointe des pieds, et se penchait vers l'échiquier, avec une attention concentrée.

– C'est quoi, son nom, déjà ?

– Meyer Amschel, rappela le général.

– Avec votre permission, précisa le juif, je suis connu sous le nom de Rothschild.

– Ah oui, j'avais oublié, souligna le général. Il a adopté le nom de Rothschild. Bouclier Rouge. D'après les armes pendues au-dessus de sa porte, dans la Judengasse.

Surpris, le Landgrave releva la tête.

– Les armes ? Un bouclier rouge ? Où allons-nous, von Estorff ? Eh bien, Rothschild, juif blasonné, de race noble, prenez un siège et laissez-nous terminer la partie. Vous me faites de l'ombre.

– Pardonnez-moi, monsieur, mais je préfère rester debout.

– Vous voyez où nous en sommes, von Estorff ? Les juifs s'anoblissent et expriment des préférences. Écoutez, monsieur Bouclier Rouge, rien ne vous autorise à vous targuer d'un blason, si vous n'avez pas été adoubé. Et vous n'avez pas le droit d'être dehors après le couvre-feu. Asseyez-vous, ou je vous fais arrêter pour arrogance et insubordination.

– Pardonnez-moi, monsieur, mais est-ce à votre tour de jouer ?

– Je vous demande pardon !

La stupéfaction du Landgrave était telle que le général, réprimant une crise d'hilarité intempestive, répondit à sa place :

– Oui, Meyer, c'est à notre hôte de jouer. Avec les noirs.

– Alors, si je puis me permettre, monsieur le Landgrave, vous pouvez faire mat en trois coups.

– *Quoi ?* Comment osez-vous...

– William, William, intervint le général en posant sa main sur le bras de son vis-à-vis. Laissez-le parler. Ce garçon m'intrigue. Et nous pourrons toujours faire une autre partie, s'il se trompe.

– Von Estorff, êtes-vous complètement fou ? Imaginez que le bruit coure, d'ici jusqu'à Francfort, que je joue aux échecs avec des juifs ! Moi qui passe déjà pour un piètre joueur aux yeux de certaines personnes...

– Mais on ne va pas jouer aux échecs avec lui. Simplement écouter ses suggestions. Et c'est pour ça qu'il est ici, non ? Échecs ou gestion de l'argent, c'est tout comme !

– Von Estorff ! Si vous voulez me faire croire qu'un juif peut comprendre un jeu aussi complexe que les échecs, alors, mon lévrier favori va pouvoir nous réciter le *Pater Noster* en latin !

Discernant l'ironie dans le sourire du général, le Landgrave ajouta :

– Très bien, je connais votre indulgence, mon ami, mais vous, monsieur Bouclier Rouge, je jugerai de vos capacités dans d'autres domaines, à la qualité de la démonstration que vous proposez de nous faire. Exécution !

Durant tout ce dialogue, Meyer Amschel avait conservé une immobilité, une neutralité totales, à peine plus détonant dans le décor que les lambris environnants. Les mains derrière le dos, le visage inexpressif, il acquiesça d'un léger signe de tête.

– Roquez, tout simplement, préconisa-t-il.

– Mais bon sang, Rothschild, si je fais ça, je livre ma reine à sa cavalerie !

Le général, amusé, pouffa dans son poing :

– Bien des reines sont tombées aux mains de la cavalerie, dans le passé, William. Et certaines y ont survécu !

À contrecœur, le Landgrave s'exécuta en grommelant dans sa barbe. Souriant de plus belle, le général von Estorff s'informa :

– Eh bien, Meyer, quel coup voulez-vous que je tente ?

– Aucune importance, mon général. Monsieur le Landgrave a déjà gagné la partie.

Incapable de garder son sang-froid, le futur vainqueur se détourna de l'échiquier avant de liquider, d'un trait, le reste de son cognac. Le général hésita un instant, l'œil fixé sur son irascible adversaire. Puis il s'empara de son cavalier, comme prévu, et prit la reine.

– Nom de Dieu ! jura le Landgrave. Qu'est-ce que je vous avais dit ? Il a pris ma reine !

– La perte d'une reine n'entraîne pas celle de la partie, monsieur. C'est au roi, bien sûr, que vous devez accorder toute votre attention, en permanence.

Le Landgrave frôlait l'apoplexie. Sa respiration saccadée sifflait dans sa gorge et ses mains qui tremblaient de rage agrippaient désespérément le bord de la table. Von Estorff, alarmé, courut à la desserte. Emplit un verre d'eau. Le rapporta vivement à son ami.

– Meyer, êtes-vous sûr...

– Absolument. Continuons, si vous le voulez bien.

Aux trois quarts étouffé, le Landgrave vida le verre d'eau, le fit suivre d'une nouvelle rasade de cognac, en feulant littéralement comme un fauve :

– Et maintenant, monsieur, que me conseillez-vous de sacrifier pour *gagner* la partie ?

– Rien, monsieur, dit poliment Meyer. Mettez simplement son roi en échec.

Le regard des deux hommes se fixa, incrédule, sur l'échiquier. Au bout d'une seconde, le Landgrave y cueillit son fou en vociférant :

– Ha ! Ha ! Échec !

Puis, les traits convulsés d'allégresse :

– Et mat !

– Sachez, rectifia calmement Rothschild, qu'échec ne signifie pas toujours mat. Mais vous avez désormais une réponse toute prête à n'importe lequel des mouvements adverses. Les règles qui gouvernent le jeu d'échecs sont aussi infaillibles que celles qui régissent l'univers. Et tout aussi mortelles !

La partie continua. Avec l'assistance de son étrange allié, le Landgrave recouvra progressivement toute sa joie de vivre, et le général finit par s'avouer vaincu, sans pour autant perdre son sourire.

– Mon cher Rothschild, c'est la partie d'échecs la plus passionnante, et la plus instructive, que j'aie jamais eu le plaisir de livrer. Je joue aux échecs depuis toujours, mais vous semblez être perpétuellement en avance de plusieurs coups sur mes intentions les meilleures. Auriez-vous l'obligeance de m'analyser cette fin de partie, en m'indiquant quelles initiatives j'aurais dû prendre pour en différer tout au moins l'échéance ?

Jusqu'aux petites heures du matin, Meyer-Rothschild enseigna aux deux hommes sa conception personnelle des échecs, leur montrant quels coups ou « combinaisons » ils devaient prévoir à chaque instant d'une rencontre. Le soleil se levait sur le Main lorsqu'ils se séparèrent, diversement épuisés. Le Landgrave posa sa lourde patte endormie sur l'épaule du visiteur.

– Rothschild, si vous êtes capable de manipuler l'argent comme vous manipulez toutes ces figurines d'ivoire, je suis sûr que vous allez faire de moi un homme très riche.

– Monsieur le Landgrave n'est-il pas déjà très riche ?

– Sans aucun mérite de ma part. Mais vous êtes né avec une autre sorte de richesse. Une faculté que le monde reconnaîtra dans quelques décennies. Je ne suis peut-être pas très intelligent, mais je le suis assez pour reconnaître un homme qui en sait plus long que moi, dans certains domaines, et pour profiter de talents innés que je ne possède pas moi-même.

– Avec une telle recommandation, riposta Meyer Amschel, plusieurs décennies ne seront peut-être pas nécessaires.

LE ZEN DE L'ARGENT

> « L'argent, qui représente les aspects prosaïques de la vie,
> et que la plupart s'excusent d'évoquer en public,
> n'en est pas moins, par ses lois et par ses effets,
> aussi beau qu'un bouquet de roses. »
>
> RALPH WALDO EMERSON

Lundi 30 novembre

À huit heures du matin, Tor pénétra dans la Bibliothèque municipale de New York, et demanda la section des ouvrages traitant du commerce et des affaires. L'employée qui le renseigna le suivit d'un regard nostalgique, tandis qu'il s'éloignait à travers le hall dallé de marbre. Il était rarissime qu'un homme doté de ce physique et de cette allure s'adressât au bureau des renseignements de la Bibliothèque municipale.

Elle le regarda monter quatre à quatre l'escalier indiqué, en costume gris anthracite et gabardine italienne. Sa cravate à fines rayures grises et légers motifs mauves s'ornait d'une épingle dont la pierre rappelait exactement la couleur de ses boutons de manchette. D'autres têtes se retournèrent sur son passage. Parvenu à la section commerce, il demanda à la bibliothécaire le *Standard and Poor's* et les annuaires de *Moody*. Elle lui indiqua les étagères adéquates.

Au bout de la travée, Tor s'empara des lourds *Moody's* dont il feuilleta les dernières éditions, déjà pourvues de la reliure de cuir réglementaire. À la rubrique « Valeurs d'État », il explora plusieurs pages de noms et de raisons sociales avant de trouver ce qu'il cherchait.

S'assurant d'un coup d'œil que personne ne l'observait, il sortit un canif de sa poche, découpa la page qui l'intéressait, la plia soigneusement en quatre et la glissa dans son gousset, avec le petit couteau. Puis il remit le gros volume en place, alla remercier la bibliothécaire qui l'avait vu revenir avec la même émotion contenue, et repartit vers le centre de la ville.

Deux heures plus tard, il entra dans les bureaux de Louis Straub et Compagnie, courtiers en Bourse de Maiden Lane. En poussant la porte vitrée, il découvrit une vaste salle où de nombreux courtiers, la cravate desserrée, la veste négligemment posée derrière eux, sur le dossier de leur chaise, parlaient au téléphone. Employés et secrétaires couraient de bureau en bureau, déposant mémos et messages téléphonés dans les corbeilles à courrier, au sein d'une parfaite anarchie.

La réceptionniste mâchait du chewing-gum et se vernissait les ongles sans cesser d'entretenir, au téléphone, une conversation animée. Elle s'interrompit juste assez longtemps pour demander à Tor ce qu'il désirait.

– J'aimerais ouvrir un compte... si toutefois vous n'êtes pas trop occupée.

Rougissante, elle mit son interlocuteur en attente et pressa la manette de son interphone.

– Monsieur Ludwig. Demande d'ouverture de compte, à la réception.

À Zoltan :

– Il arrive tout de suite.

Et renoua sa conversation au point où elle l'avait laissée. Tor profita de cette minute d'attente pour jeter un coup d'œil autour de lui. Louis Straub était de loin le plus gros courtier du pays. La firme brassait un énorme volume de valeurs boursières, au nom d'un tas de gens qui n'avaient pas besoin de conseils pour gérer leurs biens mobiliers ou leur portefeuille.

Cinq ans plus tôt, un jeune homme du nom de Louis Straub avait senti le besoin, sur la place de New York, d'une société de courtage capable d'acheter et de vendre des valeurs cotées en Bourse sans formalités lourdes, destinée à des clients assez grands pour faire leurs propres choix sans l'aide de quiconque, qui chargeraient simplement la maison d'enregistrer achats et ventes. À chacun de ces clients, la maison n'accordait aucune attention spéciale, ni ne servait une tasse de café. Toute transaction, chez Louis Straub, était si rapide que personne ne s'y souvenait de la tête du client. La visite de Tor n'avait pas d'autre raison.

Petit homme à la calvitie avancée, apparu au détour d'une porte battante, monsieur Ludwig serra la main de Zoltan Tor sans lever les yeux jusqu'à son visage plus d'une demi-seconde.

– Vous désirez ouvrir un compte, monsieur...

– Dantès. Edmond Dantès. La formule la plus simple. Je veux acheter des titres à mes nièces, pour Noël. J'ai la liste de ce que je veux.

– Paiement cash, par chèque ou par carte de crédit. On accepte tous les modes de règlement, si vous avez deux pièces établissant votre identité.

Tor le suivit jusqu'à un petit bureau encombré, dans le fond de la salle.

– Je vais vous faire un premier dépôt en liquide, on va choisir les titres, vous ferez le total et, dans une petite heure, je vous apporterai un chèque de caisse.

– Nous ne passerons les ordres qu'après couverture du montant total par mode de crédit dûment établi, si vous en êtes d'accord.

– Bien entendu.

Tor lui tendit la page du *Moody's,* sur laquelle il avait entouré, au stylo-feutre, toute une liste de titres.

– Vous avez beaucoup de nièces, constata Ludwig avec un sourire en coin.

– Je fais ça chaque année. Habituellement, mon courtier s'en occupe, mais je m'y suis pris trop tard, et il est en vacances. Mes nièces sont si mignonnes. Je ne voudrais pas manquer Noël.

Ludwig se demandait, visiblement, quel âge avaient ces fameuses nièces, et quelle pouvait être leur parenté réelle. Si toutefois il y avait parenté. Puis il baissa la tête et pianota des chiffres sur sa calculette.

– Sans consulter notre ordinateur central, je ne peux pas vous dire ce qui est disponible et à quel tarif. Mais le tout ira chercher dans les cinquante mille dollars, maximum, monsieur...

– Dantès, rappela Tor. Mon bureau est dans la Trentième, à deux pas de Park Avenue. La Société Cristo, si vous avez besoin de me joindre. Commencez à réunir les titres, et je serai de retour à dix heures trente au plus tard, avec un chèque certifié de cinquante mille. Si vous en avez surestimé le montant, vous mettrez la différence à mon crédit ou vous me ferez un chèque.

– Sans problème. Si vous me permettez une question, pourquoi pas un même portefeuille, pour toutes vos nièces ? Au lieu d'acheter un seul titre à chaque fois, ce serait plus rapide et plus simple, si je pouvais acheter plusieurs de chaque. Naturellement, on vous délivrerait des attestations séparées.

– Je suis sûr que Suzie n'aimerait pas du tout avoir les mêmes bons que Marie-Louise.

Pas question, bien sûr, d'expliquer à Ludwig pour quelle raison il avait besoin d'autant de titres différents. Il se contenta de lancer par-dessus son épaule, en marchant vers la porte :

– Je suis là dans moins d'une heure.

Il ressortit du grand hall sans saluer la réceptionniste bavarde, et se dirigea vers un restaurant proche de sa banque dont les guichets n'ouvraient qu'à dix heures. Il ne faut pas longtemps pour remplir un chèque de caisse. D'ici à une petite heure pourrait commencer le vrai travail.

À l'heure où Tor buvait un café, dans un petit restaurant de Wall Street, en attendant l'ouverture de sa banque, Georgiane descendait d'un taxi, devant une imposante bâtisse de béton du Bronx.

De hauts treillages cernaient les accès de l'immeuble, couronnés de barbelés et ménageant une seule entrée bien gardée, en leur centre. À intervalles d'une centaine de mètres, derrière les treillages, veillaient des vigiles flanqués de bergers allemands. Tous avaient l'arme à la ceinture et se retournèrent vers le poste de garde, à l'approche de Georgiane.

Elle portait une robe courte, d'un rouge électrique, dont le décolleté et les échancrures laissaient fort peu de place à l'imagination, des talons aiguilles de quinze centimètres, et une cape de laine noire négligemment jetée sur une épaule.

– Salut, dit-elle aux gardes. J'espère que je n'arrive pas trop tard pour la visite de dix heures. J'ai pris le métro jusqu'au bout de la ligne et fait le reste en taxi, mais du coup, je suis presque fauchée, et gelée jusqu'à l'os.

– Ça va, c'est pas commencé, lui renvoya un des gardes. La visite démarre de l'entrée principale, droit devant vous, mais si ça vous dit, réchauffez-vous un brin dans notre cabane. Je vous ferai prendre par le petit train. Ils attendent toujours les retardataires, à la grande porte.

– Oh, merci beaucoup, minauda Georgiane en se mettant à l'abri du froid.

Elle ôta ses mitaines brodées de Pères Noël, sur le dessus, et frotta ses mains l'une contre l'autre tandis que le garde discutait au téléphone. À travers les parois vitrées, elle distinguait les clins d'œil et les mines complices des deux hommes postés à cet endroit, leurs petits coups de tête égrillards dans sa direction. Enfin :

– Comment ça se fait qu'une belle fille comme vous s'en vienne visiter une imprimerie, par ce froid de canard ?

– Je ne me doutais pas qu'il ferait aussi froid. Je prépare une thèse d'histoire de l'art, et je voulais venir depuis un bout de temps. Mes copines m'ont dit qu'on trouvait ici les plus grands graveurs de toute la côte Ouest.

– Ouais, c'est sûrement vrai, approuva le garde. La Monnaie des États-Unis est la plus vieille imprimerie assermentée du pays. On a des tas de graveurs commerciaux, et d'étudiants comme vous qui viennent pour la visite guidée. Pendant que vous y serez, présentez-vous aux graveurs, ils seront contents de vous parler, et de vous montrer ce qu'ils font. Ah, voilà le petit train, et je ne vous ai pas fait signer. Juste votre nom et votre adresse sur cette liste, si ça vous ennuie pas...

Georgiane fit soigneusement ce qui lui était demandé. Son nom en capitales d'imprimerie : Georgette Heyer. Dans la colonne «Employeur», elle marqua «École des beaux-arts». Elle était heureuse de n'avoir pas plus de temps pour bavarder avec le garde. S'il voulait l'adresse des «Beaux-Arts», elle n'était pas très sûre de la connaître.

Remerciant les gardes d'un geste de la main, elle s'installa dans le wagon unique du «petit train» qui venait de s'arrêter à sa hauteur, et qui redémarra sans perdre une seconde.

Le bar était sombre, mais la bière fraîche et mousseuse.

– Je n'avais aucune idée, dit Georgiane en portant la chope à ses lèvres, qu'à la Monnaie des États-Unis, on imprimait autant de choses différentes. Je suis si contente de ma visite, et de la gentillesse de tous ces messieurs...

Autour d'une table de Formica rouge brique, siégeaient cinq des maîtres graveurs de la Monnaie des États-Unis, devant cinq gros sandwichs, et autant de chopes à demi-pleines. Tous reluquaient Georgiane avec un intérêt artistique évident, comme si chacun d'eux songeait à la faire poser pour quelque nouvelle *Maja nue*.

Laquelle, apparemment inconsciente de l'effet qu'elle produisait, énumérait avec une moue très sexy :

– Timbres postaux et fiscaux, chèques de voyage, actions et bons du Trésor, et même de vrais livres reliés cuir ! Vous n'êtes donc pas confinés chacun à une spécialité ? Est-ce que vous savez tout faire ou y a-t-il des champions de la roto... roto...

– Rotogravure ! s'exclama l'un d'eux, et tous éclatèrent de rire.

Feignant la confusion, Georgiane promena, de visage en visage, un regard plein d'admiration.

Tandis qu'un autre enchaînait, dans sa foulée :

– On a tous des spécialités. On est content quand des étudiants... et surtout des étudiantes comme vous viennent nous voir. Qui sait si certains d'entre vous ne vont pas faire des carrières ? Les étudiants d'aujourd'hui sont les maîtres graveurs de demain.

134

Ils approuvèrent tous en chœur et trinquèrent. Sa chope au poing, Georgiane relança :

– Moi, ce qui m'intéresse, c'est la photogravure. Je travaille aussi la photographie, et ce que j'aimerais faire, ce serait de convertir certaines de mes photos en véritables gravures. Vous en faites, ici, de la photogravure ?

– Pas beaucoup. Les meilleurs spécialistes, dans ce domaine, sont les Japonais. Leurs lithographies en couleurs sont incroyables. Ils font exactement ce qui vous intéresse. Vous devriez voir leurs productions, dans les musées de Manhattan.

– On en fait vraiment très peu ici, renchérit un autre graveur, c'est une question de sécurité. Ce qu'on imprime a de la valeur, comme les chèques de voyage, les bons d'État et le reste. Toutes les plaques doivent être entièrement gravées à la main, elles donnent lieu à une impression très sophistiquée, pour que nos productions soient difficiles à contrefaire. Quelquefois, ça va jusqu'à une trentaine de nuances sur un seul document. La simple photogravure s'accommoderait mal d'une telle complexité.

– J'aimerais en savoir plus là-dessus. Vous ne connaissez pas quelqu'un qui pourrait m'en dire davantage ?

Ils échangèrent des regards, partagés entre l'envie de la garder plus longtemps parmi eux, et celle, en lui apprenant ce qu'elle voulait savoir, de gagner sa reconnaissance.

– Il y a un photograveur japonais, à Staten Island. Il travaille chez lui. Il fait un boulot très sophistiqué. Partiellement commercial, mais surtout artistique. Tu te souviens de son nom, Bob ? Ce petit rigolo qui avait fabriqué des billets de un dollar, et qui les exposait dans des galeries. Les plaques étaient si parfaites que le FBI a fait une descente chez lui pour les détruire. Comment s'appelait-il, ce Jap ?

– Attends, ça me revient. Seigei Kawabata.

Mardi 1ᵉʳ décembre

En ce début d'après-midi, Georgiane, enveloppée de son ample cape noire, descendit du bac de Staten Island, et remonta le débarcadère de bois sous la neige renaissante. Elle sauta dans le premier taxi qui la déposa à l'adresse indiquée, devant une vieille maison délabrée, tout au bout d'une rue bordée d'arbres. Pas du tout ce qu'elle attendait d'un graveur célèbre, connu pour ses techniques de haut niveau.

Elle remonta l'allée gelée, grimpa les marches du perron et pressa le bouton de sonnette. Au bout d'un moment, elle perçut des pas qui s'approchaient de la porte. Le battant s'écarta, de quelques centimètres, sur un petit visage jaune et ridé.

– Monsieur Kawabata ?

Il acquiesça, l'œil scrutateur, sans ouvrir la porte. Elle poursuivit :

– Je vous ai téléphoné de New York. Je suis Georgette Heyer. Étudiante des Beaux-Arts.

Elle lui dédiait son plus beau sourire. Et le maudissait, intérieurement, de la laisser aussi longtemps devant la porte à se frigorifier sur place.

– Ah oui ! dit-il enfin, en s'écartant pour la laisser entrer. L'École des beaux-arts. J'y donne des cours de temps en temps. Qui sont vos professeurs ? Je suis sûr que je les connais. Que diriez-vous d'une tasse de thé ?

Georgiane dut avouer, en prenant un thé accompagné de cookies, qu'elle n'avait jamais mis les pieds à l'École des beaux-arts. Elle était, en fait, photographe de métier, et désirait se lancer dans la photogravure, mais ne voulait pas que ses concurrents sachent trop vite qu'elle désirait aborder ce nouveau domaine. L'explication semblait plutôt faiblarde, même à ses propres yeux, mais monsieur Kawabata parut l'accepter. Au point de l'introduire dans le labyrinthe des pièces victoriennes à très haut plafond qui composaient son repaire.

136

– Monsieur Kawabata, les graveurs de la Monnaie des États-Unis m'ont dit que vous aviez réalisé une gravure parfaite d'un billet de un dollar. Est-ce que c'est vrai ?

Dans chacune des pièces régnait une propreté immaculée. Des écrans de papier peints à la main occultaient l'intérieur des fenêtres, et sur les tables de laque blanche se dressaient des bouquets de pinceaux multicolores jolis comme des fleurs.

– Oui, dit enfin Kawabata. Le gouvernement s'est fâché contre moi. Les fédéraux m'ont arrêté à la galerie et sont venus fouiller ma maison, à la recherche d'autres plaques. Ils me prenaient pour un faussaire professionnel, mais je leur ai expliqué que je voulais simplement leur montrer jusqu'où pouvait aller mon art de la gravure. J'ai encore quelques spécimens de ces billets, si ça vous amuse de les voir.

Georgiane accepta volontiers. Kawabata l'introduisit dans une pièce qui donnait sur un petit jardin oriental. La seule dont les fenêtres ne fussent pas tapissées de l'intérieur. Le jardin était beau, avec une petite pièce d'eau centrale vers laquelle convergeaient des sentiers bordés de pierres noires, entre des parterres de bonzaïs soigneusement taillés. Un tatami végétal et des coussins périphériques, peints à la main, meublaient l'endroit.

Au centre d'un des murs, pendait une gravure d'environ trente centimètres de diamètre. Sur fond gris, se dressait une petite table portant une pomme qui servait de support à la fameuse reproduction du billet de un dollar. Un parfait travail de collage, tout en contrastes et en lignes pures.

– C'est magnifique, murmura Georgiane.

Elle sortit un billet de son sac pour le comparer à l'autre. Kawabata sourit avec indulgence.

– Il s'agit d'une photogravure. J'ai photographié le billet, la pomme et la table. Et j'ai combiné le tout. Je vous montrerai comment faire, si le procédé vous intéresse.

Ils entrèrent dans une pièce qui contenait plusieurs petites presses à imprimer, et une seule de dimensions plus importantes. Les presses à main reposaient sur des tables de bois, d'un côté, l'autre presse contre le mur d'en face. Une bâche protégeait le parquet. Au centre des poutres dénudées par une ouverture pratiquée dans le plafond, pendait une grosse caméra orientable en tous sens. Vers une immense table recouverte de papier blanc. Pas un brin de poussière nulle part. C'était l'atelier d'imprimerie le plus propre que Georgiane eût jamais visité.

– On fait un essai ? proposa Kawabata.

Il pressa un bouton sur la carrosserie de la caméra qui descendit au-dessus de la table en ronronnant.

– Si vous voulez réussir d'excellentes gravures, il faut que vous utilisiez une caméra de grand format, afin d'obtenir un degré de résolution très élevé. Plus grand sera le négatif, plus les détails seront clairs et bien séparés, juste comme dans l'impression photographique. Un tel souci du détail réclame une grande patience et une perception aiguisée. Prenez cette loupe et regardez, de nouveau, votre billet de un dollar.

Georgiane prit le cube de verre qu'il lui tendait, et les détails du billet lui sautèrent au visage. Vu à travers ce prisme, le vert sauge symbolique de la vieille unité monétaire révélait un assortiment complexe de points, de traits, de boucles et d'ombres soigneusement dosées.

– Si vous examinez de près la moitié inférieure du Grand Sceau, exposa fièrement Kawabata, celle où figure la pyramide d'Égypte, vous remarquerez que l'œil mystique des francs-maçons, suspendu juste au-dessus, est entouré des rides de l'âge. C'est ce genre de précision qu'il importe d'atteindre.

Relevant les yeux, très intéressée, Georgiane questionna vivement :

– On va imprimer quoi ?

– Pourquoi pas votre billet de un dollar ?

Kawabata sortit le billet de sous la loupe et l'éleva dans la lumière.

– Mais puisqu'il ne s'agit que d'un essai, pour le rendre encore plus probant, nous allons opérer comme si ce billet était multicolore, à l'instar des monnaies de nombreux pays.

Au moyen d'un stylo-feutre, il coloria l'œil mystique en rouge, comme si son propriétaire invisible venait de passer une nuit blanche à l'intérieur de la pyramide.

– Ainsi, je vais pouvoir vous montrer des techniques de gravure plus sophistiquées. Les jeunes gens d'aujourd'hui sont souvent trop pressés d'arriver quelque part, sans se demander vraiment où ils vont. Mais on ne peut pas accélérer l'art de la gravure. C'est comme la cérémonie du thé, il doit se construire pas à pas, chaque chose en son temps. Ainsi et seulement ainsi, il livre tous ses secrets, comme une fleur.

Kawabata emmena Georgiane dans sa chambre noire et pas à pas, comme il l'avait dit, lui fit la démonstration de tous les gestes méticuleux indispensables pour masquer les plaques photographiques, les enduire d'émulsion photosensible, préparer les bains d'acide et minuter soigneusement les différents stades de la longue suite d'opérations. Le tout ressemblait beaucoup au processus de développement classique, mais Kawabata insista sur la nécessité de procéder avec soin, d'un bout à l'autre, sans négliger le moindre détail, au niveau de netteté et de propreté requis pour obtenir le meilleur résultat.

– Afin de rendre correctement une couleur, conclut-il en rinçant et séchant la dernière plaque, et même s'il ne s'agit que de noir, il faut que ce soit le noir *exact*. Vous devez le sentir dans votre âme. Maintenant, nous allons passer dans mon atelier pour y méditer.

– Méditer ?

– Le maître graveur doit toujours méditer avant de préparer ses couleurs. C'est seulement ainsi que les vibrations de son âme demeureront en harmonie avec le reste de l'univers.

Il était très tard lorsqu'ils finirent d'imprimer le billet. Assise dans le vaste salon où ils avaient pris le thé, au début de l'après-midi, Georgiane dégustait à petites gorgées le saké de prunes tiédi, tenant de l'autre main le billet de un dollar vert et rouge. Elle avait l'impression de sortir, avec tous ses diplômes, d'un cours technique de plusieurs années, dispensé par un maître graveur.

– Monsieur Kawabata, soupira-t-elle, alanguie par la fatigue et les effets du saké, je ne saurais vous dire ce que cet après-midi de rêve a pu m'apporter. Je vais rentrer chez moi et mettre en pratique tout ce que vous venez de m'enseigner.

– Vous avez déjà une presse ?

– Non, mais je vais en acheter une. On doit trouver ça dans les annonces des journaux spécialisés.

L'expression du vieux Japonais se teinta de mépris.

– Toutes ces presses modernes comportent des mélangeurs de couleurs automatiques. Elles sont très sophistiquées, si vous voulez vous contenter d'une impression à la chaîne. Mais pour l'artiste que je sens en vous, je crois qu'un modèle plus ancien sera préférable. Un de ces bons vieux modèles où tout peut être contrôlé à la main. Les seuls qui vous permettent encore de mélanger vos couleurs à la perfection, sans jamais risquer de dénaturer les nuances délicates de votre gravure.

– Mais où dénicher une telle presse ?

– J'en ai une que je peux vous prêter ou vous vendre, miss Heyer. Elle n'est pas jeune, mais en parfait état. Comment allez-vous rentrer à la maison ? Je crois qu'on pourrait la charger dans un taxi. Et la transporter jusque-là avec l'aide du chauffeur. À condition que vous n'habitiez pas trop haut ou disposiez d'un bon monte-charge à l'arrivée...

Le téléphone sonnait. Lélia l'exhuma de sous les coussins du grand canapé. C'était Georgiane.

– Où es-tu ?... Oh, non !... Oh, merde !... Oui, il est là... Oui, je te l'envoie tout de suite... Mais tu es *complètement fou, ma cherrie* !

Tor surgit de la cuisine, les mains blanchies par la pâte qu'il était en train de pétrir.

– Ce que je ne comprends pas, c'est comment vous pouvez faire gonfler les raisins secs, pour le strudel, quand vous les mettez entre deux couches de pâte... Quelque chose qui ne va pas ?

Lélia raccrocha l'appareil, en soupirant.

– C'était Djordjione... Il faut que vous alliez la chercher.

– Où ? Quand ? Elle devait rentrer pour cinq heures. Qu'est-ce qui se passe ?

– Elle vous attend au bac de Staten Island.

Tor, étonné, s'essuya les mains sur son tablier déjà largement souillé de farine.

– Elle ne peut pas prendre le métro toute seule ?

– Elle vous attend au bac, côté Staten Island !

– Eh bien, qu'elle le prenne, le bac ! Et ensuite, le métro !

– Non, mon cher ami. Parce qu'elle ne trouve personne pour l'aider à embarquer et redébarquer du bac sa *presse à imprimer* !

FUSIONS

« L'argent ne peut pas fructifier par lui-même. »

ARISTOTE

Vendredi 4 décembre

Je ne revis ni Tor ni Georgiane avant la fin de la semaine. Ils s'étaient montrés si discrets, si cachottiers, tout en jurant de me révéler le pot aux roses, au dîner, avant que je ne rentre à San Francisco, que j'avais attendu ce vendredi avec impatience. Entre-temps, j'avais procédé moi-même à quelques préparatifs.

New York fourmille d'établissements bancaires de toutes tailles et de toutes natures. Pavel, mon secrétaire, qui adorait donner des coups de fil à longue distance, en avait averti quelques-uns de ma visite probable. Bien que ces rendez-vous avec leurs services de sécurité eussent fait partie du camouflage dont je préférais entou-rer mon rendez-vous avec Zoltan, maintenant qu'il n'était plus mon allié mais mon adversaire, à l'occasion de ce pari stupide, les règles et les enjeux n'étaient plus les mêmes. Puisque j'étais sur place, à New York, autant en profiter pour m'instruire sur les sys-tèmes de sécurité de quelques établissements bien choisis.

Monsieur Preacock, de l'United Trust, figurait toujours sur ma liste, mais n'aurait rien de plus à m'apprendre, et je me débrouillai pour esquiver le déjeuner projeté en sa compagnie. J'avais également besoin de réfléchir dans la solitude. Mon dernier rendez-vous me réservait, toutefois, une sacrée surprise.

Il doit y avoir plus de cent mille personnes à New York qui s'appellent Harris, mais quelle ne fut pas ma stupéfaction de découvrir que le Harris chargé de la sécurité de la Citibank, n'était autre que la moitié de mes deux vieux copains de toujours, les jumeaux Bobbsey !

Dix ans plus tôt, lors de notre dernière rencontre, il avait quelques kilos de trop, les cheveux trop longs et trop mal coiffés, ses pans de chemise sortaient de son pantalon, et sa brioche était toujours saupoudrée de cendre de cigarette. Quand il se leva pour contourner son élégant bureau de bois de rose, je vis tout de suite que le temps et l'argent n'avaient pas travaillé contre lui. Cheveux et pattes au cordeau, blazer de cachemire et cravate chic. Sans parler du râtelier de pipes étrangères accroché au mur.

Il m'embrassa chaleureusement alors que je m'écriais :

– Harris ! Qu'est-ce que tu fabriques ici ? Charles m'a dit la semaine dernière que tu étais au Centre de données...

D'un index porté en travers de ses lèvres, accompagné d'un rapide coup d'œil à travers la porte vitrée de son bureau, il me coupa vivement la parole.

– Très mauvais, si la nouvelle se répand ! Ici, je suis considéré comme une émanation de l'Olympe. On déjeune ensemble, si tu n'as rien de mieux à faire ?

Le temps d'enfiler son manteau en poil de chameau, sa belle écharpe de soie, et on fila aux *Quatre Saisons*, un restaurant de qualité nettement supérieure à l'italien pourri où l'on se nourrissait jadis.

Comme il me fut donné de le découvrir, après déjeuner, le bâtiment qui abritait le Centre de données scientifiques n'avait pas changé depuis dix ans. Il était toujours aussi noir que s'il avait brûlé de fond en comble. Les fils de cuivre, système circulatoire de ce cher Charlie, devaient être verts, à présent. Vert-de-gris ! Britanniques jusqu'au bout des ongles, les jumeaux Bobbsey s'appelaient par leur nom de famille, une habitude déconcertante puisque c'était le même. En tant que tekos, ils avaient résolu le problème en se donnant des numéros, Harris Un et Harris Deux, et je pensais toujours à eux sous ces étiquettes.

Quand on entra au centre de données, Harris Deux nous tournait le dos, absorbé dans l'examen d'une machine entourée de pièces de rechange, dont la fonction semblait être de plier et de remplir des enveloppes, au sein d'un vacarme assourdissant. Toute la pièce semblait à peine plus propre qu'au bon vieux temps, et Charles Babbage trônait en son milieu, trapu et définitif comme un pacha surveillant son harem. Repeint en bleu ciel, il s'agrémentait d'une vieille casquette de base-ball des Brooklyn Dodgers coquettement posée sur sa console. Même sous ce déguisement, je l'aurais reconnu entre mille.

– Que je sois pendu si ce n'est pas Verity Banks ! s'exclama Harris Deux lorsqu'il se retourna vers nous. Charlie, vieux frère, ta maman est là !

– Arrête ce boucan, bon Dieu, hurla Harris Un. Je ne m'entends même pas penser !

Harris Deux stoppa sa machine infernale pour venir au-devant de nous, rayonnant de joie. Lui aussi avait beaucoup changé. En bien. Veste de tweed renforcée cuir aux coudes, joli pull à col roulé et barbe poivre et sel lui donnaient l'allure d'un *gentleman farmer* sans difficultés financières.

Il m'embrassa, lui aussi, et j'affirmai en toute sincérité :

– Ça fait plaisir de vous retrouver en si bonne forme, tous les deux. Tout va pour le mieux, non ? Et si je ne me trompe, il y a encore plus de quincaillerie lourde dans ce bazar qu'il y a une dizaine d'années ?

– En réalité, expliqua Harris Deux, on s'est recyclé dans le commerce par correspondance. Président, Charlie Babbage, et vice-présidents, les Harris. On avait des tas de machines mal utilisées, c'était du temps et de l'argent de perdus. On s'emmerdait comme des rats morts. C'est pour ça que Harris Un a pris ce boulot de jour, à la banque. On s'est aperçus qu'on pouvait faire tourner la boutique, même avec un de nous deux à l'extérieur. Puis on a fait preuve de créativité : on a fondé une entreprise. Elle nous rapporte un paquet, à tous les trois, depuis sa création.

– Superbe, les gars ! Quoique légèrement illégal, non ? Après tout, ce centre de données ne vous appartient pas.

145

– Et tu n'es pas la propriétaire de Charlie ! Mais ça ne t'empêche pas d'utiliser ses services, plus souvent qu'à ton tour. Note que si tu ne lui avais pas sauvé la vie, comme tu l'as fait, on n'en serait pas là, nous non plus. C'est lui qui nous a donné l'inspiration pour nous convertir en patrons.

Pendant qu'il parlait, j'avais parcouru quelques-unes des listes imprimées par Charlie, empilées au repos dans sa corbeille.

– Qu'est-ce que c'est que ces trucs-là ?

– C'est l'inventaire des mailings qu'on traite pour notre plus gros client, un consortium des universités de la côte Est. Elles ont réuni les listes de leurs élèves pour en tirer la crème de la crème, ceux qui ont vraiment du fric, et les pilonner pour de grandes causes.

– Et on affine leurs données, ajouta l'autre Harris, en y ajoutant celles des *Who's Who*, des carnets mondains et même des sociétés immobilières de la côte. Si on voulait fourguer ces listes, on en tirerait un bon demi-million.

Elles commençaient à m'intéresser, leurs listes. Non seulement elles comportaient les noms, statuts sociaux et numéros de comptes, mais aussi les statistiques familiales, les affiliations politiques, les relations d'affaires, les appartenances aux principaux clubs, les propriétés foncières et les contributions à diverses organisations caritatives. C'était de l'or, et je le savais. Ces listes pouvaient valoir un demi-million pour les frères Bobbsey, mais pour moi, elles valaient beaucoup plus encore.

J'étais radieuse. Une fois de plus, Charles Babbage allait m'être d'un grand secours, même s'il ne le savait pas. En rentrant à San Francisco, j'allais devoir ouvrir des milliers de comptes fictifs. Des comptes où garer au chaud l'argent que j'allais emprunter et placer, sans alerter personne avec des mouvements de fonds trop importants. Inutile de chercher des noms plus insoupçonnables que ceux qui figuraient sur ces listes. Et je n'aurais même pas besoin d'inventer des numéros de Sécurité sociale ou de statut financier. Ils étaient tous là, à ma disposition.

Mais le plus beau, de mon point de vue, c'était que pas mal de ces petits marrants étaient membres du *Vagabond Club*. Peut-être y avait-il une justice, après tout, en ce monde.

Sur le chemin de retour à mon hôtel, je sifflais sans pouvoir m'arrêter. Les lumières de Noël festonnaient la Cinquième Avenue. Le parfum de l'hiver planait dans l'air de Manhattan, et des foules enjouées se coudoyaient, sans mauvaise humeur, sur les trottoirs encombrés. La nuit achevait de tomber lorsque je repassai le tambour de l'hôtel *Sherry*.

Alors que je me changeais en vue du dîner, je remarquai le clignotant rouge sur le téléphone et appelai la réception pour avoir mes messages. J'avais eu deux appels, un de Pearl, un de Tavish, de San Francisco. Je consultai ma montre. Sept heures et demie à New York, quatre heures et demie en Californie, pas encore l'heure de fermeture des banques. Je me fis monter une bouteille de xérès et passai sous la douche. Lorsque j'en ressortis, enturbannée d'une serviette-éponge, je me servis un verre et décrochai le téléphone.

– Miss Lorraine n'est plus à ce numéro, m'informa la secrétaire. Elle travaille maintenant pour monsieur Karp. Ne quittez pas, je vous transfère...

– Salut, ma belle, ronronna Pearl. Bien contente que tu rappelles. J'ai pensé que tu serais heureuse d'entendre les dernières nouvelles. Karp et Kiwi, les joyeux duettistes, te mijotent une belle vacherie, derrière ton dos. J'ai le bureau voisin de Karp, si on peut appeler ça un bureau, et je peux entendre tout ce qui se dit à côté. Je vois dans ton avenir un long voyage outre-mer.

– Comment ça, un long voyage ? Ils essaient de me faire virer ?

– Pire que ça, chérie. D'une façon ou d'une autre, ils ont appris que ton cercle de qualité allait se pencher tout particulièrement sur *leurs* systèmes de sécurité. La contre-attaque prévue est de te faire transférer à Francfort pour l'hiver. Un endroit délicieux, en cette saison ! Sans personne ici pour les arrêter, ils peuvent enterrer ton projet, se débarrasser de moi et réintégrer Tavish sous les ordres de Karp. À propos, c'est Francfort, en Allemagne, pas dans le Kentucky. Et ce n'est sûrement pas conçu comme une promotion.

– Je ne le crois pas non plus. De toute manière, je rentre demain, tu viens me chercher à l'aéroport et on en parle. Tâche d'amener Tavish avec toi. J'aurai quelques infos à partager, moi aussi.

– Autant que je te le demande pendant qu'on est seules. Comment sont les mecs, à Manhattan ?

– Je n'ai guère eu le temps de m'envoyer en l'air, si c'est ce que tu veux dire.

– Dommage pour toi.

– Merci pour ta sollicitude.

Et je raccrochai. Je compris, en percevant les déclics du transfert, que Tavish n'était pas dans son bureau. Quand quelqu'un décrocha, j'entendis ronronner les ordis, à l'arrière-plan, et le léger chuintement de la clim'. Enfin Tavish, à qui je demandai :

– Tu n'es pas seul ?

– Non.

Dans un chuchotement étouffé, presque inaudible.

– Mais qui-tu-sais s'intéresse beaucoup à ton boulot. Il demande de tes nouvelles heure par heure.

– Tu parles de Kiwi ? Qu'est-ce que tu lui racontes ?

– Je ne travaille pas pour lui, je travaille pour toi. Mais il cherche les bonnes grâces de toute l'équipe, et j'ai le plaisir de t'annoncer qu'il n'y a pas de traîtres parmi nous, pas encore. Ce n'est qu'une question de temps avant qu'il perde tout pouvoir. Tu rentres quand ?

– Demain. Pearl Lorraine va venir me cueillir. Peut-elle te ramasser au passage, demain matin ?

– J'en serais ravi. On s'est un peu concertés, en ton absence. Une manière comme une autre de dresser un front commun.

– Je viens juste de parler à Pearl. Dis-moi, avez-vous déjà violé un dossier ou deux ?

– Bien peur que non, mais on y travaille. Demain, j'aurai peut-être de meilleures nouvelles.

Je raccrochai, déçue que Tavish ne soit pas encore entré dans le vif du sujet. Tant que je n'aurais pas accès aux comptes des clients, je ne pourrais pas faire usage des noms prestigieux dont j'avais glané les listes chez Harris et Harris.

D'un autre côté, c'était peut-être mieux comme ça. Si le cercle de qualité avait déjà ouvert des dossiers et décrypté des codes,

Kiwi eût pu l'apprendre, d'une manière ou d'une autre, et s'en serait vanté auprès de la haute direction. Pour en recueillir tout le mérite et s'entendre confier le soin de régler le problème. Moi, en l'occurrence.

Je savais à présent quelle erreur j'avais commise en lançant mon cercle de qualité sur le sentier de la guerre alors que je n'étais pas là, et quelle autre erreur constituait le fait d'avoir laissé Tavish opérer sans visibilité. Si je voulais pouvoir compter sur lui en cas de revers, je devais le mettre au courant de mes intentions réelles. Rien n'est plus dangereux, plus aléatoire que de travailler avec quelqu'un qui ne sait pas exactement de quoi il retourne.

Mais mon erreur la plus grande avait été de tourner le dos à Kiwi, ne fût-ce que pendant une semaine. S'il réussissait à m'expédier en Allemagne, c'en serait fait de mon projet. Et de mon pari par la même occasion. Mort-nés, l'un comme l'autre. Étouffés dans l'œuf. Une chance que je rentre le lendemain. Il n'était peut-être pas encore trop tard pour réparer les dégâts.

Je me coiffai, me poudrai le nez, m'habillai pour ressortir et retourner voir chez Lélia comment se portait l'autre parieur.

En l'honneur du Père Noël, un arbre gigantesque, en papier métal rose, se dressait dans le hall, et des lumières rouges étalaient un voile d'ombre sur les lustres et sur les paniers de fruits factices. On eût dit un tableau brossé par Marie la Magdaléenne, juste avant sa conversion.

– Champagne rose pour tout le monde, annonça Francis, le liftier, en me tendant un verre en matière plastique.

La soubrette officiait, primesautière, dans l'entrée de Lélia, le front ceint d'une petite couronne de gui. Elle me servit une louche de punch, je laissai choir mon champagne plastique, prélevai quelques cookies dans le grand plateau d'argent et pénétrai dans l'appartement. Les portes de la Chambre prune étaient grandes ouvertes, au fond du couloir, mais j'aperçus Tor et Lélia dans une autre pièce.

– On dîne dans une demi-heure, m'informa Zoltan en me voyant croquer un cookie.

– Laisse-la manger ! protesta Lélia. Qu'elle grossisse un peu !

Elle était carrée dans un fauteuil de cuir rouge, les jambes allongées sur un pouf de même couleur. Debout près d'elle avec son propre bol de punch, Tor portait une veste de smoking bordeaux et une lavallière de soie pêche. Ses boucles de cuivre brillaient dans la lumière. J'étais sûr que Lélia était à l'origine de ses choix vestimentaires.

La mère de Georgiane était radieuse, devant l'arbre orné de nœuds de satin pourpres et de grosses bougies allumées. Le col de son caftan rouge mettait en valeur la rivière de diamants d'une tonne cinq qui barrait sa gorge. Tirée en arrière, sa tignasse fauve encadrait les énormes cabochons de cristal, sertis de diamants, qui pendaient à ses oreilles. Quand je me penchai pour l'embrasser, je respirai son parfum épicé, à base de vanille et de clous de girofle.

– Vous êtes formidables, tous les deux. Où est Georgiane ?

– Elle te prépare une surprise. Elle veut absolument que tu n'en reviennes pas, quand elle va te montrer tout ce qu'elle a fait cette semaine.

Puis, en me toisant de bas en haut, la bouche entrouverte :

– Ma *cherrie*, encore en noir, pourquoi ? Personne n'est mort, tu n'as pas besoin de porter le deuil. Quand j'avais ton âge, les jeunes gens s'arrêtaient pour me regarder passer sur les Champs-Élysées. Ils m'offraient des fleurs et des bijoux, ils me baisaient la main et souffraient si je ne les voyais pas.

– Les temps ont changé, Lélia. De nos jours, les femmes attendent bien davantage que des fleurs et des bijoux.

– Quoi ?

Elle était profondément indignée.

– Qu'y a-t-il de plus ? C'est eux qui écrivent la romance. Tu ne comprends pas, je le vois bien. Tu dois avoir un vrai *manque* dans ta vie, pour agir aussi sottement.

Elle avait employé le mot français, et Zoltan s'enquit, avec un sourire :

– Qu'est-ce que c'est qu'un *manque* ?

Je traduisis à son bénéfice :

– Une perte... un trou... l'absence de quelque chose.

– *Quel sang-froid !* commenta Lélia. Elle a toujours été *très dure*, celle-ci !

– Tout à fait d'accord, approuva Zoltan. *Très dure*, en français comme en anglais ou dans n'importe quelle autre langue. Elle ne porte pas du noir parce qu'elle est en deuil. Le noir est généralement considéré comme la couleur du pouvoir, et le pouvoir est son objectif. C'est ce qu'elle cherche.

Lélia en pleurait presque.

– Qu'est-ce que c'est que le pouvoir ? Ce qui compte, c'est le charme. Vous, Zoltan, par exemple, vous êtes un homme charmant. *Très gentil.*

J'ajoutai, pour faire bon poids :

– Bien élevé. Propre sur lui.

– Cet homme charmant, reprit Lélia. Il n'a qu'une idée en tête. Faire l'amour avec toi. Mais tu es tellement idiote que tu ne vois rien, et que tu parles de pouvoir. Parce que tu voudrais être l'homme !

Tor ne souriait plus.

– Lélia ! Vous me voyez vraiment désirer un expert fiscal vêtu de noir ? Ce genre de personnage est beaucoup moins attirant qu'on pourrait le croire. Je vais plutôt aller voir ce qui retient aussi longtemps Georgiane.

Sur quoi il disparut sans m'accorder un autre regard.

– Lélia, vous avez gêné le docteur Tor. Toute cette sagesse européenne que vous déployez n'est amusante que jusqu'à un certain point.

Mais elle n'était pas prête à s'avouer vaincue.

– Il t'aime, *cherrie*. Tu peux me traiter de vieille folle, mais il faut de la folie, parfois, pour y voir clair et dire la vérité à qui veut l'entendre. Monet aveugle, je pouvais l'aider. Je pouvais voir les fleurs pour lui, mais comment aider un cœur aveugle ?

C'est le moment que choisit Georgiane pour faire son entrée, dans une robe archicourte ornée de paillettes qui étincelaient à chacun de ses mouvements.

– Sus à la Chambre prune ! Tout est bien en place, là-bas.

La grosse presse à imprimer en occupait le centre, au-delà du carré de bâche qui protégeait le plancher. Il y avait des fournitures et du matériel sur les tables et, monté sur l'échafaudage, un agrandisseur de photos et une caméra braquée vers la presse.

Georgiane se tenait sur un pied, l'autre jambe enroulée autour de son mollet, comme une sale gosse, quêtant notre approbation de ses grands yeux candides. Tor, lui aussi, se comportait comme un enfant qui vient de recevoir son premier train électrique, pressant un bouton, abaissant un levier, écoutant avec ravissement le concert des déclenchements mécaniques. Je me demandai si Lélia était au courant de notre petit pari. Elle se tenait, attentive, sur le seuil de la pièce.

– C'est pas fabuleux ? haletait Georgiane, au comble de l'excitation.

– C'est surtout impressionnant. Mais qu'est-ce que vous comptez faire avec tout ça ?

– Contrefaire des titres boursiers, riposta froidement Zoltan, sans cesser de bricoler son nouveau jouet. Je croyais te l'avoir déjà dit.

– Pas le moins du monde ! Je pensais que vous alliez prendre d'assaut la Caisse des dépôts, histoire de montrer à quel point c'est facile.

Il en eût fallu davantage pour ébranler son assurance.

– Pourquoi aurais-je besoin d'un photographe, si je voulais exécuter un simple hold-up ? Je ne vais pas aller les chercher à la Caisse, je vais me contenter de les empêcher d'y entrer.

Copier les bons d'État et autres valeurs. Conserver les vrais. Entreposer les faux dans les chambres fortes de la Depository Trust. Comment ne l'avais-je pas compris plus tôt ? Même si cette explication simpliste était loin de résoudre tous les problèmes.

– Si tu n'entres pas dans l'établissement, comment vas-tu substituer les copies aux originaux ?

– C'est toute l'astuce.

Et Georgiane renchérit :

– Écoute un peu...

Elle cueillit une feuille sur la table et me la tendit. Le document comportait un encadrement périphérique bleu foncé, avec des inscriptions complexes, en écriture cursive. Je promenai le bout de mes doigts sur la surface irrégulière, en relief.

– Tor possède un exemplaire d'une bonne partie des bons qui vont s'échanger en grand nombre, ce mois-ci. Les plus aptes à se retrouver entre les murs de la Depository Trust. On en a déjà imprimé des quantités. Celui-ci n'est qu'un exemple.

– C'est vous qui avez imprimé ça ! Mais est-ce qu'ils n'ont pas tous des numéros de série ?

– Naturellement, intervint Zoltan. Et bien d'autres critères d'identification. Qu'on ne pourra connaître qu'en étudiant les originaux. En les interceptant sur le trajet, entre la firme de courtage et leur lieu de consignation.

Georgiane enchaîna, enthousiaste :

– On disposera de peu de temps pour graver ces numéros de série. C'est ce qui m'ennuie le plus. Le délai de séchage de l'encre. Les encres à séchage rapide se craquellent, et les encres à séchage lent font des taches, alors qu'il nous faudra des reproductions parfaites.

– Celle-là me paraît impeccable. Vous n'avez pas quelqu'un, un expert, à qui vous puissiez demander des tuyaux ?

Adossé au mur, Tor approuva froidement :

– Pas à moins de téléphoner à la Caisse des dépôts et de prendre rendez-vous.

Il me restait tout un tas de questions, dont les réponses ne me semblaient pas plus évidentes.

– Comment allez-vous obtenir les originaux ? En attaquant un camion blindé de la Brinks ? Et les filigranes ? Tous ces documents ont des filigranes. Même les billets de banque.

– Laisse-nous nos petits secrets de jeunes filles. Après tout, c'est toi, l'adversaire.

– Très juste ! appuya Georgiane. À partir de maintenant, motus et bouche cousue.

Je commençais à me sentir singulièrement exclue, et cherchai fébrilement le moyen d'ébranler une bonne fois leur assurance.

– Mais vous auriez tort de mépriser ma contribution. Après tout, je suis banquière. Par exemple, avez-vous pensé à l'enregistrement ?

– Quel enregistrement ?

– Quand quelqu'un achète des titres, on y imprime son nom. Et même s'ils restent tamponnés au nom de la firme de courtage, on enregistre l'identité du nouveau propriétaire. Zoltan est au courant. C'est lui qui m'en a parlé.

– C'est vrai, ça ? s'inquiéta Georgiane.

Le sourire de Tor n'avait pas changé d'un iota.

– Bien vrai, mes petits enfants chéris, et c'est pour ça qu'on ne va pas contrefaire n'importe quels titres. Seulement des titres sans enregistrement. Ce qu'on appelle des titres au porteur, dans tous les pays du monde.

Durant notre conversation, Lélia s'était éclipsée et n'était pas encore revenue lorsque la soubrette vint nous annoncer que le dîner allait être servi. On ressortit, en silence, de la Chambre prune. À mi-chemin de la salle à manger, je demandai à Georgiane :

– Lélia est-elle au courant de tout ça ?

– Oh, tu connais maman. Impossible de la tenir à l'écart. Elle nous a offert son aide dans tous les domaines imaginables. Je ne crois pas qu'elle ait bien compris qu'il ne s'agit pas d'un simple jeu. En fait, je ne suis pas sûre de l'avoir bien compris moi-même. Quelle que soit la pureté de nos motivations, on fait tout de même des choses illégales. Si on se fait coincer avant d'avoir restitué l'argent, on va se retrouver en taule !

– Raison de plus pour éloigner Lélia au maximum. Tu sais comment elle est.

Zoltan traînait en arrière, s'attardant devant chaque tableau pendu entre deux portes à miroirs. J'ajoutai au bout de quelques pas :

– Rien ne t'oblige à faire ça, Georgie. D'accord, c'est moi qui te l'ai présenté, mais c'est lui qui a déclenché ce cirque. Il a toujours aimé me compliquer la vie, c'est pour ça que je l'évitais comme la peste, depuis des années. Bien que je ne sois pas toujours assez futée pour m'en souvenir...

– Si tu veux mon avis, chuchota-t-elle, il représente la meilleure chose qui puisse t'arriver. Tu n'as rien vécu de particulièrement aventureux, depuis que je te connais.

Je devais reconnaître qu'elle avait raison. Si Tor ne m'avait pas entraînée dans cette histoire de pari, jamais je n'aurais envisagé d'aller aussi loin que je me disposais à le faire. Et c'était bien là ce qui me contrariait le plus.

Il nous rattrapa sur le seuil de la salle à manger. La longue table de chêne avait été cirée. Les arrangements floraux, gui et narcisses blancs, se reflétaient dans sa surface polie. Un chandelier à branches multiples en occupait chaque extrémité, auprès d'un grand seau à champagne. Tout le décor baigné de lumière sentait bon Noël. On hésitait à s'asseoir quand Lélia nous rejoignit en courant.

– J'ai trouvé la solution !

Avec un grand sourire complice, elle exhiba ce qu'elle avait tenu caché, jusque-là, derrière son dos. Il s'agissait d'un banal sèche-cheveux affectant la forme d'un gros revolver.

– Maman, tu es un génie ! s'écria Georgiane. J'aurais dû y penser moi-même.

– C'est aussi simple que les cheveux sur ta tête ! claironna Lélia, rayonnante. Je le tiendrai en place pendant que vous sécherez vos encres pour le crime du siècle. Alors, je serai importante, non ?

– Vous serez importante, oui ! affirma Zoltan en la serrant sur son cœur.

Comme toujours à la table de Lélia, le repas fut merveilleux, carottes Vichy, aspic de légumes aux truffes, faisan rôti avec une sauce aux baies sauvages et une garniture de châtaignes. Alors qu'on pensait ne pouvoir plus rien avaler, arrivèrent les desserts, le café et les liqueurs.

Lélia fit apporter des cigares. En prit un elle-même, qu'elle alluma à l'aide d'une longue bougie. Zoltan se sentait bien, et d'humeur bavarde. Lélia, pleine d'attention, lui servit un cognac, dans un ballon à dégustation hypertrophié.

– Tu sais, amorça-t-il en se tournant vers moi, voilà des années que je pense au problème de la Depository. Mais je n'y aurais sans doute jamais rien fait si tu n'étais pas venue me trouver avec cette idée farfelue.

– Tu n'avais pas besoin de moi, ni de ce pari, pour attirer l'attention en détournant quelques millions de dollars et en les restituant de façon spectaculaire.

Il approuva gravement, d'un long hochement de tête.

– Tu as raison. Mais il y beaucoup plus en jeu que la démonstration de l'insuffisance des systèmes de sécurité. C'est pourquoi je tiens à notre pari. J'ai vu trop de corruption rampante et de rapacité dans la communauté mondiale de la haute finance. Bien qu'ils soient là, en principe, pour protéger l'argent de leurs clients, banquiers et investisseurs en viennent fréquemment, au fil des années, à considérer cet argent comme leur propriété personnelle. Ils jouent gros, ils prennent des risques, sans plus d'intuition que de compétence. Des civilisations entières ont été détruites par cette sorte de roulette russe.

– Je vois. Tu es le chevalier à l'armure étincelante qui part en croisade contre ces pourris ! Je croyais que tu ne faisais jamais rien pour des motifs altruistes.

Mais je savais qu'il avait raison. Les scandales financiers ne manquaient pas. Aux mains d'hommes sans scrupules et sans honneur, des banques fermaient boutique. Les « erreurs » qui avaient été faites dans ma propre banque allaient de l'incompétence criminelle à l'escroquerie pure et simple, mais le système perdurait. À bien y penser, l'intransigeance de Kiwi sur les questions de sécurité semblait anodine en comparaison.

– Tu peux me dire comment notre pari s'inscrit dans ce grand dessein ?

– Que tu le croies ou non, c'est la vérité. La façon dont je compte investir notre argent appuiera mon point de vue, rendra cette vérité d'autant plus évidente. Mais c'est la seconde partie du projet. Je te l'expliquerai plus tard dans le détail.

– Il me tarde de l'entendre.

Ce n'était pas un vain mot. J'avais hâte de savoir quels atouts Zoltan cachait encore dans sa manche.

– Si la haute finance, relança-t-il, était pratiquée comme elle l'était jadis, à l'époque des Rothschild, par exemple, les choses seraient très différentes. Ces gens-là étaient habiles, parfois même impitoyables, mais jamais corrompus. Les Rothschild, à eux seuls, ont créé la banque telle que nous la connaissons aujourd'hui. Ils ont stabilisé la monnaie, par-delà les frontières, construit un monde économique où n'avaient sévi auparavant que des groupes d'intérêts particuliers qui...

156

– Une histoire tellement ennuyeuse, explosa Lélia. Ils doivent se marier *avec leur propre famille* pour être acceptés. Le vieux en question, c'était un vrai *cafard* !

Une fois de plus, je traduisis la réplique entrecoupée de mots français, au profit d'un Zoltan que l'intervention véhémente de Lélia avait quelque peu désarçonné :

– Une blatte, un parasite. Les Rothschild se mariaient entre membres de la même famille, pour préserver leurs héritages, je suppose.

– Quels *cochons* ! maugréa Lélia.

Et je traduisis :

– Quels pourceaux !

Battant d'une courte tête la réprobation automatique de Georgiane :

– Ça suffit, maman. C'est un de tes refrains qu'on connaît par cœur !

– Si la vérité n'est jamais dite, se rebiffa sa mère, l'histoire est un *éternel retour* ! Ton papa, il se relèverait dans sa tombe... car on lui a tué son... comment dit-on, *cherrie* ?

Pas bien difficile à deviner. Je suggérai :

– Son âme. Si on n'en parle jamais franchement, il se dressera dans sa tombe.

Au tour de Georgiane d'exploser :

– Ça va, je sais ce qu'elle veut dire. Bon sang, c'est ma mère !

Sincèrement contrarié, Zoltan s'excusa :

– Je n'aurais peut-être pas dû aborder ce sujet. Je...

Coupé, dans son élan, par cette déclaration sibylline de Lélia :

– Les glycines !

– Pardon ?

– Les glycines. C'est le nom des fleurs.

Fidèle au rôle qui m'était dévolu, je rappelai méthodiquement :

– Les glycines. C'est-à-dire les fleurs que Lélia admirait...

Et comme Zoltan avait quelque peine à se raccrocher aux branches :

– Dans le jardin de Monet, à Giverny.

– Je vois.

– Le mot qui manquait, dans une conversation précédente.

– Évidemment ! Quoi de plus logique ?

– Il faut que je te montre quelque chose.

Nous sortions, dans la voiture de Zoltan, du garage souterrain de Lélia, et redescendions Park Avenue à vitesse croissante. Je m'entendis gémir :

– Ah non, pas maintenant ! Il est près de minuit, et mon avion part de bonne heure, demain matin. Je suis sûre que ça peut attendre.

– Ce ne sera pas long. C'est quelque chose que j'ai acheté. Je veux que tu me dises si c'est un bon placement ou pas.

– Si tu l'as déjà acheté, en quoi mon opinion peut-elle avoir une importance quelconque ? J'espère que ce n'est pas une tentative de séduction à huis clos, style promotion canapé ?

– À une heure pareille, loin de moi toute idée de m'en prendre à ta vertu implacable ! Non, non, c'est un investissement qui exige un grand espace pour être pleinement apprécié !

– Un investissement *en plein air* ! Tu plaisantes, non ? Par ce temps et à cette heure ! Où vas-tu ? C'est la route du pont.

Il ricana, enchanté :

– Tout juste ! On va à Long Island, où nulle personne civilisée n'aurait l'idée de mettre les pieds en cette saison. Mais toi et moi, on n'a jamais été tellement civilisés, de toute manière !

La voiture attaquait la rampe conduisant au pont. Je me réveillai en sursaut, un temps indéterminé plus tard, avec la tête posée sur les genoux de Zoltan, dont la main me caressait doucement les cheveux. Il avait ôté son manteau, pour m'en couvrir, afin que le froid de la nuit n'achevât pas de me congeler.

Je risquai un œil à travers les vitres dépolies par le gel. Devant nous, la lune se noyait dans les eaux noires de l'océan. Enfin, pas tout à fait l'océan, rien qu'une sorte de lac ou d'étang, mais l'eau ou plus exactement la glace qui la recouvrait clouait sur place des douzaines de bateaux.

– Comment peut-on les laisser au mouillage, par ce temps ? La dilatation de la glace ne peut pas les endommager ?

– Oui, s'il s'agissait de bateaux ordinaires. Mais ce sont des bateaux magiques. Des bateaux construits pour résister à la glace. Et celui-là, avec le grand mat rouge, c'est le mien.

– Drôle d'investissement !

– Viens, je vais te montrer.

On descendit de voiture, dans nos vêtements du soir, et il m'entraîna, doucement, à travers la neige craquante. Il faisait encore plus froid que je ne l'imaginais, et les sautes du vent nocturne projetaient les flocons en tous sens, à la surface du lac qui prenait, sous la lune, un aspect onirique. Je me remémorai l'histoire de la Reine des Neiges, qui parcourait le ciel dans son traîneau en faisant pleuvoir des morceaux de glace sur la terre afin d'y geler le cœur des enfants.

– Tu vois, m'expliqua Zoltan en m'aidant à embarquer, ce bateau est extrêmement léger, avec une voile pour profiter du vent, et deux patins glisseurs...

Ouvrant une écoutille, il en tira une voile qu'il entreprit de déplier en travers du pont.

– En somme, c'est un voilier, mais parce qu'on se déplace sur la glace, qui contrairement à l'eau, n'offre aucune résistance, on va beaucoup plus vite, même avec beaucoup moins de vent.

– Pourquoi hisses-tu la voile ? Tu n'as pas l'intention de traverser maintenant ?

Mais pour toute réponse, il me fit asseoir sur un des sièges en me tendant une sorte de harnais.

– Prends cette ceinture et boucle-la, tu veux ?

Je la bouclai, au double sens du terme, et il hissa la voile, à grands gestes précis. La glace noire était effrayante. Je me voyais déjà passer par-dessus bord et glisser, sur mon élan, jusqu'où personne ne pourrait plus me rattraper. Déchirée tout du long par les aspérités tranchantes de la glace. Ou pis encore, fracasser la croûte superficielle et sombrer dans les profondeurs insondables, sans pouvoir, jamais, retrouver la sortie.

– Tu vas voir comme ça va te plaire !

Il amarra un dernier filin, la voile claqua, et le bateau bondit en avant. Prit si rapidement de la vitesse, dans un silence presque total, qu'il me fallut plusieurs secondes pour comprendre ce qui se passait.

Je me retournai face au vent, mais il charriait tant de lames de rasoir que je relevai le col de mon manteau sur mon visage. Chaque flocon de neige était un projectile incandescent qui me brûlait la peau. Et qui s'attaqua violemment à mes paupières lorsque je fermai les yeux. J'essayai de parler, malgré la bise acérée :

– Co... comment peux-tu... gouverner... cet engin ?

– En portant mon poids du bon côté, ou en tirant sur la voile... Je peux aussi orienter les glisseurs, à l'aide de ce levier.

On volait si vite sur la glace que je m'attendais à décoller d'une seconde à l'autre. Une terreur panique me consumait l'estomac, comme un métal chauffé à blanc. Mes yeux versaient de grosses larmes qui m'aveuglaient. Comment Tor pouvait-il voir où il allait, sans lunettes de protection ?

Quand je lâchai mon siège pour me frotter les paupières, je vis que le capitaine avait légèrement changé de cap. On fonçait droit sur le rivage opposé, à vitesse toujours croissante. Arbres, cailloux et plantes gelées nous arrivaient dessus, en droite ligne. On allait s'y fracasser, rejaillir en pièces à travers la patinoire. J'en aurais hurlé. Je refusais d'y croire. Des éclaboussures de glace martelaient le pare-brise avec une violence inouïe, formant avec la neige un rideau compact qui ne m'empêchait pas, hélas, de distinguer, alentour, les premiers arbrisseaux, les premiers quartiers de roche plantés dans la glace. On allait toucher l'autre rive, de plein fouet. Il était trop tard pour virer de bord.

Je suffoquais. Mon cœur cognait à tout rompre. J'empoignai le bastingage de l'infernal rafiot alors que nous foncions à la rencontre de la terre ferme. Mon estomac subit une ultime convulsion, encore plus violente que les autres, une fraction de seconde avant que ne se produisît la collision mortelle.

À cette différence près qu'elle n'eut jamais lieu. Au dernier moment, Tor avait fait je ne sais quelle manœuvre, et l'esquif décrivait une large courbe épousant, à courte distance, celle du rivage. Le temps semblait s'être arrêté. Mon cœur battait toujours très fort, mais à sa place habituelle, quelque part dans ma poitrine. Quand on ralentit enfin, une brusque poussée d'adrénaline s'injecta dans mes veines, ramenant peu à peu l'ensemble de mes fonctions à leur rythme normal.

– Ça t'a plu ?

Il n'avait même pas remarqué, le monstre, que j'avais failli en mourir de trouille. J'avais les jambes cotonneuses, et ma colonne vertébrale ne valait pas mieux. Jamais je n'avais éprouvé une telle frayeur. Je ressentais, après coup, une rage meurtrière, mais si je le coupais en rondelles sur place, je ne pourrais jamais rentrer à New York.

Que disait-il, à présent ?

– Maintenant qu'on est bien chauds, si on essayait quelque chose de *vraiment* excitant, d'accord ?

Mon cœur ne supporterait rien de plus, je le savais. Mais j'étais si frigorifiée, et dans un état de choc tel que je n'avais plus la force de répondre. En outre, je le soupçonnais fortement d'aimer jouer avec mes nerfs. Toute manifestation de faiblesse ne servirait qu'à prolonger mon supplice.

Sans attendre ma réponse, d'ailleurs, il réajusta sa voile dans le vent et l'engin reprit une telle vitesse que le proche défilé du rivage apparaissait curieusement brouillé. Tant qu'on restait près de la côte, toutefois, je me sentais un peu plus rassurée. Jusqu'à ce qu'il repiquât, brusquement, à travers le lac, dont l'immensité se redéploya devant mes yeux alors qu'il se congratulait, en proie à une jubilation intense :

– Par bon vent, ces bateaux glisseurs peuvent dépasser les cent nœuds.

Plus fort que moi, je questionnai, sans véritable envie d'entendre la réponse :

– C'est quoi, un nœud ?

Si je le faisais bavarder, peut-être oublierait-il cette idée stupide de faire je ne savais quelle chose *réellement* excitante ? Mais l'excitation, l'enthousiasme étaient toujours là, quand il chanta littéralement :

– C'est l'équivalent d'un mille marin. Mille huit cents mètres et des poussières. On en a déjà fait plus de soixante-dix à l'heure.

– Quel pied !

Mais le cœur n'y était pas. Il s'étonna, en m'observant du coin de l'œil :

– Tu n'as pas eu peur ?

– Tu rigoles ?

J'étais à deux doigts de m'évanouir, mais la voix avait sonné ferme, à mes propres oreilles.

– Formidable ! Alors, on va y aller sérieusement. On va *voler* !

Et cette fois, j'allais y laisser ma peau, c'était sûr.

La voile se gonfla. Le mat craqua. Sans casser, hélas. La neige nous fouettait si fort, en masses si compactes, qu'elle bloquait totalement la vue. Cette progression vertigineuse, à l'aveuglette, dans un silence bizarrement feutré, était encore plus effrayante que tout ce qui l'avait précédé.

Brusquement, la neige disparut, et mon cœur cessa de battre.

Nous étions presque à terre ! Des bateaux se dressaient devant nous, tels des monstres en embuscade. En portant son poids d'un côté, Tor inclina l'engin. Si je n'avais pas bouclé cette ceinture, j'aurais été éjectée, la tête la première. Il vira si sec qu'en bonne logique, le seul glisseur encore à terre aurait dû déraper et nous planter dans le décor. Je vis la glace de très près. À quelques centimètres de mon visage. Puis l'engin retomba sur ses deux patins et décrivit une large courbe, en direction du quai.

Je respirais par à-coups, pour ne pas défaillir. Tor slalomait gracieusement entre les obstacles. Un virtuose ! Quand on atteignit la rive, il descendit la voile, introduisit le bateau, en crabe, dans un espace libre. Et bondit à terre pour l'amarrer.

Pliant sous le poids conjugué du froid et de la terreur passée, je saisis la main qu'il me tendait, gagnai le quai d'une embardée avec son assistance. Je me sentis alors comme regonflée par une énorme bouffée de chaleur, un accès d'énergie interne qui transcendait, de très loin, toute hystérie résiduelle. Il me fallut un bon moment pour comprendre de quoi il s'agissait, mais c'était, tout bonnement, de l'euphorie.

Une euphorie qui me poussa même à soupirer, sans penser à ce que je disais :

– C'était formidable. J'ai adoré.

– J'en étais sûr. Tu peux me dire pourquoi ?

– Les émotions fortes ? La trouille ?

– Précisément. La peur de la mort, c'est l'affirmation de la vie. Les hommes le savent. Les femmes, beaucoup moins. Je l'ai senti, ce premier soir où je t'ai vu. Tu étais comme une enfant égarée. Tu avais si peur de perdre ton boulot que tu as bondi sur place quand je t'ai parlé. Tu avais vraiment peur, mais ça ne t'a pas arrêtée. Je t'ai tendu la main, et tu l'as prise. Tu as relevé leur défi, seule contre tous.

Il souriait en me serrant contre lui. Trop longtemps et trop fort. Sa chaleur me pénétrait à travers mon manteau, et ses lèvres frôlaient mes cheveux. J'avais plus peur que jamais, tout à coup. Sans savoir pourquoi.

– C'est pour ça que je t'ai choisie.

– Choisie ?

Je me dégageai brusquement. Levai les yeux vers son visage.

– Qu'est-ce que tu peux bien vouloir dire par là ?

– Tu sais parfaitement ce que je veux dire.

Il avait perdu un peu de son assurance. Le clair de lune accentuait sa pâleur et faisait de ses cheveux cuivrés une crinière d'argent. Il plaça ses deux mains sur mes épaules et se pencha vers moi. Je ne lui avais jamais vu une telle expression.

– Je suis peut-être un peu trop endurci. Tous les gens que je rencontre m'ennuient à mourir. La vie n'offre plus de vrais défis aux esprits comme le mien. Tu m'as beaucoup manqué, ma chère. Je suis heureux que tu sois de retour.

Mon cœur battait le tam-tam. Sans doute à cause de toutes ces émotions récentes. J'objectai :

– Je ne suis pas de *retour*. Et je croyais que c'était moi qui étais trop endurcie. Ce n'est pas ce que tu m'as toujours dit ?

– Tu n'es pas endurcie, tu es refoulée. Comment pourrais-tu t'être *endurcie*, sans avoir jamais donné libre cours à tes émotions ?

Il pivota sur lui-même et se dirigea vers sa voiture. Je me hâtai de le suivre, dans mes chaussures ridiculement inadaptées au terrain et au temps. J'avais eu beaucoup de chance de ne pas les perdre en route. Tout en trébuchant dans son sillage, je lui criai, vengeresse :

– J'ai souvent donné libre cours à mes émotions !

Consciente, en le disant, du ridicule de mon apostrophe. En me poussant dans la voiture, sous les embruns, sans douceur particulière, il gronda :

– Moi aussi, je sais donner libre cours aux miennes. Et pour l'instant, c'est de la colère que je ressens ! À me demander pourquoi je n'ai pas encore pris un bon fouet de dompteur pour te tanner le cuir !

Il s'assit à son volant, enfila ses gants et lança le moteur, attendant qu'il chauffe. Nos haleines embuaient les vitres, et je ne savais trop que dire. Enfin, sur l'inspiration du moment :

– Je crois que c'est un bon placement.

– Qu'est-ce qui est un bon placement ? Le bateau, ou le fouet que je devrais acheter ?

– Non, le bateau. Je le pense vraiment. Qu'est-ce qu'il y a de si drôle ? C'est bien ce que tu voulais me montrer.

Il en pleurait de rire.

– D'accord, le bateau est un bon placement. La banquière de l'année approuve. Je suis content qu'il te plaise. À ta disposition, si tu veux t'en servir.

– Ne dis pas de bêtises. Je n'en ai rien à faire, de cette sorte d'engin. Je vis à San Francisco, tu te rappelles ? Et j'ai bien l'intention d'y rester.

Il rugit, avec une véhémence qui ne lui était pas habituelle :

– Tu vis dans tes fantasmes !

Puis il passa sa première, sauvagement, et reprit la route, patinant dans les virages en projetant à la ronde des giclées de neige et de terre. Dans la lueur verdâtre du tableau de bord, j'observais, à la dérobée, son profil tendu. Plusieurs minutes s'écoulèrent avant qu'il ne me vienne quelque chose à dire.

– Je ne te comprends pas. Je ne t'ai jamais compris. Tu dis que tu veux m'aider, mais tu agis en propriétaire. Tu me voudrais différente, conforme à une image que tu te fais de moi, mais je ne sais pas laquelle. Je ne l'ai jamais su.

– Moi non plus, admit-il calmement. Avant de répéter, comme pour lui-même :

– Moi non plus.

On roula un bon moment en silence. Puis il retrouva son sourire.

– Il y a un point commun entre toi et ce bateau.

Tourné vers moi, dans la semi-obscurité de la voiture, il sourit de plus belle.

– Toi aussi, tu es un bon placement.

NÉGOCIATIONS

« J'ai découvert que c'était une bonne méthode
de marchander le prix fixé par le fermier, de le lui faire
rabattre au maximum, sou par sou. Aussi étrange
que cela puisse paraître, c'est ce qui le poussera
à vous faire confiance. »
« J'avais appris très tôt que si l'on n'a pas d'argent
en poche, il faut savoir parler d'or. »

Le Livre de Daniel Drew, BOUCK WHITE

Quand mon avion amorça sa descente, au-dessus de San
Francisco, le soleil resplendissait dans le ciel, la baie était toujours
aussi bleue, les petites maisons des collines toujours aussi jolies,
avec leurs teintes pastel, au milieu des eucalyptus agités par une
douce brise parfumée. Les pluies torrentielles de ces derniers jours
avaient laissé derrière elles un paysage plus propre et plus harmo-
nieux qu'à la veille de leur passage.

Pearl et Tavish m'attendaient dans le bolide émeraude, vêtus
de T-shirts marqués « Qualité garantie ». Je n'avais tout simplement pas songé au problème de caser trois personnes dans une
deux places décapotable.

– Bobby va nous arranger ça, décida Pearl en me serrant sur
son cœur. Les hommes se débrouillent mieux que nous pour ce
genre de casse-tête.

– En Écosse, la contredit Tavish, mes bagages en main, c'est les
femmes qui portent les fardeaux pendant que nous autres

hommes allons discuter au pub de la meilleure répartition du travail dans la société moderne.

On ne fut pas trop de trois pour arrimer valises et sacs partout où il y avait de la place. Après quoi Tavish se glissa entre nous deux, tant bien que mal, dans l'espace réduit qui séparait les deux sièges.

J'attendis que Pearl eût repris son allure de croisière pour leur dire à tous les deux :

– J'ai une confidence à vous faire. Je n'ai pas seulement préconisé l'installation du cercle de qualité pour tester les systèmes de sécurité et prouver que tout le monde a tort, Kiwi en tête. Ma véritable intention est de dévaliser la banque.

– C'est ce que tu m'as dit, rappela Pearl. Mais personne ne croit que tu vas saborder ta carrière juste pour marquer un point. Si tu écrivais plutôt un livre sur le sujet ?

C'était le moment ou jamais de passer aux aveux :

– La situation, entre-temps, s'est légèrement compliquée. Je ne veux plus seulement marquer un point. J'ai parié que je pouvais le faire, et j'ai bien l'intention de gagner mon pari.

– Tout le monde aux abris ! souffla Tavish, aux trois quarts étouffé, d'une voix mourante. Tu as parié que tu pouvais impunément détrousser la banque, et moi, je parie qu'on va tous finir en taule. Tu es tombée sur la tête, ou quoi ?

L'œil fixé sur son rétroviseur extérieur, Pearl pesta doucement :

– Oh, merde ! On a de la compagnie !

Elle se rangea, comme une bonne citoyenne, sur la voie d'urgence, ouvrit sa portière, sortit de la voiture et tira sur son T-shirt, afin de bien mettre en relief le slogan « Qualité garantie », sur ses supports anatomiques.

Je louchai, par-dessus mon épaule et les genoux de Tavish, pour mieux apercevoir le grand, beau et très jeune motard qui, ayant béquillé sa machine, s'avançait vers nous, carnet de contraventions au poing.

– Je suis derrière vous depuis l'aéroport, madame, dit-il en portant sa main à son casque.

Il nous dévisagea, Tavish et moi, tassés contre la portière opposée comme des sardines en boîte.

– Vous avez un passager en surnombre, madame. C'est une infraction aux règles de sécurité, et je vais devoir le signaler. Changement de file répété, excès de vitesse, conduite dangereuse. Vous avez même doublé hors de la chaussée. Et vous n'avez pas de ceintures...

Il ouvrit son carnet à souches, secouant tristement la tête. Alors que Pearl, provocante, palpait entre deux doigts le revers de son uniforme.

– Mon Dieu, mais quel beau tissu. Et tellement seyant. C'est une nouvelle tenue ?

Le jeune policier en laissa choir son carnet. Elle le ramassa prestement et le lui rendit, avec le sourire. Je n'avais jamais vu un flic tenir plus de quelques minutes en face de Pearl.

– Oui, madame, disait-il. Papiers du véhicule et permis de conduire, je vous prie.

– Le costume vous va si bien. Coupé à vos mesures, je parie ?

Une phrase de plus dans ce style, et on aurait de la chance qu'elle ne se fasse pas coffrer pour tentative de racolage !

– Je suis vraiment désolée, monsieur l'agent. À vrai dire, cette voiture est presque trop puissante. J'ai beau faire le maximum pour respecter les limites, il lui arrive de s'emballer, si vous voyez ce que je veux dire.

– C'est un véhicule surpuissant, admit le motard. Une Lotus, n'est-ce pas ? La première fois que je rencontre ce modèle.

– Mais vous êtes un expert en automobiles ! J'appartiens au Club Lotus, c'est une édition spéciale, il n'y en a pas plus de cinquante à travers le monde. Très peu de gens l'auraient reconnue !

– J'ai été mécanicien dans l'armée, avoua-t-il modestement.

– Vous avez servi dans les *forces armées* ! Vous semblez si jeune pour avoir déjà fait tant de choses ! Si vous me disiez que demander au juste, à ma prochaine révision ? Pour qu'elle ne m'échappe plus de cette manière.

Le carnet redisparut dans la poche du représentant de l'ordre.

– Je peux jeter un coup d'œil sous votre capot ?

J'échangeai, en cachette, un sourire complice avec mon voisin, tandis que Pearl s'exclamait, apparemment très émue :

– Comment vous dire à quel point je vous en serais reconnaissante ?

On déjeuna sous les palmes arachnéennes et l'immense voûte vitrée du *Palace Palm Court*. Œufs en meurette, plat exotique et décalitres de café fort. En dégustant sa dernière tasse, Tavish me félicita :

– Bravo pour le choix de tes complices ! On vient de voir mademoiselle Lorraine violer impunément la moitié des règles du code de la route, et tenter de corrompre un officier de police avec son corps sculptural !

– Juste un motard de la brigade routière, rectifia Pearl. La Californie a les flics de la route les plus mignons de tout le pays et, croyez-moi, j'en ai fait maintes fois l'expérience. J'adore quand ils jouent les gros méchants avec moi.

Le restaurant était presque vide. Moquette or et pêche, piliers de marbre, nappes blanches prestement remplacées après le coup de feu de midi composaient le décor idéal pour ce que j'avais à leur dire :

– Ouvrez les oreilles, vous deux. La semaine dernière, ma candidature avait été agréée, à la Banque fédérale de réserve, au poste de directrice de la sécurité. Toute ma vie, j'ai ambitionné d'améliorer la façon déplorable dont les banques sont gérées, du moins dans mon petit domaine. Mais je suis dans une impasse. Je ne pourrai pas faire mieux que ce que j'ai déjà fait. Il n'y a pas de femmes à la haute direction. Aucune ne siège non plus au conseil d'administration. Je ne vivrai pas assez longtemps pour atteindre mes objectifs, comme j'aurais pu le faire à la Fed.

– Et qu'est-ce qui s'est passé ? s'informa Tavish.

– Qu'est-ce que tu crois ? Kiwi m'a sabordée, et tu sais pour quelle raison ?

– Parce que tu aurais été sur son dos pour qu'il fasse les choses qu'il a toujours refusé de faire. Comme de dépenser cinquante *cents* de plus pour perfectionner le pointage des bordereaux.

– Donc, c'est une vengeance, conclut Pearl, épanouie. Tu veux qu'on t'aide à prouver que c'est un minable.

– C'était ça, au départ. Mais j'ai appris quelques petites choses, depuis lors. Kiwi n'est que la partie émergée de l'iceberg. Je veux mettre au jour toutes les incompétences plus ou moins crasses qui nous entourent. Et je compte sur votre aide.

– Que je te comprenne bien, résuma Tavish. On va braquer les projos sur tous les banquiers du monde, forcer la communauté de la banque à se conduire honnêtement, juste en apportant la preuve qu'un petit système de sécurité a foiré chez nous. À la grande Banque mondiale !

Il jouait les cyniques, mais il avait dit « on va ». Puis, Pearl prit le relais :

– Je suis d'accord avec l'Écossais. Je crois que tu t'es emballée, Verity, et il n'est pas trop tard pour faire machine arrière. Je suis désolée, j'aurais dû t'apprendre au téléphone que Tavish et moi avons pris en ton absence une initiative qui change un peu la face des choses.

– Pas pu faire autrement, confirma Tavish. On a cru que tu plaisantais. Que tu ne pensais pas vraiment ce que tu disais. On a eu peur qu'ils te balancent à Francfort, en plein hiver, et d'avoir à bosser pour les Kiwi et autres Karp, sans aucune porte de sortie.

– Oh, non !

J'en avais le cœur qui flanchait.

– Eh bien, allez-y. Qu'est-ce que vous avez fabriqué ? Je m'attends au pire.

– On a, souffla Pearl, rédigé un rapport officiel au comité de direction. Leur suggérant de ne pas te laisser à la tête du cercle de qualité.

La fureur m'aveuglait. Je ne voyais plus rien. Ou je voyais rouge. Ils s'efforcèrent de me calmer, autour d'un dernier verre. Mais le plat du jour refusait de descendre. Après toutes ces machinations, tous ces calculs machiavéliques, ils m'avaient dépouillée, non seulement de mon cercle de qualité, mais de toute chance de remporter mon pari. À moins d'un miracle, je serais avant peu l'esclave de Zoltan Tor, pour une durée d'un an et un jour.

Ils débordaient de regrets et d'excuses, insistant sur le bien-fondé de leur initiative. Finalement, je me calmai juste assez pour entendre leurs explications complémentaires.

Pearl :

– On n'a pas dit que le cercle ne marcherait pas avec toi. On savait que Kiwi voudrait récupérer le groupe pour son propre compte. Le refiler à Karp, peut-être. Pour s'assurer que personne ne toucherait à ses intérêts personnels. Tu serais reléguée à Francfort, et on n'y pourrait absolument rien. Ce serait la catastrophe.

Tavish :

– Alors, on leur a dit qu'en raison même du caractère hautement délicat de sa mission, le cercle ne devait rendre des comptes à *aucun* directeur chargé de mesures sécuritaires, puisque c'était précisément à ces systèmes qu'on était supposés s'en prendre.

– On s'est dit, enchaîna Pearl, que si tu n'étais plus patronne du cercle, Kiwi n'aurait aucune raison de vouloir t'expatrier. Je crois qu'on a fait une belle connerie.

– Peut-être pas.

J'étais crevée mais, ma colère passée, je respirais mieux. Après tout, leurs intentions avaient été bonnes.

– Savez-vous déjà à qui ils vont confier le groupe ? Sûrement pas à Karp. Il gère des fonds, lui aussi.

En y réfléchissant, je réalisais que pas un banquier n'accepterait de prendre en charge un tel groupe. Sinon pour diluer son travail au point de lui ôter toute efficacité possible. Que disait Tavish ?

– Notre rapport souligne qu'on ne doit référer de nos conclusions à personne. Du moins, pas à un chef de service en place. Par définition, on est au-dessus de ça.

– Mais il faut bien vous caser quelque part. Vous n'êtes pas une bande de loups assoiffés de sang. Vous avez un ordre de mission officiel, béni et signé par la haute direction de la banque.

Et c'est là, bien sûr, que j'ai entrevu la lumière. Aucune décision n'avait encore été prise. Il n'était sans doute pas trop tard.

– Que diriez-vous si je rejoignais le cercle moi-même, en tant que coordinatrice ?

Deux paires d'yeux me traitèrent de cinglée. Et Pearl prit ma main dans la sienne.

– Ma belle, il faudrait que tu abandonnes ton propre service. Tu retomberais au bas du tonneau, avec tous les autres poissons marinés. Sais-tu de combien de temps tu aurais besoin, pour remonter à la surface ?

– Laisse tomber, grogna Tavish.

– Vous oubliez que j'ai fait un pari. Avec quelqu'un qui se prétend meilleur escroc que moi. Je ne vais tout de même pas le laisser gagner.

– Et dire que la semaine dernière, philosopha Tavish, j'aurais juré que Peter-Paul Karp était mon plus gros problème !

Le regard vague, il repoussa une mèche égarée sur son front.

– C'est qui, ton coparieur... si ça n'est pas trop indiscret ?

– Tu as entendu parler du docteur Zoltan Tor ?

D'après leur silence, tous deux savaient de qui il s'agissait.

– Tu plaisantes ? Il est toujours en vie ?

– On a dîné ensemble hier soir, à New York. On se connaît depuis une douzaine d'années.

Tavish se retourna vers Pearl, comme pour la prendre à témoin.

– J'ai lu tous les livres du docteur Tor. C'est un génie. Un magicien. C'est à cause de lui que tout gosse encore, je me suis mis à l'informatique. Qu'est-ce que j'aimerais le rencontrer. Il doit être gâteux, aujourd'hui, non ?

– À trente-neuf ans ? Tu m'as demandé qui était l'autre parieur. C'est lui, et je peux te dire qu'il adore cette sorte de défi.

Je leur exposai les tenants et aboutissants. Ils m'écoutèrent sans m'interrompre. À la fin de mon récit, Tavish rayonnait. Et mon amie Pearl se tenait la tête à deux mains.

– Bien joué, ma belle ! Tu m'as vraiment eue, durant toutes ces années : tu n'es pas l'incarnation asexuée de la Banque avec un grand B que j'imaginais... si tu es prête à tout balancer pour relever un défi !

Tavish répliqua pour ma défense :

– C'est beaucoup plus qu'un défi, c'est un principe, et franchement, elle a raison. Dommage qu'on ait transmis ce rapport.

J'espère que c'est récupérable, et je vais t'aider à remporter ton pari.

– Vous n'avez peut-être pas eu tort d'alerter les hautes sphères. Mais maintenant, il n'y a plus qu'une chose à faire. Gagner ! On est une équipe ?

Tous deux superposèrent une main sur la mienne, au milieu de la table.

– Alors, procurez-moi un double de ce fameux rapport. D'ici à lundi, tout doit être au point.

Avec le lundi sept décembre, commença la troisième semaine suivant ma soirée à l'Opéra. Une éternité !

Pavel m'attendait devant la porte de mon bureau, une tasse de café à la main. Je lui tendis le cadeau que j'avais rapporté de New York à son intention, dans sa boîte bleu ciel de chez Tiffany. Il me remit la tasse de café, en échange, et me suivit dans mon bureau, en détachant le ruban de soie blanche.

– *La divine Sarah !* s'extasia-t-il en découvrant la vieille photo de Sarah Bernhardt que Lélia m'avait donnée, dans son cadre d'argent Art déco. Je reconnais la Salomé d'Oscar Wilde, juste avant qu'elle n'entreprenne de faire l'amour avec la tête coupée de saint Jean-Baptiste. J'adore ! Je vais la mettre sur ma commode, à la maison. Mais en parlant de tête coupée, j'espère que tu sais ce qui menace la tienne. Le seigneur Kiwi a passé le week-end en hibernation, lunettes noires comme une vedette de cinéma, derrière des rideaux tirés, écriteau *Do not disturb* sur la porte, le grand jeu ! Il veut te voir ce matin, toute affaire cessante. Ton cercle de qualité l'empêche de dormir. Et je sais écouter aux portes.

– Je ne suis pas encore arrivée.

– J'ai bien peur que si. Mais il y a un autre problème. Lawrence a téléphoné ce matin, à l'aube. Je venais tout juste de me pointer. Lui aussi veut te voir, en archipriorité. Même les lions se battent, quand ils n'ont qu'une seule chrétienne à se mettre sous la dent.

Les bureaux de Lawrence étaient au dernier étage, comme il se doit. Une enfilade de pièces vitrées composant un donjon inaccessible, avec vue imprenable sur le panorama de la ville.

174

Dans la banque, le pouvoir se mesure en mètres carrés de moquette, et Lawrence avait dû monopoliser tout ce que la ville comptait de tapis laineux gris anthracite. De l'entrée de ses bureaux à l'antre du fauve, il y avait dix bonnes minutes de marche. Mais ce n'était pas ma première incursion à cette altitude, et je connaissais tous les pièges du labyrinthe. Surtout, ne pas s'égarer dans les corridors, ou il faudrait lancer un avis de recherche.

De tous les hauts dignitaires de la Banque mondiale, Lawrence était le seul qui ne daignât pas s'impliquer dans les intrigues de cour et les bruits de couloir. Sa méthode n'était pas de comploter contre ses inférieurs, mais de les dominer et de les écraser, au besoin. C'était le roi du pilonnage psychologique, terme bancaire correspondant à « attaque les autres avant qu'ils ne t'attaquent ».

Son bureau personnel, c'était l'arme fatale. Sauf impossibilité matérielle, il y organisait tous ses entretiens. Quand vous en refermiez la porte derrière vous, l'absence de couleurs vous cernait de toutes parts, comme le brouillard précédant la bataille. Tout y était neutre. Monochrome. Dans la gamme des gris, à l'approche du noir. Afin de vous rappeler que vous aviez déjà perdu pied, faute de savoir où était le sol ferme.

Aucune trace de désordre, ni papiers épars, ni diplômes ou tableaux de maîtres aux murs, ni photos de la femme et des gosses sur le bahut, rien à quoi accrocher son regard. L'effet général était celui que produirait une arme braquée sur la tempe, sans que votre interlocuteur en perdît le sourire. Lawrence, le seul, l'unique, dans toute sa splendeur majestueuse.

Sur ce fond de vide absolu, sa personnalité se détachait comme une flamme à la fois dure et froide. Un homme sans attaches, sans émotions, aux décisions rapides et sans appel. Quarante ans, grand et mince, beau à sa manière. Et fatal, comme l'arme du même nom.

Quand je pénétrai dans son bureau, il portait un costume gris, avec des lunettes à monture d'or. Ses cheveux d'un blond cendré, argentés sur les tempes, brillaient au soleil qui entrait à flots par les murs de verre. Il se leva, les traits parfaitement inexpressifs, pour me regarder entrer, comme l'araignée doit regarder la mouche fourvoyée dans sa toile. Lawrence était un prédateur-né, mais pas de l'espèce habituelle. Il tuait par instinct, non pour assurer sa survie. Chez lui, c'était une seconde nature.

– Verity, désolé de vous avoir convoquée si tôt. Heureux que vous ayez pu venir tout de suite.

Lawrence aimait vous appeler par votre prénom, afin de vous mettre à l'aise, même si ses intonations suggéraient qu'à la moindre fausse note, il n'y aurait plus aucune place pour vous sur cette planète.

Un certain protocole s'associe au maniement du pouvoir. Les positions respectives, par exemple, du dominant et du dominé. Les dimensions du bureau massif de Lawrence le plaçaient à près de quatre mètres de ses proies, et les sièges qui leur étaient réservés juchaient sa grosse tête à plus de trente centimètres au-dessus du niveau des yeux de ses interlocuteurs. Je désignai, sans paraître y accorder une quelconque importance, les sièges confortables disposés devant une des baies, loin du grand bureau.

– Asseyons-nous là pour bavarder, voulez-vous ?

Faisant contre mauvaise fortune bon cœur, Lawrence choisit la chaise où les reflets géométriques issus des immeubles d'en face convertiraient ses lunettes en écrans protecteurs. Je déjouai sa manœuvre en déplaçant une autre chaise qui me mettait en bonne posture pour le regarder bien droit dans les yeux. Un geste probablement sans précédent, mais qui ne lui soutira aucune réaction perceptible.

Non que regarder Lawrence dans les yeux fût une expérience agréable. Il possédait ce don rare de fermer ses pupilles sans fermer ses paupières, comme font les chats, ou du moins, c'est l'impression qu'il donnait, quand il ne voulait pas que l'on pût lire ses pensées.

– J'ai appris que vous veniez de rentrer de New York. Comme je vous envie. J'ai passé mes dix premières années à la Banque mondiale au siège de Manhattan. Parlez-moi de votre séjour. Vous êtes allée au théâtre ?

Ne jamais interpréter cette cordialité de façade comme un signe favorable ou un bavardage inutile. Tout prédateur, c'est un fait avéré, peut décider d'amadouer sa proie, de jouer avec elle pendant des heures avant de la dévorer toute crue.

– Le temps m'a manqué, monsieur. Mais j'ai trouvé d'excellents restaurants... comme vous pourrez le constater quand vous aurez ma note de frais.

– Ha, ha. Toujours le sens de l'humour, Verity.

Lawrence était la seule personne, à ma connaissance, qui parvînt à rire sans sourire. Encore un de ses petits talents exclusifs.

– Vous savez sans doute qu'en votre absence, j'ai reçu un rapport du cercle de qualité dont vous assumez la direction ?

– Il vous a été adressé avec mon accord et sur mon conseil, monsieur.

– Avez-vous conscience, Verity, qu'il préconise que la direction de ce cercle de qualité ne soit confiée, sous aucun prétexte, à des collaborateurs actifs dans la manipulation des fonds ? Spécifiquement ceux qui dirigent des systèmes *on line* chargés de gérer les ressources financières de la banque.

– J'ai lu le rapport, monsieur.

S'il se demandait comment j'avais pu lire un mémorandum de cinquante pages, alors que j'étais censée rentrer tout juste de New York, après une semaine d'absence, il n'en laissa rien paraître. Je savais que rien ne lui échappait. Ou pas grand-chose.

– Vous proposez donc que la direction du cercle de qualité créé à votre instigation vous soit purement et simplement retirée ?

Je le regardais toujours directement dans les yeux, et c'était comme si je m'appliquais un sac de glace sur le ventre.

– La direction seulement, monsieur.

Ses pupilles se fermèrent brièvement. Le temps d'un déclic.

– C'est-à-dire ?

– Les audits doivent être réalisés en toute indépendance. On peut y participer, sans en prendre la direction. À condition toutefois de ne pas cumuler les fonctions.

Ses pupilles se rétrécirent. Plus longuement, cette fois. Et je me félicitai d'avoir transporté la discussion sur ces sièges que ne séparait point l'énorme bureau. Très peu pour moi, le rôle du gibier traqué par le chasseur. J'avais conscience de lui rendre coup pour coup, sans trahir la moindre appréhension. La moindre angoisse.

– Voyons, si je vous comprends bien...

Lawrence n'avait pas coutume de se faire avoir. Il flairait le piège.

– Vous êtes à l'origine d'un groupe chargé d'étudier à fond nos systèmes de sécurité bancaires. Vous en sollicitez le financement, auprès du comité de direction, sans passer par l'intermédiaire de votre propre hiérarchie...

C'était un coup bas, mais à quoi bon le relever ?

– Vous vous rendez à New York pour obtenir informations et soutien de la communauté bancaire. Parfaitement exact, jusque-là ?

– Parfaitement.

– En votre absence, je reçois un rapport... sous vos propres auspices, dites-vous... suggérant que le cercle de qualité officie en toute indépendance des chefs de service qui, comme vous, sont impliqués dans les opérations monétaires courantes.

– Exact.

– À cause d'éventuels conflits d'intérêts. Pour que nul membre du groupe n'ait mission d'examiner tel système plutôt que tel autre. Ou moins attentivement que tel autre. Et cependant, vous me dites que vous ne souhaitez pas abandonner cette entreprise.

– Il y a une autre solution, monsieur.

– Car vous avez envisagé, déjà, toutes les solutions. Alors, quelle est cette solution, sinon abandonner votre poste de direction au service financier ?

– C'est bien ce que je voulais dire.

Son immobilité soudaine évoquait un félin à l'affût. Je ne l'aurait pas juré, mais il y avait du respect dans ses yeux. Même s'il s'effaça aussitôt, remplacé par une expression calculatrice qui précéda, de peu, son crochet du gauche :

– Verity. Vous voudriez que je valide cette proposition ?

Merde. J'aurais dû la voir venir, celle-là. Si je disais oui, sans engagement préalable de sa part, j'étais coincée. Si je disais non, j'aurais l'air d'une imbécile, puisque toute l'histoire était supposée venir de moi.

Car je ne pouvais amener Lawrence à se compromettre ouvertement, à prendre le groupe sous son aile, hors d'atteinte de Kiwi et des autres.

– Monsieur... Quel intérêt auriez-vous à refuser cette proposition ?

Il m'observait attentivement, la pupille rétrécie, une fois de plus. Puis ouverte toute grande.

– Banks, est-ce que vous jouez aux échecs ?

– Un peu, monsieur.

– Plus qu'un peu, non ? Dites-moi ce que vous désirez.

– Pardonnez-moi ?

– Que souhaitez-vous tirer de tout cela, vous, Verity Banks ? À quoi vous attendiez-vous en montant me voir ? Qu'espériez-vous de notre entrevue ?

– C'est vous qui m'avez convoquée, monsieur.

Il trahit, pour la première fois, une certaine impatience.

– J'en suis pleinement conscient. Mais vous attendez quelque chose de moi, une décision, ou vous n'auriez pas fait écrire ce fichu rapport. Que préférez-vous conserver ? Le cercle de qualité, ou les mouvements de fonds ? Vous ne pouvez garder les deux.

Mais il n'avait toujours pas dit si le cercle de qualité passerait ou non sous sa seule égide.

– Monsieur, je ne voudrais pas présumer...

– Vous n'avez pas à présumer de quoi que ce soit. Il est évident que ce rapport me place dans une position intenable. Si je n'isole pas ce cercle de qualité de tous les groupes de production, on viendra me parler d'audits au petit déjeuner, au déjeuner et au repas du soir. Donc, à partir de maintenant, le cercle de qualité ne référera qu'à moi de tous ses travaux. Vous êtes d'accord, ou vous préférez continuer sous la férule de Willingly ? Incidemment, il n'est pas facile de travailler avec Willingly ou Kiwi, comme vous l'appelez, quand on lui marche sur les pieds... Ce que vous avez fait à plusieurs reprises, depuis quelque temps.

À voir ma tête, il éclata de rire.

– Vous pensez sans doute que je ne suis pas beaucoup plus fréquentable que Willingly et consorts ? Mais si vous venez chez moi, je vous conseille tout de même de ne pas brûler tous les ponts, derrière vous.

– Sauf votre respect, monsieur, quelques-uns de ces ponts ont déjà sauté, sans aide de ma part. De toute manière, je suis prête à courir ma chance, en votre compagnie.

Je me levai. Il me raccompagna jusqu'à la porte.

– Banks, sauf votre respect, à mon tour, je trouve que vous en avez plus où je pense que n'importe laquelle de mes relations, hommes ou femmes. J'espère que vous ne vous prendrez pas les pieds dedans. L'expérience peut être très douloureuse. Je vais faire dégager des bureaux pour vous-même et pour votre équipe, ici, dans l'aile ouest. Demandez à la manutention de transporter vos affaires. Et si possible, essayez d'éviter Willingly pendant une heure ou deux, que j'aie le temps de lui expliquer les choses.

Il me tendait la main. Je la lui serrai, mais différai ma sortie de quelques secondes.

– Sauf votre respect, monsieur...

– Quoi encore ?

– De l'aile est, on a vue sur la baie.

Dans l'ascenseur, je me congratulai une fois de plus d'avoir fait envoyer, par Tavish et Pearl, des doubles de ce rapport ambigu à tous ceux qu'il concernait, y compris la comptabilité centrale.

En sortant de la cabine, je sifflais *Le Pont de la Rivière Kwaï*. Je me sentais invincible, et c'est pourquoi je négligeai les signes désespérés que m'adressait Pavel pour m'arrêter sur le chemin de mon bureau. Jusqu'à ce que j'entende, trop tard, la voix de Kiwi de l'autre côté de la porte entrebâillée. Je glissai dans l'oreille de Pavel :

– Passe-moi un coup de fil urgent, d'ici à deux trois minutes.

Il acquiesça, résigné, et j'entrai. Assis derrière mon bureau, Kiwi portait ses verres miroirs. Plus d'une décennie auparavant, Tor m'avait enseigné l'art d'évincer un supérieur dont on n'a plus besoin. Il me suffisait, aujourd'hui, de gagner un peu de temps.

Je rouvris les rideaux qu'il avait tirés, en m'exclamant, comme si c'était une bonne surprise :

– Salut, Kiwi ! Quoi de neuf ?

– Quoi de neuf ! C'est à vous qu'il faut le demander !

Son ton ne me plut pas du tout, mais ça, ça n'avait rien de neuf. J'entrepris d'ouvrir mon courrier, sans m'occuper de lui. Exactement comme s'il n'était pas là.

– Vous oubliez que j'étais à New York, depuis une semaine...

– Sans avoir jamais cessé de comploter à mon détriment, ici même ! Inutile de jouer la sainte-nitouche avec moi !

Pour une fois, sa paranoïa était justifiée, mais elle m'ennuyait tout de même.

– Vous ne croyez pas que c'est un peu excessif ? Si vous avez quelque chose sur le cœur, dites-le, au lieu de tourner autour du pot.

Sa voix monta de quelques degrés dans l'aigu.

– C'est vous qui avez quelque chose à me dire. Si vous aviez la conscience tranquille, vous m'auriez déjà dit ce que vous venez d'aller faire, dans le bureau de Lawrence, pendant plus d'une demi-heure.

Nom de Dieu ! Kiwi avait des espions à tous les étages ! Juste à ce moment-là se fit entendre la sonnerie de mon intercom.

– Communication urgente, brailla littéralement Pavel. Répondez sur la ligne six.

– Excusez-moi, dis-je poliment à Kiwi.

Il dut déménager sa carcasse de mon fauteuil, pour que je puisse répondre au téléphone. Effondré sur une autre chaise, en face de moi, il ne me quitta pas des yeux alors que je décrochais l'appareil.

– Youhou, frangine ! Devine ce qu'on est en train de faire.

Georgiane ! C'était un vrai coup de téléphone. J'improvisai :

– Alors, qu'est-ce qui se passe ?

Dans un registre plus formel que de coutume. Je foudroyai Kiwi du regard. Au-delà de ses lunettes ridicules, je sentais la chaleur de sa colère. Et l'animal n'avait pas l'intention de partir.

– Tu n'as pas l'air dans ton assiette, supputa Georgiane. Quelque chose qui ne va pas ?

– Dans ce genre de situation, je crois qu'il faut s'y prendre différemment.

– Qu'est-ce que tu me racontes ? Tu n'es pas toute seule, c'est ça ?

– Précisément. Je suis heureuse que vous compreniez quel est le problème, de notre côté.

– Il y a quelqu'un avec toi, mais tu ne veux pas que je raccroche tout de suite. Qu'est-ce que tu veux que je fasse ?

– Prenez votre temps. Dites-moi exactement où vous en êtes... J'aurai besoin des faits... si je dois les rapporter à mon patron... Qui se trouve juste assis en face de moi.

Bien que Kiwi ne fût plus que mon ex-patron, je devais gagner du temps jusqu'à ce que Lawrence l'en informât personnellement. Je secouai la tête à son adresse, comme s'il se passait quelque chose de réellement ennuyeux, à l'autre bout du fil.

– Ton patron ? Rien de grave, j'espère ? dit Georgiane. Je me fais l'effet d'un agent secret ou de quelque chose dans ce goût-là. Tu es sûre qu'il ne peut pas m'entendre ?

– Je suis sûre que nous devons prendre toutes les précautions pour que ça ne se produise pas.

Elle baissa la voix, mais, même en sourdine, Georgiane eût été entendue, dans n'importe quel théâtre, du dernier rang de l'orchestre.

– Ça me travaillait depuis le début de la semaine. Que j'imprime ou que je fasse la cuisine avec maman. Ses pommes dauphine sont tout simplement délectables.

– Venez-en à l'essentiel, je vous prie. Comment marche votre affaire ?

– Hier soir, j'ai résolu un problème. Il m'est venu l'idée *d'imprimer* les filigranes, avec une encre incolore huileuse, à la glycérine. Quand tu regardes la feuille à la lumière, tu distingues le motif, en transparence, comme un vrai filigrane. Ça se décèlerait aux rayons X, je suppose, mais ils n'examinent sûrement pas les titres d'aussi près...

Kiwi avait cueilli un magazine, et croisait, décroisait les jambes, signe certain d'une nervosité croissante.

– Et Tor a réarrimé tout le bazar. Ingénierie industrielle, il appelle ça. Maintenant, on peut imprimer huit titres sur une seule plaque photo. Si on imprime des bons de cent mille dollars, ça fait près d'un million par photo ! Pas mal, comparé aux photos de mode !

Je m'étais mise à dessiner n'importe quoi, sur mon bloc-notes, tandis qu'elle discourait sans discontinuer sur les frais engagés et les difficultés de l'entreprise. Je tentais de me concentrer lorsque Kiwi se releva d'un bond, rejeta le magazine et commença à faire les cent pas, se rapprochant du téléphone à chaque nouvelle allée et venue. J'essayai de tenir l'appareil plaqué contre mon épaule et commençai à répondre par monosyllabes, mais il me respirait littéralement dans le cou.

– Alors, quel est le fin mot de l'histoire ? Vous allez tenir votre programme... ou pas ? Quelle sera la phase suivante ?

– On sera prêts la semaine prochaine. Peut-être même plus tôt.

Et moi, je n'avais pas encore démarré !

– Mais écoute, Very. Maintenant qu'on approche, je panique un peu. C'est illégal, pas vrai, si on se fait coincer trop tôt ? Je me demande si j'ai toujours envie d'aller jusqu'au bout. Qu'est-ce que tu en penses ?

– La même chose que vous.

– Si on ne garde pas l'argent, ça cesse d'être illégal. Moi, c'est ce que je pense.

– Moi aussi.

– Naturellement, il y a le côté aventure. Quand Zoltan m'a reparlé du pari, j'ai crié bravo. Je crois que ce garçon est capable de changer ta vie.

– Moi aussi.

– D'un autre côté, pris ou pas pris, je crois qu'on devrait faire don de tous les bénéfices aux œuvres de Mère Teresa. Même si ça se termine en prison, j'en tirerais une grande consolation.

– Moi aussi.

Kiwi se planta devant moi, d'une glissade. Arracha ses lunettes. Me fusilla du regard en hurlant :

– Moi aussi ! Moi aussi ! Moi aussi ! Qu'est-ce que c'est qu'une conversation pareille ?

J'interrompis Georgiane au milieu d'une tirade :

– Excusez-moi. Une urgence imprévue, dans mon bureau.

Puis, à Kiwi :

– Vous voyez bien que je suis en ligne. Peut-être pourrions-nous convenir d'un rendez-vous pour nous entretenir à un moment plus favorable.

– On va parler, et on va parler tout de suite, Banks !

Kiwi était vert de rage.

– Ni une charge de chevaux sauvages, ni Dieu lui-même ne me feront bouger d'ici ! J'y ai pris racine ! Finissez-en avec cette conversation stupide, et plus vite que ça !

– Pardonnez-moi, monsieur Willingly, intervint Pavel, du seuil de la pièce. J'ai madame Harbiger au téléphone. Elle dit que son patron veut vous voir dans son bureau. Immédiatement.

– Dites-lui que j'arrive tout de suite.

– Vous feriez peut-être mieux de lui parler vous-même. Elle est sur ma ligne, dans mon bureau. Elle dit qu'elle cherche à vous joindre depuis un bout de temps, mais que vous n'êtes jamais à votre numéro.

J'intercalai calmement :

– Monsieur Willingly a passé dans le mien une bonne partie de sa matinée.

– Madame Harbiger a fini par appeler ici. L'affaire semble réellement importante.

– Ça va ! Ça va ! aboya Kiwi en marchant vers la porte. Mais soyez là à mon retour, Banks ! Là, le cul sur cette chaise, et pas ailleurs !

Il disparut, écumant de fureur impuissante. Pavel s'esquiva, non sans m'avoir adressé le V de la victoire.

– C'qu'y s'passe ? répétait Georgina à l'autre bout du fil.

– Une charge de chevaux sauvages a chassé mon visiteur. À moins que ce ne soit Dieu lui-même.

– On dirait que le travail de la banque est moins monotone que je ne le pensais.

– Une vraie rigolade de tous les instants ! Finissons-en parce qu'il faut que j'appelle la manutention pour faire déménager mes affaires. J'aurai le cul sur ma chaise quand l'autre abruti reviendra. Mon nouveau bureau ne va plus être au treizième, mais au trentième étage.

– Qu'est-ce que tu me chantes ?

– Je parlais toute seule. Où en êtes-vous exactement ?

– J'ai imprimé des exemplaires en blanc de tous les titres que Tor m'a apportés. Ce qu'il me faut, maintenant, c'est des numéros de série et autres informations. On va faire les tirages, avant peu. Tor est parti chercher du boulot.

– Du boulot ? Tor ? Il a sa propre société.

– Mais il a besoin de ce boulot-là. Attends un peu que je t'explique...

CONSTITUTION D'UN PORTEFEUILLE

« J'étais jeune. Mais c'est le bon moment pour foncer.
Qui sème tôt récolte tôt. Durant ces jours-là, j'étais
perpétuellement sur la brèche. Rarement couché comme tous
ces fatigués de naissance. Plutôt debout dans mes souliers
qu'allongé sous les draps, telle était ma devise. »
« La vache matinale recueille la rosée. »

Le Livre de Daniel Drew, BOUCK WHITE

Mardi 8 décembre

Jimmy le Duc ouvrit sa braguette et pissa tranquillement sous son porche favori de la Troisième Avenue. Rajustant son pantalon, il tira sur le vieux pull de cachemire qui lui avait été donné, propre et raccommodé, par l'Association charitable de Saint-Marc. Le pull était d'une jolie teinte bordeaux, et allait remarquablement avec la veste de tweed rapiécée qu'il avait reçue à la Mission de la Lumière Divine.

Il marcha vers Union Square où l'attendait, comme chaque jour, un petit en-cas sympa. Sur la bouche de chaleur où il aimait s'installer, pour manger et boire, il avala son petit déjeuner. La matinée était particulièrement glaciale. Tout le long du chemin, il avait gardé ses mains gelées au fond de ses poches trouées, et senti l'humidité de la neige s'infiltrer dans les journaux qui rembourraient ses chaussures.

Les pieds collés à la grille chauffante, il commença à défaire ses lacets, sans prêter attention, tout d'abord, au grand gaillard qui venait de s'arrêter près de lui. En levant les yeux, Jimmy le Duc le trouva bizarre, avant de se rendre compte que c'était à cause de ses yeux. Des yeux tels qu'il n'en avait jamais vus, sauf peut-être chez les chats de gouttière.

– Salut, dit-il à ce drôle de type.

– Salut, répondit Tor. Il fait beaucoup plus froid que la météo ne l'avait annoncé. Tu dois te les geler, dans ces frusques.

– Ça, tu peux le dire, apprécia Jimmy. Je me disais, justement, qu'une bonne bouteille de rouge serait pas de trop pour réchauffer mes vieux os.

– Tu veux te relever un moment ?

Sans hâte excessive, Jimmy le Duc renoua ses lacets. Se hissa laborieusement jusqu'à la verticale.

– Si t'as l'intention de me dévaliser, tu t'es gouré d'adresse !

Tor tourna lentement autour du vieux clochard, le mesurant du regard.

– Je crois que ça ira. Tu as envie de te faire un peu de fric ?

Jimmy le Duc en avait vu d'autres et se méfiait toujours de ce genre de proposition.

– Ça dépend.

– On a presque la même taille. Je t'achète tes fringues. Le costume seulement. Pas les dessous.

Le vieil alcoolo ne sentait pas la rose. Quelle quantité de désinfectant faudrait-il pour débarrasser ses hardes des poux et des puces ?

– Tu m'en offres combien ? questionna Jimmy. Mes fringues, c'est pratiquement un héritage familial. Elles ont une valeur sentimentale.

– Cent dollars pour les sentiments.

– C'est une affaire qui marche. Banco. Mais avec quoi je vais me saper, si je te fourgue mon costard ?

Tor avait négligé ce détail. Et ne se voyait pas faire les magasins de vêtements en compagnie du bonhomme.

Qui, de son côté, avait résolu le problème.

– T'as qu'à me refiler le tien. Si mes fringues te vont, les tiennes doivent m'aller.

188

– Dis donc, il m'a coûté cher, mon... costard !

– Je ferai avec, conclut Jimmy, magnanime. Pas pour rien qu'on m'appelle le Duc. Je sais reconnaître la qualité au premier coup d'œil.

Le service de coursiers de Manhattan fourmillait de corps mal lavés, baignés de sueur. Chaque fois que l'aboyeur appelait un numéro, le bourdonnement des voix s'apaisait pour quelques secondes. Puis la rumeur reprenait, jusqu'à l'appel suivant.

Dès qu'il entendit le sien, Tor se leva. Conscient de l'odeur persistante des produits nettoyants et désinfectants qui accompagnait sa traversée de la salle, masquant une autre odeur à peine moins persistante.

Il suivit l'aboyeur jusqu'à une autre salle, encore plus vaste, où siégeaient de nombreux recruteurs, derrière autant de petits bureaux.

– Monsieur Leduc ? s'informa l'employé.

– C'est ça. Jimmy le Duc.

– Je note James ? C'est votre prénom ?

– Mais tout le monde m'appelle Jimmy.

– D'accord, approuva l'homme en inscrivant James dans la case adéquate. Puis-je voir le questionnaire que vous avez rempli ?

Il y jeta un bref coup d'œil avant d'ajouter :

– Vous avez déjà fait ce genre de boulot ?

– J'ai été livreur pour de grandes épiceries.

– C'est ce que je vois, constata le recruteur. OK, je vous explique le topo. Un courtier nous appelle de ses bureaux, ou quelquefois de la Bourse. Vous allez à l'adresse indiquée. Les documents vous sont remis dans une sacoche. Vous vous assurez que tout est bien là. Qu'il n'y a pas d'erreur. Vous signez un reçu au courtier. Et vous nous en rapportez le double, pour qu'on puisse facturer la course sans erreur.

– Et ensuite ? s'enquit Zoltan Tor.

– Vous apportez la sacoche à la Caisse des dépôts. Ils repointent la liste des titres et vous délivrent un reçu. On perçoit dix dollars par livraison, et vous en touchez huit de l'heure. La plupart de ces livraisons vous demanderont peu de temps, parce que presque tous les courtiers sont dans le quartier de la Bourse. Bicyclette fournie par nos soins. Voilà, c'est tout.

– Parfait, souligna Tor. Je commence quand ?

– Il faudra une quinzaine de jours pour que vous soyez titularisé. Mais je vois sur votre questionnaire que votre casier judiciaire est vierge. Alors, comme on est un peu à court d'effectifs, vous allez commencer tout de suite. On vous enverra vos papiers dès qu'ils seront là. Présentez-vous aux messageries centrales de Broad Street demain matin à huit heures.

– J'y serai à moins cinq.

Il n'aurait pas à attendre son contrat officiel. Dans quinze jours, l'affaire serait faite, la grande escroquerie consommée.

Mercredi 9 décembre

À neuf heures du matin, ce 9 décembre, un homme en veste de tweed élimée et pull bordeaux entra à la Depository Trust. Il portait des baskets éculées et des pinces à vélo pour maintenir loin de la chaîne les ourlets décousus de son pantalon.

– Livraison pour la Caisse, annonça-t-il au comptoir de l'accueil.

– Nouveau coursier ?

– Ouais.

– Premier étage, le renseigna la fille avec une souveraine indifférence.

Tor prit l'ascenseur. Déboucha dans un long couloir au bout duquel se dressait une grande porte marquée « Livraisons ». Il pressa le bouton de la sonnette, et la porte s'ouvrit avec un déclic.

Au guichet, à l'intérieur du local, Tor annonça de nouveau :

– Livraison pour la Depository.

– On est là ! brailla une voix. Grouille un peu, on n'a pas toute la journée. Moi, c'est de A à G. H à M, c'est plus loin. Au trot !

Le préposé aux courtiers dont les noms allaient de H à M empila les documents sur son bureau, et pointa méthodiquement la liste.

– Pas de problème !

Il conduisit Tor à un autre bureau où ils revérifièrent les numéros de série. Tor déposa les titres dans le sac de toile qui lui était tendu. Signa le reçu réglementaire pendant que le préposé paraphait son *clipboard*, et reprit sa serviette vide.

– Vous classez ces machins par ordre alphabétique.

– Sûr. Qu'est-ce que ça peut te foutre ?

– Si je veux en déposer, c'est à vous que je les amène ?

– Non, c'est juste au-dessus. Aux dépôts directs.

– Merci. La main gauche doit ignorer ce que fait la main droite, pas vrai ?

– C'est quoi, ça ? Une vanne ?

– Une citation biblique, lança Tor en ressortant des « Livraisons ».

Avec ou sans citations bibliques, ils ne disposaient d'aucun moyen d'établir, heure par heure, la balance des dépôts et retraits de titres boursiers tels que ceux qu'il venait de transporter. Puisqu'il y avait autant de points de chute différents dans l'édifice, rien que la mise à jour globale, en dollars, des entrées et des sorties devait représenter un sacré travail. Conclusion qui amena un large sourire sur les lèvres de Zoltan, alors qu'il quittait le bâtiment.

Les rues étaient souillées de neige boueuse. Tor remit sa serviette dans un des larges paniers verticaux accrochés de part et d'autre de son porte-bagages. Puis il déboucla la chaîne qui reliait le vélo au râtelier, et replongea aussitôt dans le dédale des canyons de béton et d'acier de Wall Street.

Une heure plus tard, couvert de boue et chargé d'autres sacoches de toile, la bicyclette s'engouffra pesamment dans le passage souterrain menant à la station de métro de Wall Street. Il raccrocha sa bicyclette au râtelier de l'entrée Est, l'enchaîna, jeta les paniers sur son épaule et, grognant un peu sous la charge, descendit vers le quai du métro.

La servante avait à peine ouvert la porte que Lélia se ruait, au galop, dans le corridor.

– *Mein Gott im Himmel !* Toute cette boue ! *Mais qu'est-ce qu'il fait ?* Empêchez-le d'entrer ! Il va pourrir tous les parquets ! Qui est ce type ?

– Lélia, ma charmante, où est votre sens de l'hospitalité ?

Tor essuya ses paupières alourdies par les éclaboussures de la route, dessinant d'étranges lunettes, dans son visage noir.

– Doux Jésus ! s'étrangla Lélia. Qu'est-ce qu'on t'a fait ? On t'a traîné dans le ruisseau pour que tu sois aussi sale ! Et qu'est-ce que c'est que ces hardes ?

– Une sorte d'uniforme officiel, chez les coursiers. J'ai bien étudié la question. Tous les courtiers m'auraient fait jeter dehors si je m'étais présenté, en tant que coursier, dans un costume propre et de bonne coupe ! Ils aiment leurs coursiers crasseux et mal fringués.

– Tu vas m'enlever tout de suite ces loques puantes, et Nana va te faire couler un bon bain de mousse. Quelle odeur, *mein Gott* !

– Pas le temps de prendre un bain. Pas avant d'avoir mis Georgiane au boulot. Où est-elle ?

Georgiane était dans la Chambre prune, à bichonner son matériel. Tor et Lélia lui apportèrent les sacoches de toile, les ouvrirent une par une, en examinèrent le contenu, établissant l'inventaire de ce qu'ils prélevaient dans les sacs, et plaçant les titres qu'ils choisissaient sur une des tables. Lélia relevait soigneusement les numéros de série, et plus soigneusement encore les montants en dollars portés sur les valeurs retenues.

– Va te laver les mains, implora Georgiane, ou tu vas salir tout ce que tu touches. Laisse faire maman, elle ne risque pas de flanquer le bordel.

Les dents blanches de Tor apparurent, une fois de plus, sur fond noir.

– Remplis bien ton office, et tout commencera véritablement. Sans aucun moyen de revenir en arrière.

Georgiane pâlit légèrement, en portant sa main à sa bouche.

– Mon Dieu, ça y est, c'est bien ce que tu veux dire.

– Je ne sais pas ce que tu entends par « ça ». Mais on a là des titres parfaitement authentiques autant que négociables. On va imprimer leurs numéros et leurs valeurs nominales sur les formules vierges que tu as préparées, et ne me dis pas que tu n'as plus de cœur au ventre, à ce stade !

– *Allons, allons !* intervint Lélia. *Mach schnell*, Djordjione ! *Dépêche-toi !* On a trop de travail pour bayer aux corneilles. Commence les photos. Je vais faire un peu de potage pour le pauvre Zoltan. Il en a bien besoin, pour garder sa santé.

– Maman ! gémit Georgiane. Est-ce qu'il t'arrive de penser à autre chose qu'à manger ?

– La bonne nourriture fait les bons criminels !

Lélia disparut dans la cuisine alors que Zoltan feuilletait, avec précautions, la petite pile de documents qu'ils avaient séparée du reste.

– Vingt seulement !

– Vingt quoi ?

– Vingt titres exploitables, Georgie. Dans toute cette paperasse. Il faut qu'ils correspondent aux titres en blanc prêts pour la gravure. À cinq mille dollars la pièce, si les prochaines récoltes ne sont pas meilleures, il va falloir graver des plaques pendant des mois, rien que pour imprimer les numéros.

– Ça n'a déjà pas été une sinécure, reconnut Georgiane, de fabriquer les plaques pour tous les spécimens de titres que tu avais achetés. Graver les numéros risque de prendre toute la journée.

– On n'a pas toute la journée ! s'emporta Zoltan. Et tout ça pour une dizaine de millions !

– Et alors ? Si tu n'es pas le premier à voler trente millions...

Tor se redressa en poussant un soupir.

– Pas à *voler* trente millions. À *gagner* trente millions. Impossible à moins d'un milliard de valeurs collatérales.

– Alors, *emprunte* des bons de plus grande valeur, que je puisse en faire des copies !

La logique de Georgiane était impeccable. Tor articula, épuisé :

– Je fais de mon mieux. Mais étant donné que je ne peux emprunter que ce qui fait l'objet d'un transfert, et que chez toi, c'est la perfection ou rien, je dirais qu'on n'en aura pas terminé avant le mois de juin !

Georgiane était proche des larmes.

– Tu n'as pas l'air de comprendre. C'est une nouvelle plaque, la prise et le développement de la photo, la gravure à l'acide, tout le bazar, pour chaque saloperie de titre que tu m'amènes.

Cueillant sur la table un document qu'elle agita, au comble de la rage, devant les yeux de Zoltan :

– Et la plupart des numéros ne sont même pas gravés sur ce truc. C'est juste un tampon. Alors, je me demande pourquoi je m'échine à...

– Qu'est-ce que tu viens de dire ?

S'emparant du titre qu'elle brandissait sous son nez, comme un drapeau, il l'examina brièvement, puis releva les yeux, souriant :

– Ma géniale petite tête de linotte, je crois que tu viens tout juste de nous sauver la mise.

Tor avala deux bols du délicieux minestrone de Lélia, en expliquant à Georgiane :

– On peut graver presque tout d'avance, sans avoir encore les titres qu'on veut copier. Le motif d'encadrement, le nom de l'émetteur et les numéros, tout ce qui ne change pas, quels que soient le montant et la série du titre.

–Évidemment ! Tout le reste peut être photographié et imprimé d'après la photo, sans graver d'autres plaques. À l'exception, bien sûr, de la valeur nominale du titre. Qui est gravée et non imprimée.

– Passe tes doigts sur ce chiffre, lui suggéra Zoltan. Il a été gravé, mais l'encre est juste un peu plus épaisse que dans n'importe quelle autre partie du titre. En outre, il figure au centre du document. Les motifs qui l'entourent sont gravés, eux aussi, et c'est eux qu'on touche quand on feuillette une pile de ces bons. Qui remarquera, dans de telles conditions, si les chiffres ont été gravés ou imprimés ?

Georgiane appuya, convaincue :

– On gagnerait un temps fou. Je peux juxtaposer huit de ces titres sur un seul négatif, et imprimer directement à partir de là. Beaucoup plus facile que de faire huit plaques avant de pouvoir imprimer.

–Je suis prêt à en prendre le risque si tu es d'accord. Après tout, c'est moi qui vais les livrer à la Caisse des dépôts. C'est donc moi qui resterai sur le carreau, si tes copies ne tiennent pas la route.

194

Elle était sincèrement inquiète.

– J'appréhende tellement qu'une petite chose cloche. J'ai l'impression de vivre un cauchemar...

– Pas le temps de rêver, coupa Lélia, péremptoire. À chaque jour suffit sa peine... à condition que le boulot soit fait !

– C'est toi qui as raison, maman. Va chercher le sèche-cheveux, on a du pain sur la planche.

Il était deux heures et demie lorsque Lélia pénétra dans le hall du South End Yachting Club, au-dessous de Whitehall, donnant sur la voie sur berge, à l'est, une grande enveloppe sous le bras contenant les vingt titres sélectionnés.

Le concierge s'interposa.

– Excusez-moi, madame, mais vous ne pouvez entrer qu'en compagnie d'un des membres.

– Le docteur Tor m'attend, pour une question de la plus haute importance.

– Il n'est pas là. Peut-être a-t-il été retardé.

Lélia s'apprêtait à récriminer quand le regard du concierge, tourné vers la porte, prit une expression alarmée. Tor escaladait, d'un saut, les marches du perron, couvert de boue dans sa défroque misérable, ses paniers pendus à l'épaule. Avec précautions, pour ne pas la salir, il posa sa main sur la manche du manteau de fourrure de Lélia.

– Heureux que vous m'ayez attendu, ma chère. George, je vous présente la baronne von Daimlisch. Nous allons prendre le thé dans un petit salon. J'ai réservé. Et faites-nous monter une bouteille de ce grand bordeaux mil neuf cent trente-deux.

Le concierge, médusé, s'obligea à fermer les yeux sur la tenue insolite du docteur Tor, mais sortit d'une petite armoire murale une cravate aux armes du club, et la tendit à Zoltan qui la noua autour de son cou avant d'offrir son bras à la baronne et de marcher avec elle vers le petit salon.

Juste avant de l'ouvrir, Zoltan lança par-dessus son épaule :

– Oh, George, surveillez ma bicyclette, voulez-vous. Elle est juste là-dehors.

– Certainement, monsieur, répondit George, mal remis de sa première émotion.

Assise devant la cheminée, dans la pièce discrètement éclairée, Lélia déclara à mi-voix :

– Merveilleux bordeaux.

– Et merveilleuses gravures, lui renvoya Tor, penché sur les copies. Maintenant, je vais les remettre dans les bonnes sacoches et terminer mes livraisons. J'en ai sélectionné d'autres, pendant que vous et Georgiane travailliez sur celles-ci. Il est trois heures un quart. Croyez-vous pouvoir regagner votre domicile, les copier et revenir pour cinq heures, que je puisse les livrer dès ce soir ?

– Ce sera juste. Mais Djordjione a imprimé ceux-là en moins d'une heure. C'est le métro qui est lent. Quoique plus rapide qu'un taxi.

– Et si je vous retrouvais au métro. Plus de thé ou de cocktail, après aujourd'hui. La question de temps est cruciale, et je suis heureux que vous vouliez bien être notre coursière. Même au prix d'un certain risque.

– Que serait la vie si l'on ne prenait jamais de risques ?

Tor approuva distraitement et se pencha vers une des reproductions qu'ils avaient réalisées. Il caressa, du bout des doigts, les chiffres du centre qui disaient : « $ 5 000 » et « N° 100 ». Ils avaient été imprimés plutôt que gravés. Seul un expert pourrait déceler la différence. C'était la phrase inscrite six lignes plus bas qui le tracassait. Non par son relief ou son apparence, mais par son contenu : « Sujet à remboursement, selon conventions. »

Il s'agissait d'un titre qui pouvait être retiré de la circulation contre remboursement sur décision de l'émetteur. Pourquoi ne l'avait-il pas remarqué plus tôt ?

Mais il était peu probable qu'une telle éventualité se produisît de sitôt. Et, comme le disait si bien Lélia, que serait la vie si on ne prenait jamais de risques ?

Non sans un léger haussement d'épaules, Tor remit le document dans la sacoche de toile, à l'intention de la Depository Trust.

Les quarante étages de béton et de verre de la Caisse des dépôts cachaient de gigantesques chambres fortes où s'entassaient des millions de titres semblables à ceux que transportait Zoltan Tor.

La plupart des livraisons ordinaires avaient lieu par le grand hall de devant, où se trouvait aussi la Banque chimique. Mais toutes les livraisons importantes, le constant va-et-vient des valeurs cotées en Bourse, entraient par l'arrière du bâtiment.

De ce côté-ci de l'immeuble, au 55 Water Street, se dressait un portail d'acier à deux battants de vingt-cinq centimètres d'épaisseur. Au-delà, s'amorçait une série de « sas » que franchissaient, toute la journée, des coursiers en jean délavé, en baskets usagées, chargés de sacoches et de valises bourrées de titres corporatifs ou municipaux, de bons d'État ou autres valeurs consolidées.

Les chambres fortes composaient un labyrinthe s'étendant sur plusieurs sous-sols. Les coursiers n'avaient jamais l'occasion de fouler ces sols sacrés, ni d'accéder aux bureaux des étages supérieurs. Tout, au-delà des grandes portes d'acier, reposait sous l'œil des caméras de surveillance, des employés assermentés porteurs de badges, et des gardes toujours sur le qui-vive.

À quatre heures et demie précises, le 9 décembre, un homme en veste de tweed élimée, pull bordeaux usagé et baskets boueuses franchit la porte d'acier, charriant sur ses épaules, par leurs sangles de cuir, deux paniers renfermant des sacoches encore plus tachées de boue qu'il ne l'était lui-même. Il traversa les sas, passa sous l'objectif des caméras et le regard des vigiles, pénétra enfin dans la pièce où s'effectuaient les dépôts. Debout derrière un autre coursier en attente, il attendit lui-même, bien sagement, de terminer sa mission du jour.

Une par une, il posa sur le comptoir les sacoches et leurs feuilles de route. La préposée à cet office ouvrit successivement les sacoches. En vérifia rapidement le contenu, pour s'assurer que rien n'y manquait. Parapha les quatre volets du récépissé attaché à chacune d'elles. En envoya un exemplaire au sous-sol, dans le royaume des chambres fortes. En classa un autre dans le dossier adéquat et remit les deux derniers au coursier, en témoignage de la mission accomplie. Le service de messagerie ferait suivre l'un d'eux au propriétaire des titres déposés.

En ressortant de là, Tor consulta sa montre. Il était cinq heures à peine, mais le ciel était noir. Ayant récupéré sa bicyclette, il contourna l'édifice et contempla, un instant, les lumières de la Banque chimique, fermée à cette heure. En deux voyages, il avait déposé près de trente millions de titres au porteur qui, sauf incident fâcheux, reposeraient désormais pour l'éternité sur les étagères de la Caisse des dépôts.

Et si l'on avait brièvement vérifié leur nombre et leur nature, personne n'avait songé une seule seconde à vérifier également leur authenticité.

Jeudi 18 décembre
Utrecht, Pays-Bas.

C'était le dernier jeudi avant les vacances de Noël. Assis dans son bureau de la Rabobank, Vincent Veerboom griffonnait des notes à l'intention de sa secrétaire, en jetant de temps à autre un coup d'œil par la fenêtre.

Les vitres de son bureau haut perché donnaient sur le panorama enneigé de la ville d'Utrecht. Plus légère que les précédentes, une nouvelle chute de neige déguisait de son voile cristallin la laideur des bâtiments gris, trapus, entassés à perte de vue.

Un léger coup frappé à sa porte précéda de peu l'entrée de sa secrétaire.

– Oui ? jappa-t-il, hargneux, troublé dans la douce torpeur qui précède les vacances.

– Excusez-moi, monsieur, je sais que vous allez partir en congé, mais la baronne Daimlisch est ici. Elle vous demande de la recevoir.

– Dites-lui que je ne suis pas là.

C'était presque l'heure de la fermeture. Encore à peine un quart d'heure de présence. Il y avait pensé toute la journée, et la frustration était énorme. Femme et enfants glissaient déjà sur les pistes de Zermatt, et il les rejoindrait le lendemain, après une soirée romantique passée entre les bras et les seins douillets de sa maîtresse, Ullie, qui devait préparer à cette heure leur souper dans le petit appartement qu'il louait pour elle, à Utrecht.

– Monsieur, la baronne affirme qu'il s'agit d'une affaire urgente. Elle veut conclure une transaction importante avant la fermeture de la banque.

– La veille des vacances de Noël ? Certainement pas ! C'est absurde. Dites-lui de revenir à la réouverture.

– Dans huit jours, lui rappela la secrétaire, et la baronne part ce soir pour Baden-Baden.

– Qui est cette baronne Daimlisch, de toute façon ? Le nom me semble vaguement familier...

La secrétaire traversa la pièce pour venir lui chuchoter à l'oreille, comme si quelqu'un eût écouté à la porte.

– Je vois, dit Veerboom. Eh bien, faites-la entrer. J'espère qu'elle sera brève. Je déteste discuter affaires avec ces Allemandes dominatrices à la voix suraiguë.

– La baronne est russe de naissance. Russe blanche expatriée.

– Très bien, très bien, on ne peut pas tout avoir en tête. Et quel est le prénom de cette baronne ? Ursula ?

– Lélia, monsieur. Elle s'appelle Lélia Maria von Daimlisch.

La secrétaire s'esquiva, et Lélia fit son entrée.

Elle était habillée de fourrure blanche, perchée sur des bottes de lézard blanc à hauts talons. En entrant, elle dégagea le col de sa cape, et les diamants qui ruisselaient sur sa gorge coupèrent le souffle du banquier. Aussitôt remis du choc, il se porta vivement à sa rencontre. Prit dans les siennes la main offerte.

– Lélia, comme c'est bon de vous revoir !

En tant que banquier hollandais à la carrière plutôt florissante, Veerboom savait, quand il le fallait, déployer un charme viril qui plaisait aux femmes.

– Vous êtes plus belle que jamais. Toujours semblable à la jeune fille que je n'ai pas oubliée. Ça fait combien de temps ? Des années, sans doute, mais il me semble que c'était hier.

– Pas à moi, dit Lélia en battant des paupières. Le passage du temps n'est pas le même pour tout le monde.

Elle était sûre de n'avoir jamais vu ce type auparavant, mais ces banquiers étaient si prétentieux...

– Exactement mon avis, dit-il avec chaleur.

Il l'escorta jusqu'au meilleur fauteuil, s'assit en face d'elle et agita la sonnette pour appeler le commis.

– Ma secrétaire vous aura sans doute expliqué que j'ai un dîner d'affaires que je ne puis remettre, et qui limite, hélas, le temps qu'il me reste à vous consacrer. Alors, entrons tout de suite dans le vif du sujet, si vous le voulez bien. Qu'est-ce qui vous amène à la Rabobank, en cette veille des vacances de Noël ?

– L'argent, dit Lélia. L'héritage de mon cher défunt mari. Il m'a laissé une grosse somme pour l'éducation de ma fille. J'aimerais en confier une partie à votre banque.

– Naturellement. Nous ne serons que trop heureux de vous être utiles. Vous voudriez, peut-être, que nous jouions, auprès d'elle, le rôle de tuteurs ?

– Pas le moins du monde. Ma fille, qui est aux États-Unis, va venir s'installer ici, en Europe, et je veux qu'elle dispose de tout l'argent dont elle aura besoin. Mais je vais vous confier... mes propres investissements, que je ne désire pas convertir en liquide.

– Je vois. Vous avez des titres que vous proposez de nous donner en garantie d'un prêt sur valeurs négociables, c'est bien ça ? De cette manière, vous ne renoncerez pas à vos placements et pourrez continuer d'en toucher l'usufruit. C'est une pratique courante, très simple à mettre en route. Et vous souhaitez ouvrir ce compte au nom de mademoiselle votre fille ?

– Absolument pas. À mon propre nom. Je veux pouvoir retirer de l'argent à ma guise. Dès aujourd'hui, par exemple.

– Dans ce cas, c'est légèrement différent. Vous ne voulez pas seulement ouvrir une ligne de crédit, mais un compte courant alimenté par un prêt qui, naturellement, vous coûtera des intérêts. Si je comprends bien, vous signerez à votre fille des chèques ou des traites qui lui permettront de se retourner, en vous laissant seule gestionnaire de votre argent. Une attitude très sage, si je puis me permettre...

– Donc, c'est tout à fait possible ?

– Mais bien entendu, chère madame, rien de plus simple. Et de quelle somme souhaitez-vous pouvoir disposer, à l'ouverture de ce compte ?

– C'est pour cette raison que j'ai voulu vous voir personnellement, monsieur Veerboom. Il ne s'agit pas d'une petite somme.

– Mais encore, chère madame ?

– Vingt millions de dollars américains, cher monsieur Veerboom.

Le banquier accusa le coup, puis récupéra tout son charme.

– Certainement, certainement. Et que nous proposez-vous, en nantissement ?

Jamais la voix de Lélia n'avait été aussi suave.

– Est-ce que quarante millions suffiront ?

Veerboom n'en croyait pas ses oreilles, mais parvint à répondre avec naturel :

– Quarante millions pour garantir une provision à concurrence de vingt. Cela ne présentera aucun problème, chère madame. Mais comme la banque va fermer pour huit jours, puis-je vous demander de signer quelques documents, maintenant, et de nous recontacter dans une semaine à Baden-Baden, où j'ai cru comprendre que vous serez alors ?

– Malheureusement, ce ne sera pas possible. Je veux quelques millions, dès ce soir. À cause de cette urgence, j'ai apporté avec moi les valeurs de garantie.

Ouvrant son grand sac, elle en tira les authentiques titres au porteur dont les copies prenaient actuellement la poussière dans les chambres fortes de la Depository Trust, à New York.

Elle les déploya en éventail sur le bureau de Veerboom, qui eut quelque mérite à ne pas rouler des yeux ronds. À ce moment précis, le commis entra dans la pièce.

– Thé pour madame.

Sa gorge était si sèche qu'il pouvait à peine parler.

– Et apportez-moi un cognac, par la même occasion. Apportez même une bouteille. Madame se joindra peut-être à moi pour un verre d'excellent cognac ?

Lélia lui signifia son accord, souriant toujours sur le mode angélique. Veerboom rappela, *in extremis*, le commis qui ressortait du bureau.

– Oh... Hans ! Dites à Peter d'annuler mon rendez-vous de six heures, et prévenez Ullie que je serai très en retard. Je vous en remercie.

LE FINANCEMENT

« Dans aucun système économique antérieur
à l'ère industrielle, aucune sorte d'investissement
connu ne semble avoir offert à quiconque
une source normale de profit légitime. »

L'Ère de la machine, Thorstein Veblen

Ma soirée historique à l'Opéra remontait à un mois, ou presque. En ce dimanche 20 décembre, en matinée, les dieux du Walhalla avaient cédé la place au célèbre chercheur de fortune français, amant de Manon. Prologue approprié à cette soirée mémorable entre toutes.

J'adore la scène où Manon rejette son existence privilégiée de reine de Paris et, ruisselante de diamants, se précipite à Saint-Sulpice pour séduire son ancien amoureux, à la veille de son entrée dans les ordres.

Manon est une fille qui est écartelée entre l'amour des hommes et l'amour de l'argent. Mais comme dans la plupart des livrets d'opéra, c'est l'argent qui gagne en fin de compte. Durant son agonie, en exil, dans la pauvreté la plus totale, même les étoiles au-dessus de sa tête lui rappellent les diamants qu'elle portait, au temps où elle baignait dans le luxe et la richesse.

Je rentrai chez moi, réconfortée non seulement par le charme de la musique, mais par le fait que c'était Manon qui venait de mourir, et pas moi.

Le brouillard enveloppait mon appartement comme un linceul blanc. Je sortis sur la terrasse et coupai assez d'orchidées pour garnir un grand vase. Vu de l'extérieur, le brouillard était si dense que je ne distinguais même pas la tour phallique érigée par Lillie Colt sur Telegraph Hill, en hommage aux pompiers qu'elle pourchassait à travers la ville. J'étais rentrée et préparais le thé quand le téléphone sonna.

– Bonsoir, ma chère, dit la douce voix familière. Je t'appelle pour que tu puisses me souhaiter un heureux anniversaire.

– Car c'est ton anniversaire ? Je croyais que c'était celui de Beethoven.

– Ce qui prouve que les grands esprits se rencontrent. Ils sont régis par les mêmes planètes. Et j'ai pas mal de choses à fêter, aujourd'hui. En particulier la bonne marche de notre programme.

Bon sang ! Tor voulait-il dire qu'il avait déjà tous les titres nécessaires pour passer à la phase deux de son projet : l'investissement ? Alors que le mien faisait encore du surplace. Tavish et le reste de l'équipe n'ayant pas réussi à décrypter un seul code, j'en étais toujours à marquer le pas. Brusquement, toute cette histoire de pari me plongeait dans une profonde déprime.

Plus pour changer de sujet que par intérêt sincère, je lui demandai :

– Qu'est-ce que vous avez tant à fêter aujourd'hui, tous les trois ?

– Georgiane et moi avons toujours beaucoup de travail, naturellement. On devrait finir d'imprimer cette semaine. Et Lélia est partie pour l'Europe afin de nous aider à préparer le bouquet final de notre feu d'artifice.

Une bonne et une mauvaise nouvelle. La bonne, c'était qu'ils n'en avaient pas terminé, loin de là. La mauvaise... Autant essayer d'en savoir plus long, sans attendre.

– Vous avez envoyé Lélia toute seule en Europe ? J'espère que vous savez ce que vous faites.

– Le risque n'est pas grand, de toute manière. Elle a emporté les titres... les vrais, ceux qu'on a remplacés par nos reproductions... et elle négocie des ouvertures de crédit, dans différentes banques du continent. Personne ne mettra en doute l'intégrité d'une femme de sa classe et de son statut social, dans aucun pays apte à ouvrir des comptes de cette taille. Elle n'opère aucun prélèvement. Elle assure simplement nos arrières, pour le jour de ce fameux bouquet.

– J'espère qu'il ne vous explosera pas au visage. Je connais Lélia depuis beaucoup plus longtemps que toi. Elle aime manipuler les événements à sa propre manière.

Étais-je sincère, une fois de plus ? Ou bassement perfide ? Il ronronna :

– C'est mon souci, pas le tien. En plus, il fallait bien que quelqu'un commence à s'en occuper. Quand on aura fini d'imprimer et de substituer les titres, vers la fin de la semaine, il sera trop tard pour ouvrir des comptes locaux. Noël approche et les banques européennes vont fermer pour les vacances. Il aurait fallu qu'on attende au lendemain du premier janvier.

Seigneur, il avait raison ! C'était une chose dont je n'avais pas tenu compte. Dans quatre jours, à la veille de Noël, tous nos systèmes bancaires seraient bouclés en vue des épurations de fin d'année. Si, dans l'intervalle, je n'avais pas mis au point notre programme pour faire main basse sur tous ces transferts par câble, on aurait des semaines de retard sur Tor, et peu d'argent disponible, par-dessus le marché. Comment avais-je pu me montrer aussi stupide ?

– Et ton petit cambriolage, où en est-il ?

Toujours en avance sur moi d'une pensée ou deux, le salopard ! Je ripostai, en maudissant mon imprévoyance et cherchant fébrilement une solution :

– Tout va bien, merci.

La bouilloire sifflait. Je la déplaçai si maladroitement que je faillis m'ébouillanter les orteils. Mon saut de carpe propulsa le téléphone sur le parquet. En le ramassant, j'entendis Zoltan s'étrangler de rire, à l'autre bout du fil.

– Tout a l'air de marcher au mieux, en effet ! Ça va si mal que ça ? Qu'est-ce qui cloche ? Je sens que tu vas te régaler de vivre à New York et de travailler pour moi, en bonne tekos que tu es, comme c'est ton destin. Tu es née pour ça. Pourquoi ne pas l'admettre dès maintenant, en reconnaissant que tu as déjà perdu ?

J'épongeais le parquet du bout d'un pied, à l'aide de ma chaussette.

– La vieille histoire de la peau de l'ours. Attends de m'avoir battue pour te réjouir de ma défaite !

– J'ai toujours admiré ton courage, au bord du désastre. Tu n'as pas encore réussi à craquer un seul code, c'est bien ça ?

– Mettons-nous bien d'accord. Même si je perds, même si je dois trimer sous tes ordres, ça n'a jamais été mon *destin*. Ce sera juste un épisode. Tu ne m'enfermeras pas dans une de tes cages.

Il garda le silence un instant, alors que je me traînais, avec le téléphone, jusqu'au plus proche fauteuil de mon salon. Puis il relança, doucement :

– Tu as toujours dressé tant de murs autour de toi... Je n'ai jamais rêvé de les remplacer par les barreaux d'une cage. Je rêve plutôt de les abattre pour te libérer de toi-même. Au moins, fais-moi l'amitié de me croire.

– C'est pour ça que tu m'as piégée, avec ton petit pari ? Pour m'alléger du fardeau de la carrière que j'avais librement choisie ?

– Que tu veuilles l'admettre ou non, c'est la vérité pure. Au cas improbable où tu gagnerais, je respecterai ma parole. Et dans le cas contraire, je compte bien sur toi pour respecter la tienne.

Retrouvant soudain sa verve sarcastique coutumière :

– Maintenant, si ça ne t'ennuie pas, je vais aller déboucher le champagne de mon anniversaire.

Après avoir raccroché, je restai assise, dans le crépuscule, jusqu'à la nuit noire. Puis j'allai me coucher, sans souper. Quoi qu'il pût arriver, je devais gagner ce pari. Même si, en cette fin de soirée, la possibilité m'en apparaissait infiniment lointaine.

Le lendemain matin, Tavish entra dans mon bureau vitré du trentième étage. S'assit en face de moi, tasse de thé au poing, sans cesser de gratter une chevelure blonde qui commençait à se clairsemer.

– J'ai pensé à un truc. Imaginons que j'essaie d'entrer dans le système de production et que l'ordinateur n'accepte pas mon mot de passe. Au bout de trois essais, je serais bloqué et mon terminal mis hors d'usage.

Il attendait une réponse. Je la lui donnai :

– Exact. C'est comme ça que fonctionne la sécurité. Pour s'assurer que des personnes non autorisées ne se baladent pas dans le système. C'est quoi, ton truc ?

– Eh bien, si j'étais une personne autorisée, et que j'aie oublié mon mot de passe, qu'est-ce qu'ils feraient ?

– Ils te fourniraient un nouveau mot de passe. Mais je ne vois pas comment ça pourrait résoudre notre problème. Ton nouveau mot de passe ne te laisserait entrer que dans le système auquel tu aurais officiellement accès. Absolument pas dans les systèmes de sécurité, et c'est ceux-là qu'on a besoin de forcer.

– Bien entendu. Mais mon mot de passe me laisserait entrer, si j'étais la personne chargée des systèmes de sécurité.

J'ouvris grands les yeux, sans mot dire. Il enchaîna, subitement hilare :

– Le gars s'appelle Len Maise. Numéro de terminal, trois, un, sept, au onzième étage. Il est parti vendredi pour Tahoe et ne rentrera pas avant la fin des congés de Noël.

Les battements de mon cœur commençaient à s'accélérer, doucement.

– Comment vas-tu trouver son mot de passe ?

– Trois fois, j'ai essayé de me jumeler avec son terminal. Trois fois, je me suis fait jeter. Alors, j'ai téléphoné, tout bonnement, en me faisant passer pour Len Maise. Je leur ai dit que je voulais un nouveau mot de passe dont je puisse me souvenir, cette fois-ci. Pour le programmer dans le système, il leur faut une autorisation signée d'un vice-président. Comme le patron de Len est absent, lui aussi, je crois que tu vas devoir signer ce papelard.

– Apporte-moi une tasse de ce que tu bois. Et pendant que tu y seras, pique un formulaire d'autorisation. Je sens que Len Maise, agent de sécurité, a une envie folle de changer son mot de passe.

La fin de l'année est toujours une période agitée, dans le milieu bancaire. La Banque mondiale avait une devise strictement privée :

« On ne ferme jamais les portes tant que l'argent rentre. » Cette formule avait le mérite de la franchise.

On était ouvert plus tard, en cette saison. Non seulement pour les acheteurs de dindes et de cadeaux, mais pour les transferts de fonds et autres services courants. Dans très peu de temps, ce serait la fermeture de fin d'année, dans le monde entier, ce qui signifiait que les investissements antifiscaux ne pouvaient plus attendre, et la frénésie bancaire de saison nous posait un double dilemme.

Les opérations tournaient à plein rendement, déplaçant plus d'argent qu'à n'importe quel autre moment de l'année. Je perdrais mon pari si je ne pouvais pas m'introduire vite dans le système. À la veille de Noël, le système serait bouclé. Il fallait que je passe cette porte avant qu'on ne me la claque au nez.

Mais ce mercredi-là, l'avant-veille de Noël, bien que Tavish fût comme chez lui dans le système de sécurité, il n'avait pas encore décodé le petit programme d'accès aux transferts par câble, celui qui nous permettrait de piocher dans les capitaux gérés par la banque pour les transférer sur d'autres comptes.

Qui plus est, je ne pouvais guère ouvrir trente mille comptes courants, tous équilibrés, ça risquerait d'éveiller les soupçons. Ma seule ressource pour ne pas devenir folle, c'était de me ronger les ongles en regardant, à travers ma paroi de verre, le temps passer sur les cadrans à l'heure du monde entier, alignés de l'autre côté du couloir.

Le mardi matin, la veille de Noël, Tavish en était toujours au même point. Pavel, lui, avait déjà fui « la folie de la ville ». Quand mon téléphone sonna, je le décrochai en prise directe.

– *Cherrie*, dit la voix étouffée de Lélia, il s'agit d'une chose de *grave urgence*. Un grand malheur qui m'accable. Il faut que tu viennes *tout de suite*. Aujourd'hui même.

– Doucement, Lélia. Venir où ? Je te croyais en Europe ?

– *Da*. Je suis en Europe. Mais actuellement, je suis ici, dans ma chambre.

J'avais oublié que dans les moments de crise, Lélia ne savait plus parler qu'au présent.

– On va reprendre tout ça calmement. Depuis le début. Tu étais en Europe, mais tu es rentrée. Où sont Tor et Georgiane ? Tu n'as personne auprès de toi qui puisse me traduire tes paroles ?

– Non, *niemand*, et je suis si *fatiguée*. Djordjione, elle est en Europe à ma place, et Tor, il ne veut pas me parler. Ils sont très *fâchés contre moi*.

J'essayais désespérément de me raccrocher aux branches.

– Pourquoi sont-ils fâchés contre toi ? Pourquoi Georgiane est-elle partie en Europe ? Pourquoi Zoltan ne m'appelle-t-il pas lui-même ? Il y a un problème ?

– Où il est, il n'y a pas le téléphone.

De mieux en mieux. Même en prison, il y a le téléphone. Où pouvait-il être ?

– Il n'est pas auprès de toi ?

– Auprès de moi ? Mais non. Je suis dans ma chambre.

– Ce n'est pas ce que je voulais dire. Je parlais de New York.

– Il n'est pas loin, mais il ne peut pas te parler. Il veut que tu viennes à New York. *Tout de suite.* Je t'envoie ton billet à l'aéroport. *Tu viens ? Je m'explique* à ton arrivée.

– J'aimerais que tu t'expliques, en effet. Mais je ne peux pas venir. Je suis très occupée, ici. Je ne peux pas partir pour New York juste avant Noël. Dis-le à Tor, et qu'il me téléphone lui-même. J'en ai marre de toutes ces combines, et franchement, je me demande comment il a pu te compromettre dans cette histoire.

– *Tu me crèves le cœur !* gémit Lélia. Tu ne me donnes pas la confiance. Viens ici. Je t'explique tout quand tu arrives.

– Je vais te dire ce que je peux faire. C'est moi qui vais appeler Tor. Je vais lui laisser un message sur son répondeur. Si c'est important, il pourra tout me dire, en anglais.

– Tu ne comprends pas mon anglais !

Elle me faisait de la peine, mais j'en avais assez de cette comédie. Je l'embrassai au téléphone et raccrochai nerveusement.

Mon autre ligne clignotait et, quand je redécrochai l'appareil, j'oubliai instantanément Lélia. Je m'attendais à tout sauf à entendre Karp, l'ancien patron de Tavish et le patron provisoire de Pearl. Il m'invitait à déjeuner.

La perspective de passer avec lui une heure ou davantage ne me réjouissait guère. J'acceptai quand même. Il valait mieux que je sache ce qu'il avait en tête.

Je le rejoignis au restaurant de son choix, le *Coûte que coûte*, en français dans le texte. Je connaissais l'établissement. C'était ce genre de restaurant à la française où les garçons viennent vous demander, au bout d'une à deux heures, ce que vous avez l'intention de manger. Karp s'amena avec une demi-heure de retard, salua ou embrassa tout le monde, y compris le chef jailli de sa cuisine, avant de pousser jusqu'à ma table. Le vrai chouchou de la maison ! Puis il s'absorba dans le menu et la carte des vins, commanda pour lui et pour moi, alors que croissait mon envie de vomir, et déclara finalement, avec un sourire onctueux :

– Je viens juste de rentrer d'Allemagne, mon pays d'origine. Je sais que vous avez failli partir là-bas vous-même.

– Oui, j'ai appris ça. Merci pour la recommandation.

Il eut un geste magnanime, comme s'il croyait que je le remerciais vraiment.

– C'est un endroit merveilleux, Banks. Vous n'auriez pas dû être aussi pressée de repousser cette proposition. Bien sûr, c'est différent pour moi. Je parle couramment la langue. Et ma généalogie remonte à plus de mille ans.

– Vraiment ? La mienne également. Quelle coïncidence ! Dommage que notre mémoire ne remonte pas aussi loin.

Il me jeta le regard que j'attendais. Puis revint à l'ordre du jour.

– Je vous ai invitée pour vous avertir, Banks. Juste un petit mot amical, entre collègues. La crise que vous avez déclenchée fait des vagues dans toute l'organisation bancaire. La semaine dernière, j'ai eu un coup de fil de Willingly. Il disait que c'était très urgent. Il m'a dit : « Banks ne joue pas le jeu. » Vous savez de quel jeu il parlait ? Le jeu des hommes d'affaires. Étant de souche allemande, je comprends mieux les différences entre hommes et femmes. Vous me suivez ?

– Je suis au courant de quelques-unes de ces différences. Où voulez-vous en venir ?

– Willingly, votre patron, est très proche de Lawrence. Lawrence l'a même pistonné pour qu'il obtienne sa carte de membre du *Vagabond Club*. Il doit être intronisé ce mois-ci.

– Qu'est-ce que je devrais faire ? Éclater en sanglots ? Ce n'est pas vraiment mon genre, mais Kiwi est heureux, Lawrence est heureux, tout le monde est heureux. Je suis contente.

– Tout le monde sauf moi, rectifia-t-il pesamment. Je vous raconte tout ça parce que j'ai le sentiment que vous me devez quelque chose, Banks.

– Entendons-nous bien, Karp. Je ne vous dois rien, excepté ce déjeuner, si toutefois vous réglez l'addition. Vous ne m'apprenez rien. Kiwi m'a déjà tout dit.

– Ce que vous ne savez pas, c'est qu'il va avoir de l'avancement. Le poste de Lawrence. Sitôt que Lawrence aura été promu tout en haut.

– Tout en haut ?

J'aurais voulu ne rien laisser paraître de ma surprise, mais j'avais reçu le choc au-dessous de la ceinture. Tout en haut de quoi ? Lawrence superprésident de la Mondiale ? Il me semblait impossible que les membres du conseil d'administration, même avec le peu d'imagination qu'ils avaient en moyenne, fussent assez naïfs pour hisser jusqu'à l'Olympe un fils de pute aussi dépourvu de scrupules que Lawrence. Un renard à la tête du poulailler !

– Maintenant, vous me devez vraiment quelque chose, hein, Banks ?

Il s'en léchait littéralement les babines.

– Vous voyez à quel point vos beaux jours sont comptés. Vous allez retrouver Willingly aux commandes, et c'est lui qui mènera la danse.

– Vous êtes sûr qu'il sait danser ?

Mais si Kiwi me reprenait en main, j'étais cuite. Rôtie d'avance. Inutile de plastronner avec Karp. Il en savait sans doute beaucoup plus sur mes perspectives d'avenir, à ce stade, que je n'en savais moi-même. Avec Kiwi sur le dos, à la place de Lawrence, je pouvais dire au revoir à mon projet, à mon pari, à mon boulot et peut-être à ma peau.

– Alors, qu'est-ce que je vous dois, au juste ? Demandez-le maintenant, parce que, la semaine prochaine, je ne serai peut-être plus en mesure de vous renvoyer l'ascenseur.

Il se pencha en avant, comme pour me confier un secret d'État.

– Débarrassez-vous d'elle. Elle fait tout pour me dominer. Elle brigue mon poste, et tout le monde s'en rend compte. Je mourrai d'ulcères à l'estomac s'il faut que j'attende que Willingly la balance. Vous, je sais qu'elle vous écoutera. Enlevez-la-moi de sur le dos.

J'avais beaucoup de mal à ne pas éclater de rire.

– Vous parlez de Pearl ?

– Oui. La *schwarze*. Il n'y a pas de quoi rigoler. Elle est complètement cinglée. Toute la journée, elle me fait remplir des formulaires. Par routine pure et simple. Elle me suit dans les toilettes. Vous savez bien que si on observe tous ces règlements à la lettre, on n'a plus de temps pour autre chose. Mais si j'en néglige un seul, elle s'empressera de me signaler. Elle me l'a dit. Elle m'en a menacé.

Une surexcitation croissante gonflait les veines de son nez, et je me souvenais de ce que Tavish m'avait dit sur sa dépendance à la cocaïne. Je me souvenais, aussi, d'autre chose : ses magouilles plus que douteuses, sur le réseau informatique.

– Qu'est-ce vous pourriez bien faire qui vaille la peine d'être signalé ?

J'y avais mis toute la candeur possible, et Karp réagit en conséquence :

– Vous vous imaginez que je ne sais pas comment vous avez entendu parler de Francfort juste à temps pour vous sauver la mise ? Et pourquoi vous êtes entrée en rapports directs avec Lawrence ? Vous vous imaginez que Willingly et moi, on ignore ce que vous tramez, avec votre cercle de qualité ? Et vos essais de décryptage des mots de passe et des clés d'accès ? Vous voulez entrer dans le système des transferts par câble pour montrer que les mesures de sécurité sont les moins fiables de toute la banque !

Heureusement que dans son agitation mal maîtrisée, Karp en disait plus qu'il ne voulait m'en apprendre. Mais c'était quand même une très mauvaise nouvelle, la preuve que Kiwi me serrait de près et qu'il savait ce qu'on préparait, même s'il ne savait pas pourquoi. Karp n'avait pas pu flairer tout seul toute l'affaire. Pas avec toute la coke qu'il s'enfilait.

Il fallait absolument que je le neutralise. Tout de suite.

– Peter-Paul, je ne suis pas aussi proche de Pearl que vous semblez le croire, mais il est possible que je puisse l'inciter à quitter votre service. Je connais un poste ou deux sur lesquels elle sauterait à pieds joints.

– Je vous en serais éternellement reconnaissant, Banks. Votre obligé à vie.

– Je ferai mon possible.

Et tant pis si, pour le moment, je n'en avais pas la moindre idée ! J'enchaînai, sur mon élan :

– Mais d'ici là, il faut que vous cessiez de me coller des bâtons dans les roues, avec Kiwi. Stoppez cette guérilla entre nos services. Laissez-moi en terminer avec ce programme. Et jusque-là, oubliez Tavish, d'accord ?

– D'accord. Récupérer Tavish est bien le cadet de mes soucis !

Peut-être même était-il sincère, mais ça ne m'empêcha pas de penser :

« Cause toujours, espèce de faux-cul ! »

Tout en lui disant à haute voix :

– Je vous fais entièrement confiance.

En rentrant de déjeuner, j'entraînai dans mon bureau un Tavish plutôt sinistre.

– Tu vas attacher des mouchards aux mots de passe qui donnent accès à tous nos programmes et à tous nos dossiers. S'ils veulent nous pomper, je veux être prévenue. Je ne sais trop comment, mais Kiwi et Karp ont éventé nos objectifs, et savent que Pearl marche avec nous. Ou ils ont acheté l'un des membres du cercle de qualité, ou ils suivent nos initiatives sur le système lui-même.

– Je m'en occupe *illico*, acquiesça Tavish. Ce que tu ne sais pas, c'est que Kiwi m'a invité à déjeuner.

La révélation me cloua sur place.

– Diviser pour régner, la bonne vieille méthode. Moi, c'est Karp qui m'a invitée. Il voulait que je fasse quelque chose pour lui. Et Kiwi ?

– Il m'a offert un autre job. Non, offert n'est pas le mot. Il m'a menacé.

– Menacé de quoi ?

– Dès qu'on aura violé un seul système ou un seul dossier, il faudra l'en informer, et le cercle de qualité sera immédiatement dissous. Je pourrai alors venir bosser avec lui. Ou retourner chez Karp.

– Pourquoi pas venir te joindre à moi sur mon prochain projet ?

– Parce que tu n'auras pas d'autre projet ! Ils veulent t'éjecter pour de bon, et Pearl avec toi.

Plus exactement, c'était sur moi que comptaient ces deux clowns pour leur livrer Pearl pieds et poings liés, en guise de cadeau d'adieu. Et Lawrence, cet autre faux jeton, était bel et bien dans le coup. Pour réussir dans la banque, fallait-il être, dès la naissance, un salaud de toute première classe ?

J'essayai de consoler Tavish :

– En fait, je garde un autre projet dans la manche. Je t'ai parlé de mon pari avec le docteur Tor. Mais je ne t'en ai jamais exposé les enjeux.

Déjà prêt à partir, la main sur la poignée de la porte, Tavish se retourna.

– Je préférerais n'avoir jamais entendu parler de ce putain de pari. Et je me fous des enjeux. Ils sont trop chers pour moi. Je vais finir par me faire coffrer. Ou bien expulser en tant qu'étranger. Tout ça parce que je n'ai rien fait de plus criminel que de vouloir détrousser honnêtement la banque !

– Tu peux te coucher quand tu veux. Mais la partie de poker continuera sans toi, avec la même mise : si je gagne, le docteur Tor récupérera pour moi, à la Fed, le poste que Kiwi m'a sabordé. Si je perds, je travaillerai pendant un an pour le docteur Tor.

Le visage de Tavish était celui d'un enfant conduit à l'improviste devant son arbre de Noël.

– Travailler pour le docteur Tor, c'est pas ce que j'appellerais *perdre*. Si je pouvais faire sa connaissance, lui serrer la main, lui parler, je serais le plus heureux des hommes. Toi qui le connais bien, tu me le présenteras un jour ?

– Je peux te répondre tout de suite. Et je m'y engage. Ça se fera, comme deux et deux font quatre, le jour où tu perceras cette saloperie de code.

À cinq heures, Pearl fit irruption dans mon bureau, l'œil plus sauvage que celui d'une panthère.

– Alors, qu'est-ce qu'il a dit ?

– Il m'a demandé de me débarrasser de toi. En te fournissant un autre job.

– Où ça ?

– En Sibérie ou ailleurs, il n'en a rien à foutre. Il paraît que tu le rends dingue en lui faisant remplir des formulaires. Et que tu le suis jusque dans les toilettes !

– Ce salaud ment comme il respire. Je l'ai peut-être attendu deux ou trois fois devant la porte...

– Il va falloir que tu lâches la pression. Je lui ai promis de t'éloigner de lui. Juste provisoirement, tu vois ? Je ne peux pas me permettre de m'exposer à son hystérie, et le temps risque de nous manquer. Si on n'entre pas dans le système ce soir, je perds mon pari, et tu le sauras tout de suite. Je pourrai peut-être encore détourner un peu de fric, prouver la nullité de Karp, Kiwi et des autres, mais j'aurai toute la banque sur le dos. S'ils comprennent le fin mot de l'histoire, il faudra que je les court-circuite vite fait, ou que je saute dans le premier avion pour la Terre de Feu.

Pearl avait quelque peine à reprendre son souffle.

– Ce soir ! Je ne le crois pas. Sur le moment, tout ça m'avait fait l'effet d'un jeu ? Mais tu dis qu'ils passeront aux actes ?

Je m'entendis glousser, trop spontanément :

– Tu veux parier ?

Et le choix du mot me fit faire la grimace. Parce que c'était bel et bien ce pari qui m'avait mise dedans jusqu'au cou. Comment Tor avait-il pu m'y pousser, en si peu de temps, à New York ? Il y

215

avait de ça moins d'un mois, j'étais la femme la mieux payée au service de la plus grande banque du monde. J'avais derrière moi plus de douze ans de pratique des technologies bancaires. Et devant moi, la perspective d'un avenir encore plus prometteur.

Pourtant, ce soir, ou je pillerais cette banque, ne fût-ce qu'à titre provisoire, ou je volerais vers New York me constituer esclave. Tout ça parce que Zoltan Tor avait transformé ma légitime soif de revanche en une vendetta internationale. Seigneur Dieu, est-ce que je deviendrai jamais adulte ?

Quelqu'un frappait doucement à la porte de mon bureau. Pas de lumière dans le corridor, depuis trois heures de l'après-midi, en raison de la fermeture imminente. Impossible de distinguer l'identité du visiteur qui bougeait de l'autre côté de la vitre.

Pearl, toujours si sûre d'elle-même, chuchota, pleine d'appréhension :

– Qu'est-ce qu'on dit, si c'est Karp ?

Et je lui renvoyai, dans le même registre :

– Qu'on discute de ton prochain boulot.

Elle alla ouvrir, mais c'était Tavish, les bras chargés de feuilles fraîchement sorties de l'imprimante. Il traversa la pièce afin de pouvoir lâcher la pile de documents, en vrac, sur mon bureau.

Même en les voyant à l'envers, je savais de quoi il s'agissait, et mon cœur manqua un battement.

– On a décrypté le code, mesdames, jubilait Tavish. On peut les ouvrir, tous ces comptes, à présent. Je crois qu'ils vont recevoir des dépôts substantiels, au cours de la nuit.

Pearl et moi levâmes la main, sans nous être concertées, pour échanger un claquement de paume.

Je souhaitais, simplement, qu'il ne fût pas trop tard.

Je décrochai mon téléphone et commandai des fleurs, toutes blanches, lys, narcisses, chrysanthèmes, lilas et branches de cerisier, en quantité déraisonnable. De quoi dévaliser la fleuriste.

J'invitais rarement des gens chez moi, parce que c'était ma forteresse, le château des nuages où je me réfugiais pour décompresser. Mais ce soir, j'avais décidé que ce serait plus convivial d'être là-haut, avec Pearl et Tavish, plutôt que dans un centre de données à manger des pizzas sur le pouce. Plus sûr également, sans doute, du point de vue des indiscrétions possibles.

J'appelai le magasin des vins et spiritueux afin de commander le champagne, ainsi que le traiteur, monsieur Hsu, dont j'écumai la carte du jour.

En débarquant chez moi, je vis que le concierge avait déjà monté le champagne, dans sa caisse réfrigérée à la neige carbonique. Quant à monsieur Hsu, il était là en personne, assis parmi les fleurs, sur la dernière marche de l'escalier.

– Madame Vérité, dit-il en se levant d'un bond, j'ai tout apporté en rentrant chez moi.

– Monsieur Hsu, voulez-vous boire avec moi un verre de champagne ?

Tout en m'aidant à charrier les fleurs et ses propres marchandises, il déclina poliment mon invitation.

– Non, merci, ma femme m'attend. Mais puis-je vous poser une question, avant de partir ? Combien d'invités attendez-vous, ce soir ?

– Deux, pourquoi ?

– C'est ce que j'ai dit à ma femme. Madame Vérité commande toujours pour un régiment. Elle ne m'a pas cru. Un de ces jours, quand vous viendrez au restaurant, vous lui expliquerez votre philosophie. C'est très américain.

– Vous voulez dire : mieux vaut trop que pas assez ?

– Exactement. J'aime beaucoup cette philosophie américaine. Elle est en train de faire ma fortune.

Je m'abstins de lui expliquer que tous les fous d'informatique étaient des consommateurs enragés, fervents adeptes de la surabondance, et le laissai reprendre l'ascenseur, immergé dans son rêve capitaliste.

J'aurais à peine le temps de déballer et d'arranger les fleurs, de préparer le seau à champagne, de répartir le menu en fonction du micro-ondes, et de prendre une douche avant de me changer. Je finissais de me parfumer et d'enfiler mon ample pull de cachemire quand ils sonnèrent à la porte, Pearl dans un ensemble de couleur flamant rose qui l'enveloppait comme une robe de chambre, et Tavish en T-shirt de teinte assortie, sans doute choisi par Pearl. Il portait la mention «Les vrais hommes mangent du caviar Beluga».

On sabla le champagne et on s'arrima confortablement sur les coussins pour bâfrer et décompresser en prévision d'une longue nuit au clavier.

– Perchés comme ça au sommet du monde, ronronna Pearl, entourés de fleurs et de champagne, j'ai l'impression que tout le reste, la banque, ma carrière absurde et ce connard de Karp, rien de tout ça n'existe plus.

– Mais grâce à la technologie moderne, ricana Tavish, on est à quelques heures du paradis.

Quelques heures qui allaient changer ma vie. Du moins, je voulais toujours le croire.

À neuf heures, nous étions réunis autour de ma grande table laquée, Tavish au clavier, encadré de Pearl et de moi qui, mortes de fatigue et d'un peu trop de champagne, étions passées au café noir, très fort, et l'assistions dans son sacerdoce.

– Cet ordinateur, annonça-t-il enchanté, Charles Babbage, c'est ça ? C'est un sacré personnage. Il vient de me dire que tout sera compté en heures sup, lors du règlement.

J'avais passé un marché avec les jumeaux Bobbsey, pour qu'ils tiennent Charlie à notre disposition, le temps qu'il faudrait pour relayer ses listes à l'ordinateur de la banque et ouvrir nos nouveaux comptes courants.

La banque accueillait chaque jour de nouveaux clients. Des ouvertures de compte comme celles-ci faisaient partie de la routine quotidienne. Et nous aurions de quoi les créditer, en puisant dans les transferts par câble, sitôt que nos «changements de programme» seraient incorporés au système général. Comme nous avions ignoré, jusqu'à ce que Tavish obtienne le code, quels seraient ces changements de programme, nous devions rattraper notre retard pour assurer leur enregistrement et déclencher la transmission au centre de données des pièces nécessaires.

D'un autre côté, le moment était idéal pour demander au système opérationnel ces changements de dernière minute. Il y avait toujours une masse de données en souffrance, dans tous les systèmes, à cette époque de l'année, y compris dans celui des transferts par câble. J'avais joint nos programmes à tous les autres, juste avant de quitter le bureau. Bientôt, les codes seraient tous dans l'ordinateur, en mesure d'éparpiller l'argent sur tous nos nouveaux comptes.

Mais à dix heures tapantes, ce fut la catastrophe.

Pliant sous le poids de l'hystérie de ce jour différent des autres, Pearl et moi étions allées prendre le frais sur la terrasse, et Tavish achevait de surveiller la transmission des données de Charlie, depuis New York, avant de l'envoyer coucher, quand de l'extérieur, on l'entendit hurler d'une voix étranglée :

– Merde, merde et merde !

On se précipita pour voir Tavish rouler des yeux fous, en face d'un écran qui ne bougeait plus.

– Qu'est-ce qu'il y a, bon sang, qu'est-ce qui se passe ?

Tout juste si mon cerveau parvint à déchiffrer les grosses lettres qui s'étalaient sur le moniteur.

ESSAIS DES ORDINATEURS DE LA BANQUE
TERMINÉS POUR CE SOIR
JOYEUX NOËL À TOUS
ET BONNES VACANCES

– Ils ont bouclé toute cette pourriture de système, expliqua Tavish dans un râle. Mon foutu programme reste perdu dans la masse, et ils ont bouclé tout le système, *deux heures trop tôt !*

– C'est pas vrai !

Je ne pouvais détacher mon regard de l'écran. Jamais je ne m'étais sentie aussi ridiculement impuissante de ma vie, incapable de dire un mot ou de concevoir une idée.

– Et on s'empiffrait de cuisine chinoise, se lamenta Pearl. On picolait du champagne comme si on avait toute la vie devant nous. Qu'est-ce que ça signifie au juste ? Qu'est-ce qu'on peut faire ?

– D'où tu es, dit Tavish, tu peux entendre leurs rêves. Leurs détresses et leurs désespoirs, leurs essors et leurs chutes dans la mer immense de leurs rêves...

Pearl l'observait, stupéfaite, plus qu'à demi persuadée qu'il était en train de perdre la boule.

– Et ça signifie, ce charabia ?

– C'est du Dylan Thomas. Ça signifie que nos rêves sont morts. Notre système est mort. Notre projet est mort. On est tous morts.

Il se leva. Sortit de la pièce comme un somnambule, sans nous jeter un regard.

– C'est vrai, ce qu'il dit ? hoqueta Pearl. Qu'est-ce qu'on peut faire ?

Je ne pouvais détacher mes yeux de l'écran.

– Je n'en sais rien. Je n'en sais vraiment, absolument rien.

Il était onze heures, et Pearl venait de menacer Tavish de lui verser son champagne sur la tête s'il répétait encore une seule fois :

– Si seulement on n'avait pas...

C'est alors qu'il me vint une idée. Une mauvaise idée, mais j'étais décidée à tenter n'importe quoi pour cesser de contempler cet écran et de me maudire, jusqu'à ce qu'on puisse de nouveau accéder au système, d'ici à huit jours.

– Bobby, tu sais écrire des codes objets ?

– Un peu, admit Tavish. Mais c'est pas exactement ma spécialité.

– Qu'est-ce que c'est qu'un code objet ? demanda Pearl.

– Un langage mécanique. Celui dans lequel sont traduits les programmes, en bits et en octets, en instructions que la machine peut comprendre et exécuter.

– Qu'est-ce que tu mijotes ? me demanda Pearl.

Mais je regardais toujours Tavish.

– Tu pourrais composer ces codes objets, et les introduire dans les logiciels de la production courante. Comme s'ils y avaient toujours figuré ?

Tavish ricana, avec un parfait cynisme :

– Oui, je crois que je pourrais. À condition que le service des opérations courantes stoppe le système de transfert par câble, qui tourne vingt-quatre heures sur vingt-quatre, assez longtemps pour que je puisse accéder aux machines ! Je suis sûr qu'ils se feront un plaisir de tout stopper si on leur explique qu'on veut simplement détrousser la banque.

– Ce n'est pas ce que je voulais dire.

Je savais que ce que je voulais dire était encore plus farfelu, mais il fallait bien que ça sorte :

– Si on pouvait accéder au système central, maintenant, tu pourrais opérer ces changements sans stopper le système des transferts par câble ?

Le rire de Tavish me traitait carrément d'idiote.

– Tu plaisantes, ou quoi ?

– En anglais, par pitié, implora Pearl. Les grands cerveaux sont en train d'accoucher de quelque chose que je ne suis pas équipée pour comprendre ?

– Elle est barge, diagnostiqua Tavish. C'est à des machines « virtuelles » qu'on a affaire, là-dedans. Elles ont des centaines d'annexes périphériques *on line*, capables de cracher des données à des vitesses qui se comptent en nanosecondes...

– Minute ! Je t'ai pas déjà demandé de me parler anglais ?

– À la base, s'emporta Bob Tavish, c'est comme les Harlem Globetrotters, équipe d'enfer, qui jonglent avec des millions de ballons, à la vitesse de la lumière. Entrer dans ces machines pour y opérer des changements, ce serait comme pratiquer de la neuro-chirurgie sur un kangourou, en tenant un chronomètre d'une main.

Je me dépêchai d'intervenir :

– Belle description. Très encourageante. Tu peux le faire ou pas, si je t'ouvre le bloc opératoire ?

Tavish secoua la tête, les yeux rivés sur le parquet.

– Moi aussi, je suis barge, mais pas à ce point-là. Qui plus est, on ne peut pas agir sur le système à partir d'un terminal comme celui-ci.

– Encore une fois, ce n'est pas ce que je voulais dire. Je pensais à agir directement sur place.

– Dans la salle des machines ?

Tavish jeta, rageusement, sa serviette sur le parquet.

– Non, non. Mille fois non ! C'est complètement impossible !

Il frisait la crise de nerfs, et je pouvais comprendre son point de vue.

Qu'on commette la moindre erreur sur une telle masse de machines au travail, et tout risquerait de nous exploser au visage. De s'effondrer avec le fracas du plantage global qui hante les cauchemars des informaticiens.

Enfin, si quelque chose de cette sorte advenait pendant qu'on se trouve sur les lieux, on serait coincés dans les entrailles du centre de données, cernés de tous côtés par des sas automatiques et des postes de garde. Cernés pour de bon, sans aucun espoir d'en ressortir.

Je concédai qu'il avait raison, que je ne pouvais demander quoi que ce soit d'aussi dangereux. À qui que ce soit. Il se calma suffisamment pour prendre un siège et supputer, dans l'abstrait :

– C'est toujours la faute de ce fameux pari... Évidemment, si ton ami le docteur Tor était là, les choses pourraient être différentes. Il ferait probablement ce que tu demandes. Il a écrit des livres sur le sujet.

Terrible ! Je n'avais même pas essayé de le joindre, après le coup de fil de Lélia. Et voudrait-il changer de côté, au pied levé, pour voler à ma rescousse ? Après tout, comme il se plaisait à le rappeler souvent, on avait un pari en cours.

La téléphone sonna. Je crois à la synchronicité, mais là, l'événement tiendrait du miracle. Malgré tout, je sentis mon cœur s'accélérer et fis signe à Tavish de décrocher.

– Un nommé Lobatschevski, annonça-t-il. Paraîtrait que c'est urgent.

J'allai prendre le téléphone. C'était un peu fort, mais il semblait bien que Tor eût senti, à cinq mille kilomètres, qu'il avait gagné son pari. Je distillai de ma voix la plus douce :

– Nikolai Ivanovitch, quelle joie de vous entendre. Je n'ai pas lu un de vos traités sur la géométrie euclidienne... disons, depuis 1850.

– 1832, pour plus de précision, rectifia Tor. Tu n'as pas daigné me rappeler.

– J'ai été très prise. Submergée, même, à vrai dire.

– Quand je t'envoie un message urgent, j'attends en retour que tu aies la courtoisie de me demander où j'en suis, si tout va bien pour moi. C'est le moins que j'aurais fait dans le cas contraire.

– Tu ne m'as même pas appelée personnellement. Tu voulais que je saute dans l'avion de New York, sur un claquement de doigts de ta part. Tu as oublié que j'avais un boulot à faire. En plus d'un pari à gagner.

Tavish m'observait, les yeux immenses, comme s'il avait deviné entre-temps qui j'avais au bout du fil. Quelqu'un qu'il rêvait de rencontrer. Quelqu'un qui me jappait à l'oreille :

– Comme je viens de le dire, c'est le moins que je ferais pour toi. Puis-je sortir de ce maudit brouillard et grimper chez toi ? Si tes invités n'y voient pas d'objection, bien sûr.

Je parvins à grogner, au prix d'un gros effort :

– Grimper chez moi ? Tu m'appelles d'où ?

– Du kiosque à journaux, au bout de la rue. Je n'avais encore jamais vu cette ville... et je ne l'ai toujours pas vue ! Tu es sûre que c'est une ville ? Je n'en ai rien distingué, depuis l'aéroport. Et c'est une veine que l'avion ait pu atterrir !

Je fermai les yeux. Couvris le micro du combiné pour murmurer, avec gratitude :

– Merci, mon Dieu.

Regardai Tavish, du coin de l'œil, et revins au téléphone :

– Quelle coïncidence. Ou quelle expérience de transmission de pensée. On n'attendait plus que toi.

De toute ma vie, jamais je n'avais été aussi heureuse à l'idée de revoir quelqu'un.

Quand je pressai le bouton pour qu'il puisse pénétrer dans l'immeuble, et quand je l'aperçus, sortant de l'ascenseur dans son manteau de cachemire, avec la lumière de la terrasse dans ses cheveux bouclés, je faillis courir au-devant de lui pour l'embrasser. La dernière chose à faire, compte tenu de ce que je m'apprêtais à lui demander. Je me contentai donc de prendre son manteau et de présenter Tor à la ronde.

Littéralement pétrifié par l'apparition de son idole, Tavish était incapable de prononcer une syllabe. Je l'installai dans le salon, avec Pearl, pour leur permettre de le briefer rapidement sur les traumatismes de nos huit dernières heures, pendant que je préparerais de quoi le réconforter à la cuisine.

Sa voix accompagna ma traversée de la pièce :

– Un endroit charmant ! Tout ce blanc virginal. Il me rappelle un chapitre de *Moby Dick*. Mais c'est bien le reflet de ta personnalité.

Malgré son humour cynique – toujours à mes dépens – je savais qu'en dépit du temps écoulé, même s'il m'avait piégée avec son histoire de pari, même s'il n'avait pas besoin d'une situation d'urgence pour quitter son New York bien-aimé, il ne me laisserait pas me noyer dans le flot boueux qui menaçait de m'emporter cette nuit. Surtout s'il avait l'occasion d'étaler cette magie technologique qui lui était personnelle. Et la magie ne serait pas de trop, en l'occurrence, comme Tavish, Pearl et moi en étions parfaitement conscients.

Dans la cuisine, je sortis d'un tiroir la liste des numéros à appeler en cas d'urgence, et repérai, au premier coup d'œil, celui du chef des opérations. Tout comme moi, il faisait partie des gens à ne déranger qu'en dernier ressort, si quelque avarie surgissait, dans quelque système, au cours de la nuit.

Je connaissais bien Chuck Gibbs. Nous avions passé ensemble de longues nuits sans sommeil, à l'occasion de pannes techniques plus ou moins graves. Chuck avait cinq enfants, et une femme qui en avait assez de dormir seule, l'hiver, avec les pieds glacés. Et c'était la nuit de Noël, un moment où la nouvelle que j'allais leur apporter n'amuserait personne.

– Allô, Chuck ? C'est Verity Banks, du service des transferts électroniques. Je m'en veux de vous déranger, surtout cette nuit, mais j'ai bien peur qu'il y ait un problème, aux opérations.

Je percevais la voix des gosses, à l'arrière-plan, et celle de la femme qui protestait :

– Je le crois pas. Au réveillon de Noël !

– C'est pas grave, affirma Chuck. Les risques du métier.

On aurait dit que je venais de marcher sur la tombe de sa mère. Il ajouta, sans grande conviction :

– Un problème que les gars des opérations vont pouvoir résoudre eux-mêmes ?

Les opérateurs étaient déjà sur place, alors que Chuck habitait à Walnut Street, de l'autre côté de la baie, à plus d'une heure de voiture.

– J'ai peur que non, Chuck. Il semble que ce soit un lecteur qui a planté, mais comment le remplacer sans arrêter le système ? Et c'est la fin de l'année. Le coup de feu de Noël. Si on débranche les périphériques en plein boum, on risque de planter tout le système, à la pire époque. En cas de pépin, il faudra tout réinitialiser et tout reprendre en restauration actualisée.

– Ça, ce serait la galère !

J'étais entièrement d'accord ! Il faudrait des semaines, peut-être plus, pour réenregistrer toutes les transactions qui se déversaient à flots, en ce moment précis. La banque perdrait des millions de dollars, et la nouvelle ne tarderait pas à s'ébruiter. Même la presse sauterait dessus, si une banque de l'importance de la Mondiale foirait juste avant Noël.

– Je vais appeler un ingénieur privé, Chuck. Histoire de jouer sur le velours.

Si quelque chose tournait mal, Chuck serait couvert. Et ce n'était pas lui qui présenterait la note. J'ajoutai :

– Mais je crois qu'il faudrait qu'un chef de service d'échelon élevé soit présent sur les lieux, au cas où ça irait plus mal qu'on ne le pense.

– Tu as raison, concéda Chuck d'un ton misérable.

Alors que sa femme tranchait, d'un ton sans réplique :

– Pas question que tu retraverses la baie en pleine nuit, ça, je te l'interdis !

C'était le moment de placer l'estocade :

– Je vais te dire, Chuck. Si tu veux, je peux y aller à ta place. Je suis à cinq minutes du centre de données, et je n'ai pas d'enfants qui attendent que le Père Noël descende dans la cheminée. Si c'est vraiment très sérieux, je te rappelle, mais ce serait une honte de te déplacer sans nécessité absolue.

S'il avait pu, il serait venu à moi par le fil du téléphone pour me serrer la main.

– Ah, ça, ce serait chouette de ta part. Tu es sûre que ça ne t'ennuie pas ?

– Tu en ferais autant pour moi, non ? Je vais avoir besoin de ton feu vert, bien sûr, pour amener l'ingénieur.

– C'est comme si c'était fait. Martinelli est de service de nuit, tu seras couverte dans moins d'une demi-heure. Et dis donc, Banks, je ne peux pas te dire à quel point j'apprécie ta gentillesse.

– Pas de problème. Et croisons les doigts.

Je raccrochai l'appareil et rejoignis les autres dans le salon. Tor se retourna pour me sourire.

– Tes collègues m'ont fait le topo. Je crois que vous attendez tous un coup de main, non ? C'est le sort du génie de devoir constamment refaire ses preuves. Mais je suis toujours heureux de rendre service. Souviens-toi simplement, très chère, qu'après cette nuit, tu me devras quelque chose.

Pourquoi fallait-il que je me trouve, une fois de plus, en position d'infériorité ?

– Alors, allons-y. Le temps presse. On a rendez-vous avec une machine.

Stupéfiant qu'un simple coup de téléphone puisse nous permettre de franchir six postes de garde, et de pénétrer dans le saint des saints sans plus de fioritures. On avait renvoyé Pearl et Tavish dans leurs foyers, en promettant de les appeler au retour.

Tor me suivait, la tête courbée en avant, muni du code objet de Tavish, avec un vieux trench-coat plus conforme à l'image du teko que le manteau de cachemire resté pendu chez moi.

– Le patron dit qu'on a un lecteur de disque en rade, annonça Martinelli, le superviseur de nuit, à notre arrivée au centre de données brillamment illuminé.

Petit Italien en jean et sweat usagé, avec une casquette militaire sur le crâne, Martinelli veillait sur la quincaillerie dernier cri chargée de transporter à bon port plus de millions de dollars qu'il n'en gagnerait de milliers dans toute sa vie. Le centre de données couvrait quatre hectares, sur trois niveaux du siège de la Banque mondiale.

– On a vérifié tous les lecteurs, déclara-t-il alors que Tor, très professionnel, posait et ouvrait sa serviette. Mais on n'a rien trouvé d'anormal.

– On reçoit un avis d'erreur, au niveau du lecteur soixante-dix. Vous êtes sans doute passés par-dessus.

Il se hérissa un brin, et consulta sa liste de référence.

– Y a pas de lecteur soixante-dix répertorié dans ce système.

– Ce qui veut dire que le système refuse de reconnaître sa présence. Parce qu'il n'en a jamais été informé.

C'était de l'improvisation pure, mais je connaissais le niveau de Martinelli, et j'étais sûre que ça collerait. Tout ce que je voulais, c'était amener Tor à pied d'œuvre.

– Voilà d'où vient le problème. Notre système s'efforce d'acheminer des transferts par câble portant comme adresse le numéro du lecteur qui a été mis hors circuit ou n'a jamais été connecté. Vous ne nous avez pas débranché des périphériques derrière le dos, par hasard ?

– Y a pas de bricolos parmi nous.

Non sans tapoter affectueusement un processeur près de lui :

– Tout ça, c'est branché sur le circuit intérieur. Le système le plus sûr qui puisse exister. Personne n'irait tripoter quoi que ce soit sans savoir.

– Sauf si quelqu'un a relevé un commutateur ou deux. Peut-être même par accident. L'ingénieur ici présent est payé à l'heure, alors ne lui faites pas perdre son temps. Branchons le détecteur de *bugs*, laissez-le passer et faire son boulot, qu'on puisse aller se coucher.

Le détecteur de *bugs* était un dispositif qui jouait un peu le rôle de médecin informatique. Il ronronnait tranquillement à l'intérieur des machines en marche, et relevait les anomalies, quand il lui arrivait de tomber dessus. Complément du superviseur de base qui couvrait tout le système, il permettait un travail plus localisé, et le repérage des programmes « malades », sans alerter toute la baraque. Tor m'avait dit d'ordonner son branchement et de ne pas m'occuper du reste.

Maugréant après l'ingérence des femmes dans le boulot, Martinelli cueillit un rouleau de ruban adhésif sur une étagère et s'en servit pour bloquer un levier dans son alvéole. Une porte en verre glissa de côté, il se planta devant une console et frappa, avec la virtuosité des experts, quelques-unes des touches du clavier.

– Vous y êtes, dit-il en faisant signe à Tor de passer.

Sachant que Martinelli était un grand fumeur frustré par le règlement intérieur de la banque, je gloussai :

– Laissons ce type gagner tranquillement ses honoraires ! Je peux vous taxer une clope ?

Rien ne rapproche davantage que le partage d'un même vice. Je descendis avec Martinelli la rampe de chargement conduisant à la petite salle de repos, en dehors des portes vitrées du centre de données. En observant, du coin de l'œil, Tor penché sur la console, caressant le clavier du bout de ses longs doigts. Je préférais ne pas penser à ce qui pourrait se produire s'il faisait la moindre fausse note.

Je gardai Martinelli dans la salle de repos aussi longtemps que possible. En feignant de m'intéresser aux exploits sportifs des gars de sa ville dans les championnats en cours. Quant au café de l'équipe de nuit, il était encore plus mauvais, si possible, que celui de l'équipe de jour, mais j'en dégustai lentement deux tasses, sans oublier de remercier le superviseur.

Quand on remonta de la salle de repos, Tor était toujours penché **vers la** console, et ses doigts volaient, aériens, sur le clavier.

– Ça va, Abélard ?

Je posai sur son épaule une main légère qu'il repoussa dédaigneusement.

– J'ai presque fini... Héloïse !

De profil, je remarquai qu'il était encore plus pâle que de coutume. De minuscules gouttes de sueur perlaient sur son front. J'espérais qu'il ne perdrait pas sa concentration avant d'en avoir terminé avec ce tour de force.

Les listes reposaient devant lui, ces listes que Tavish lui avait remises, et qu'il découvrait pour la première fois. Elles étaient en code hexadécimal, et ne signifiaient rien pour moi. Tor avait griffonné des signes cabalistiques dans les marges, à l'encre rouge. Et bien qu'ils fussent de l'hébreu pour la plupart des gens, je savais que notre sort à tous dépendait de leur exactitude. Juste un petit faux mouvement, une légère fatigue du poignet, et le mieux serait, pour nous, de faire hara-kiri sur le sol de béton du centre de données.

Martinelli revenait à la charge, escorté de plusieurs des opérateurs nocturnes.

– Vous avez trouvé ce que c'était ? On tient la boutique en ordre, ici. Jamais d'avis d'erreur. Qu'est-ce que vous avez fait pour redresser l'anomalie ?

À mon grand soulagement, Tor coupa le programme en haussant les épaules.

– Élémentaire, mon cher ami. J'ai réinitialisé le système. Et la machine a fait le reste.

– Impossible ! Avec le programme en cours ?

– Rien de bien sorcier. Appelez-nous donc de temps en temps.

On repassa tous les sas, jusqu'à l'ascenseur, puis au garage. C'est tout juste si j'arrivai à m'asseoir au volant. Mes jambes tremblaient, mon front ruisselait de sueur froide et j'avais des crampes d'estomac. Je m'attendais à entendre les sirènes d'alarme hurler d'un moment à l'autre, quand l'ordinateur se heurterait à l'un des changements opérés par Tor. Mais on sortit de là sans encombre et je me demandai ce que pouvait penser mon compagnon, après cette session rien moins que reposante. Encore mal remise de mes émotions, attentive à ma conduite, dans la nuit et la brume épaisse, je finis tout de même par me résigner, puisqu'il ne disait rien, à rompre le silence :

– J'espère que ce maudit système ne va pas les laisser en rade, demain matin.

Il feignit de s'extasier :

– Quelle gratitude ! Rappelle-moi de refaire cinq mille kilomètres en avion, par gros temps, pour t'aider encore.

– Je vais t'offrir un cognac chez moi.

– On ne remonte pas chez toi. Si tu as envie d'un suaire, choisis n'importe quel coin de rue, dans cette blanche et sinistre métropole. Que tu le veuilles ou non, ta place est toujours à New York.

– J'espère que tu n'as pas l'intention de m'emmener là-bas cette nuit.

– C'est ce que je devrais faire. Malheureusement, le dernier avion vient de décoller. Va tout droit jusqu'au carrefour. J'ai étudié le plan de cette cité lugubre, à l'aller. On cherche un endroit qui s'appelle le *Quai des Pêcheurs*.

Je protestai en cherchant ma route :

– Tu as peut-être étudié le plan de la ville, mais pas les coutumes locales. Il est plus d'une heure du matin, et tout est fermé, à San Francisco.

– Coutumes primitives écœurantes, marmonna Zoltan dont la ville d'adoption, comme Las Vegas, ne dormait jamais que d'un œil. Va quand même tout droit. On m'a assuré que l'endroit où je t'emmène resterait ouvert toute la nuit.

Je n'aimais pas ça du tout, mais je savais que je lui devais beaucoup, sinon peut-être ma vie. Je doutais qu'il existât quelqu'un d'autre, sur la planète, qui fût capable de faire pour autrui ce qu'il venait de faire pour moi, cette nuit. Surtout à si brève échéance. S'il voulait voir le *Quai des Pêcheurs*, à cette heure indue, pourquoi lui refuser ce plaisir ?

La place ne manquait pas, sur le parking, et je fermai soigneusement la voiture. S'il n'y avait pas eu autant de brouillard, j'aurais carrément paniqué. Mais pour m'agresser dans cette purée de pois, il faudrait déjà pouvoir me trouver.

Tor me prit la main et me guida vers l'extrémité du quai, au-delà du dernier bistrot. Des planches craquaient sous nos pas, l'eau clapotait, droit devant nous, entre les bateaux au mouillage et les fantômes de vieilles bâtisses délabrées.

– Je crois qu'on y est.

Il désignait un petit bateau à moteur dont je distinguais à peine les contours, au fond du brouillard.

– Tu ne vas pas me refaire le coup de la balade éclair ? Dans la baie ? À cette heure de la nuit ?

Mais il avait déjà pris pied à bord de l'embarcation, et semblait y chercher quelque chose.

– La clé devrait être par ici... Ah, voilà... Et maintenant, ma chère enfant...

Sa main surgit du brouillard, invitant la mienne.

– ... t'ai-je jamais proposé une expérience qui n'a pas fini par te plaire ?

– Il faut bien une première fois !

Que pouvais-je faire, sinon accepter la main tendue et descendre avec lui dans le bateau invisible.

Il démarra aussitôt, coupant à travers la baie. Les quais s'éloignaient rapidement, cédant la place à l'étendue noire de l'eau, où se reflétaient les lumières de la ville. La baie était claire, avec des poches de brouillard çà et là. Les tours de San Francisco se dressaient à la ronde, plus hautes que les nappes de crème fouettée d'où elles semblaient émerger, telle une Atlantide retrouvée, habillées d'écume. La pleine lune combattait, avec succès, les nuages épars. Je n'avais jamais rien vu d'aussi magnifique.

Je m'entendis chuchoter, bien qu'il n'y eût personne à perte de vue :

– C'est incroyable. Je n'avais jamais navigué en pleine nuit dans la baie.

– Ce n'est que la première des expériences que je compte bien t'offrir, dans un avenir immédiat.

– Où est-ce que tu m'emmènes ? Ou bien est-ce une simple excursion ?

Il avait bien dit que l'endroit où il m'emmenait serait ouvert toute la nuit ?

Parlant moins pour moi que pour lui-même, me sembla-t-il, il répondit enfin :

– On va sur une île. Notre île. Notre île perdue sur la mer immense...

LA CONQUÊTE AGRESSIVE

« On ne compte pas sur la générosité du brasseur
et du boulanger pour manger tous les jours, mais sur le sens
de leurs intérêts qui anime ces commerçants. »
« On ne s'adresse pas à leur amour de l'humanité,
mais à leur amour-propre. On ne leur parle jamais
de nos nécessités, mais de leurs intérêts. »

ADAM SMITH

Depuis dix ans que je vivais à San Francisco, la seule île que je connaissais était celle d'Alcatraz, même si je ne l'avais jamais visitée. Tor, lui, qui avait quitté New York dans l'après-midi, en avait découvert une autre. Il aimait impressionner les gens par son omniscience. Mais je ne regrettais pas de l'avoir suivi. L'île était absolument adorable.

Toute petite, pas plus de cent mètres de long, avec une côte rocailleuse et des pelouses toujours vertes en ce début d'hiver. Avec les lumières de Berkeley d'un côté, celles de la ville de l'autre, elle offrait un refuge invisible de l'extérieur, le doux ressac des vagues couvrant les bruits du monde réel laissé en arrière.

– Comment as-tu déniché cet endroit ?

– Comme je t'ai dénichée, toi. Par magie ou par intuition.

Aucune importance, je l'adorais. On traversa les pelouses, main dans la main. Il y avait une petite maison d'un étage, à la pointe, avec des lumières allumées. Quand on l'atteignit, Tor fouilla dans un pot de gardénias, déterra la clef, et ouvrit la porte.

– Je suis très fatigué, me confia-t-il. Il est trois heures plus tard, pour moi. Près de cinq heures du matin. À Manhattan, j'entendrais les oiseaux gazouiller dans les arbres. La journée a été très longue.

– Tu n'as tout de même pas l'intention de dormir ici ?

– Tu ne croyais tout de même pas que j'allais passer la nuit dans ce mausolée que tu appelles « chez-moi ». J'ai besoin d'espace et de temps pour récupérer. Tu n'aimerais pas te réveiller ici, au matin ?

– Écoute...

Mais il me fit taire d'un regard, me reprit par la main, et me conduisit à un sofa dans le salon, sur lequel il me fit asseoir d'une poussée. Il paraissait, soudain, très en colère.

– Toi, écoute ! Voilà douze ans que je te connais, et durant tout ce temps, est-ce que j'ai jamais porté la main sur toi ? Toutes ces craintes que tu as l'air de cultiver sont sans fondement historique !

– C'est la première fois qu'on se trouve seuls sur une île déserte !

Ma protestation, purement instinctive, sonna enfantine à mes propres oreilles.

Tor alla ouvrir, près de la cheminée, une armoire où s'empilaient, dans un ordre impeccable, linge et serviettes.

– Est-ce que je possède les traits caractéristiques du voyageur de commerce ? Il y a là-dedans des chemises de nuit, des draps, des couvertures pour les six chambres disponibles. En tout cas, c'est ce qu'on m'a dit. Aucun homme sain d'esprit, crevé comme je le suis, n'irait dans ces conditions se compliquer la vie au point de s'attaquer, de vive force, au temple sacré de ta petite personne ! Si tu allais choisir ta chambre, qu'on puisse dormir avant demain matin !

Je me sentais ridicule. Tout ce qu'il venait de dire était vrai. Mais telle n'était pas la raison de mon angoisse. J'avais peur. Beaucoup plus qu'au centre de données, où j'avais eu de sérieux motifs de m'inquiéter. Le seul danger, ici... C'était trop idiot pour m'y attarder plus d'une seconde. Mais peut-être était-ce le résultat de trop d'appréhensions accumulées, au cours des dernières heures.

Je pris la chemise de nuit qu'il me tendait et montai au premier pour y choisir ma chambre. Tor demeura au rez-de-chaussée, à fourrager dans la cuisine et, quand il monta finalement, ce fut avec une bouteille de xérès et deux verres.

Il en remplit un. Le posa sur la table de nuit proche de mon lit.

– Juste pour mieux t'endormir. Tu l'as bien mérité. Je reviendrai te border.

– Ne te donne pas cette peine. J'ai tout découvert. Les toilettes et tout. Je suis une grande fille.

Il sourit et s'esquiva, non sans refermer doucement la porte.

Je savais ce qui me terrifiait. J'achevai de le comprendre en faisant passer la lourde chemise de flanelle par-dessus ma tête. Auprès de lui, je me sentais faible. Il me dépouillait de toute mon énergie. Il avait une façon de m'entraîner dans des situations insensées, toujours plus loin, toujours plus à fond, et d'en rire. J'avais fait une carrière sans faute. Jusqu'à cette histoire de pari. Mais maintenant, j'étais immergée jusqu'au cou dans ce marécage, sans aucun moyen praticable d'en sortir.

Il y avait encore autre chose. Autre chose de bien pire que sa façon irrésistible de me pousser à courir des risques imbéciles. Autre chose que l'héritage génétique de mon grand-père Bibi. Tor était le seul être au monde qui fût toujours en mesure de m'infantiliser. De me faire régresser dans la peau d'une gosse en mal de protection. Un sentiment que je n'aimais guère. Il me mettait dans des situations dont je perdais tôt ou tard la maîtrise. Puis il volait à mon secours, et je n'avais d'autre ressource que d'accepter sa main tendue. Il me forçait à m'incliner, tout comme Tavish et pas mal d'autres, devant sa force et son intelligence supérieures. À le suivre où lui seul avait pied. J'en étais malade. Si je faisais finalement ce qu'il attendait de moi, cette nuit, j'en étais sûre, il aurait triomphé jusqu'au bout, il achèverait de me voler mon âme.

Je versai de l'eau dans la cuvette, sur la table de toilette, et me contemplai dans le miroir. Sous ces kilomètres de coton blanc, avec ce visage tendu et ces cheveux en désordre, j'avais l'air d'un petit garçon drapé dans une toile de tente. Rassurant, dans un sens. Personne n'aurait envie de séduire une fille affligée de ce physique. Je regardai mon reflet plisser le nez dans la glace, et lui tirai la langue.

C'est le moment qu'il choisit pour rentrer dans ma chambre. Il portait un pyjama bleu et, sur le bras, une pile de couvertures.

– Qu'est-ce que tu fabriques à courir partout les pieds nus ? Tu vas attraper la mort. Au lit ! Plus vite que ça !

Je me glissai entre les draps frais, peut-être légèrement humides, et il jeta sur moi les couvertures, une par une. Puis il alluma la bougie, près du lit, avant d'aller éteindre l'électricité. L'obscurité nous enveloppa, à l'exception de ce petit cercle lumineux, autour de la bougie. Les minces rais de lumière touchaient à peine les murs, l'armoire de chêne, le vieux lit de cuivre. Au-delà des fenêtres habillées de rideaux en dentelle, les vagues caressaient la berge rocailleuse.

Tor s'assit sur le bord du lit, et m'infligea, fixement, le feu de son regard intense. Je ne pus m'empêcher de hausser les épaules.

– Pourquoi tu t'assois sur mon lit ?

– Pour te raconter une histoire.

– Je croyais que tu étais complètement crevé.

– Pas à ce point-là. Et c'est une chose dont je rêve depuis si longtemps...

J'espérais encore me méprendre sur le sens de ses paroles.

Il se pencha vers les couvertures, posa sa main sur mon ventre. Je sentis sa chaleur, à travers les couches d'étoffe superposées, mais je me gardai bien de bouger, de lui fournir le moindre avantage.

– Il était une fois, commença-t-il, une très vilaine petite fille...

– Dans quel sens ?

– Parce qu'elle aurait voulu être un petit garçon. Elle était très indépendante.

– Où est le mal ? Je prendrais plutôt ça pour une qualité.

– N'interromps pas le conteur, ou tu ne connaîtras jamais la fin.

– D'accord. Que lui est-il arrivé ?

– Elle n'a eu que ce qu'elle méritait.

D'une voix très douce qui me fit frissonner des pieds à la tête, comme toujours quand il prenait cette voix-là. Je posai la question logique, sans aucune envie d'en entendre la réponse :

– Et qu'est-ce qu'elle méritait, au juste ?

– D'avoir exactement ce qu'elle désirait. Et tu sais ce que c'était ?

– Non.

– Je me doutais que tu ne le savais pas.

Il souriait. Je l'aurais griffé.

– Comment diable pourrais-je le savoir ?

– Parce que c'est toi, la petite fille.

– Oh ? Alors, ce n'est pas une histoire !

– *C'est* une histoire. Ton histoire. Et toi seule en connais la fin. J'en suis un des personnages, et c'est à toi seule de décider quel rôle je vais y jouer.

– Quel genre de rôle voudrais-tu y jouer ?

J'étais clairement consciente de patiner sur une très mince couche de glace, et sans le secours d'un bateau glisseur. Il continua à m'observer un instant, en silence. Son regard scrutateur, ses cheveux de cuivre brûlaient comme des flammes dans la lueur de la bougie. Je me sentais faible et sans défense. Je n'osais pas bouger d'un pouce. Il me semblait que ses yeux cherchaient, tout au fond de mon âme, un endroit secret où je n'étais jamais descendue moi-même. Coupé du monde comme cette île qui nous hébergeait, loin de tout.

Sans me regarder, il froissa entre ses doigts une poignée du tissu duveteux de la couverture. Ce qu'il parvint finalement à exprimer, d'une voix basse et rauque, parut lui coûter un gros effort :

– Je veux faire l'amour avec toi.

Puis, si doucement que je l'entendis à peine :

– Je le désire plus que tout au monde.

Dans le silence retombé, le tic-tac d'une pendule, au rez-de-chaussée, et le son des vagues, à l'extérieur, prirent une importance énorme. Quelque chose s'était brisé en moi, effondré en mille morceaux. Je ne respirais plus et Tor demeurait immobile, les yeux perdus dans la flamme de la bougie, comme s'il n'avait rien dit de particulier.

Un long moment s'écoula. Je ne bougeais pas. Lui non plus, la main toujours crispée autour de cette poignée de couverture comme autour d'un caillou magique où puiser un regain de force.

Après une éternité, je le vis fermer les yeux, il respira profondément et se retourna vers moi, avec une expression irritée.

– Alors ?

– Alors quoi ?

– Je viens de te dire que je voulais faire l'amour avec toi.

– Qu'est-ce que je suis censée répondre ?

J'étais abattue. Totalement abattue. Sans une trace de détermination. Sans aucune idée de ce que je devais faire.

Il se releva.

– C'est la première fois que je dis ce genre de chose à une femme, et je ne le ferai jamais plus... pour être reçu avec un tel enthousiasme !

Je me redressai d'un bond, assise dans mon lit, en rejetant drap et couvertures. J'étais complètement déboussolée.

– Qu'est-ce que tu veux que je dise ? Qu'est-ce que tu veux que je fasse ?

– Mon Dieu, tu es impossible !

Il me prit par les épaules et me secoua sans douceur, comme s'il avait l'intention de m'assassiner. Secoué, lui-même, par un rire irrépressible. Puis il me laissa retomber sur mon oreiller comme un sac de patates, et se dirigea vers la porte.

– Où est-ce que tu vas ?

– Chercher quelque chose dont tu as besoin. Je reviens tout de suite.

Pourvu que ce ne soit pas avec un fusil de chasse ! Sortant du lit, je me mis à marcher de long en large. Une douzaine d'émotions se mêlaient dans ma poitrine, et mes jambes se dérobaient sous moi. Qu'est-ce que je foutais là ? Comment tout ça était-il arrivé ? Je ne savais toujours pas ce que je devais faire.

Tor revint enfin, portant deux bols sur un plateau qu'il posa en grondant :

– Je ne t'ai pas dit de rester au lit ? Tu as envie de te payer une pneumonie ? Le temps est affreusement humide, là-dehors.

Son retour m'avait soulagée d'une grande partie de mes angoisses. Je me recouchai en me rebiffant un brin :

– On dirait ma grand-mère !

238

– Mais je n'ai pas l'intention de me conduire comme ta grand-mère. Pousse-toi un peu, moi aussi, je gèle.

Essentiellement pour cacher mon désarroi de nous retrouver ainsi dans le même lit, assis côte à côte, je lui demandai :

– Qu'est-ce qu'il y a dans ces bols ?

– Quelque chose de bon pour ta santé et tes états d'âme. Qui ont bien besoin d'être améliorés, tu ne crois pas ?

Il me passa un des bols et j'y trempai mes lèvres.

– Hé, c'est formidable, grand-mère. Qu'est-ce que c'est ?

– Lait chaud, miel et cognac. Un puissant aphrodisiaque. Idéal pour séduire les garçons manqués. J'espère que ça va marcher avec toi.

Il arrangea les oreillers, derrière moi, s'installa confortablement, lui aussi, avant de reprendre :

– J'ai une autre histoire à te raconter.

– Va toujours !

Le lait chaud faisait des merveilles. Ses effets se répandaient dans tout mon corps, comme un baume. Calmait progressivement la nervosité proche de l'hystérie qui m'avait investie.

– Il était une fois une petite fille qui préférait se conduire comme un petit garçon.

– Hé, je la connais déjà !

– On se tait. C'est moi qui raconte. Je peux continuer ?

– Vas-y.

– Elle avait tort, c'est certain. Mais bien que certains s'y soient essayés, personne n'avait jamais réussi à lui démontrer les avantages de la condition féminine.

– Et c'est là que tu interviens, je suppose ?

– Tu as les pieds glacés. Je t'avais pourtant dit de rester couchée. Et cesse de t'agiter comme ça. Je ne vais pas te torturer. On n'est pas sous l'Inquisition espagnole !

– Finis plutôt ton histoire.

Il me regardait, de nouveau, avec ce sacré sourire. Je tentai de retrouver ma concentration.

– La petite fille avait un ami qu'elle connaissait depuis des années. Ils avaient toujours eu des relations très correctes. Mais il ignorait, comme elle ignorait elle-même, qu'ils avaient, depuis toujours, follement envie de faire l'amour ensemble. Jusqu'à ce qu'ils se retrouvent seuls, une nuit, dans une maison vide, sur une île déserte, loin de tout...

– Je n'ai jamais dit que je voulais faire l'amour avec toi.

– Oh si, tu l'as dit, ma chère. Peut-être pas en tant de mots. Mais je sais déchiffrer les codes. Je sais comment fonctionnent les rouages, dans cette jolie tête, et les synapses dans ce cerveau tortueux. Je sais de quoi tu avais peur, durant toutes ces années.

Je le contemplais, dans la lueur de la bougie, et je sentais revenir la peur. Mais il était loin d'en avoir terminé.

– Tu as peur de ne pas tout garder sous ton contrôle. Mais le contrôle... la maîtrise... même celle de ton âme, ne signifie rien, si tu dois te retrancher dans une forteresse, rien que pour la conserver. Il est clair que tu as toujours donné toute l'importance du monde aux murailles dont tu t'entourais. Mais que ça te plaise ou non, elles vont tomber cette nuit.

Il fallait que je change le sujet, d'urgence. Je ne voulais même pas y penser.

– Alors ? La fin de cette histoire ? Que sont-ils devenus, ces deux amis de toujours ?

Ma fausse gaieté sonnait creux.

– Ils ont fait l'amour, ils ont détroussé une banque, et ils ont vécu heureux tout le reste de leur vie.

– Ce n'est pas la conclusion que j'envisageais.

Mais il me regardait comme si je venais d'épuiser mon droit de réponse. Il me débarrassa du bol auquel je me cramponnais encore. Puis il se pencha vers moi, les yeux brillants, la bouche à quelques centimètres de ma bouche.

– J'ai envie de toi.

– Dans mon histoire, il y aurait eu moins de sexe et plus d'action.

– J'ai envie de toi.

Il retourna mon visage vers le sien, les deux mains enfouies dans mes cheveux. Son haleine ardente, parfumée au cognac et au lait chaud, se mêla à la mienne tandis qu'il laissait filer ma chevelure entre ses doigts, comme une soie liquide, en répétant :

– J'ai envie de toi.

Libérant une de ses mains, il dénoua le cordon qui serrait le décolleté de ma chemise de nuit. Je murmurai, bêtement :

– Qu'est-ce que tu fais ?

– Ce que je t'avais juré de ne jamais faire. Je te séduis.

– Mon Dieu...

– Trop tard pour réclamer sa protection !

Il chassa mes cheveux de ma gorge. Nicha son visage dans mon cou, et je sentis les effets du choc descendre comme des milliers de piqûres d'aiguille tout au long de mes nerfs tendus. Il me mordilla le cou, y promena ses lèvres, et les piqûres d'aiguille se firent incandescentes. Quand il agrandit l'ouverture de la chemise, glissant ses mains sous l'étoffe pour me caresser les épaules et les seins, je ne pus m'empêcher de l'admirer, dressé au-dessus de moi, tout de bronze et d'or dans la lumière de la bougie. Il était si beau que c'en était presque insoutenable. Je me sentais fondre sous ses mains.

À mon tour, je défis les boutons de son pyjama, un par un. Il me laissa faire en souriant, appuyé sur un coude, dans une sorte de transe. Sa bouche s'entrouvrit alors que je promenais ma main sur les muscles durs et saillants, les poils blonds de sa poitrine. Brusquement, il s'empara de ma main, la pressa contre ses lèvres.

– Menteuse ! Tu le désirais autant que moi, pas vrai ? Depuis cette première nuit.

– C'est l'apanage des femmes de voiler leurs désirs d'un peu de mystère.

Il parut étonné, puis une sorte d'éclair traversa son regard.

– Et c'est l'apanage des hommes de déchirer les voiles.

Empoignant à deux mains le haut de ma chemise de nuit, il la déchira, d'un effort brutal. Puis se pencha vers moi, m'embrassa longuement, passionnément, apportant à ma bouche trop sèche la rosée de sa propre salive. Je tremblais sous les mains qui exploraient mon corps. Enfin, il acheva de me dénuder, rejeta ses propres vêtements de nuit et se coucha sur moi. Je ressentis l'impact de sa chair braquée, la chaleur de ses cuisses contre mes cuisses.

Parcourue de frissons convulsifs, je découvrais, au contact de ses mains, des endroits de mon corps dont je n'avais jamais soupçonné l'existence. Je perdais peu à peu tout contrôle, mais luttais contre ces forces qui me terrassaient implacablement. Me dépouillaient de moi-même. Tout se passait trop vite. Dans l'écroulement cataclysmique de mes fameuses murailles.

Il le comprenait si bien qu'il s'écarta légèrement pour contempler mon visage. Il avait les cheveux en désordre, les yeux plus lumineux que jamais dans la lueur de la bougie. La chaleur de sa passion m'emplissait d'une nostalgie presque douloureuse. Je brûlais de me perdre en lui. Mais quelque chose, au fond de moi, résistait encore.

Doucement, il ouvrit des poings que je n'avais pas eu conscience de serrer aussi fort. M'embrassa les paumes avec une infinie tendresse.

– Laisse-toi aller... jusqu'au bout... il le faut, mon amour.

Puis, dans un chuchotement :

– Viens à moi... viens en moi...

Il noua ses bras autour de moi. M'attira à lui. En lui. Les ténèbres se refermèrent sur moi. Le sang battait furieusement à mes tempes.

Dans les bras de Zoltan, je pleurais toutes les larmes de mon corps. Je pleurais les années d'ennui et de colère rentrée, de frustration, de conflit intérieur et de doute. Je pleurais le temps gaspillé et les illusions perdues. Celles que je m'étais faites à mon propre sujet, et dont je n'avais pas encore accepté la perte. Je pleurais à chaudes larmes qui me brûlaient les yeux et la gorge, jusqu'à ce que je ne puisse plus respirer normalement. Il me pressait contre lui, et je pleurais toujours. Je ne pouvais pas m'arrêter de pleurer.

Tout a une fin, y compris les chagrins sans cause. Dont il ne resta, finalement, que sanglots sporadiques et larmes récurrentes. Zoltan me caressait les cheveux, me berçait doucement, me communiquait sa chaleur. Et soudain, descendit en moi une sensation de paix que je n'avais jamais connue auparavant. Il m'embrassa sur le front, gentiment, et quand je levai les yeux vers lui, je m'aperçus qu'il avait pleuré, lui aussi. Son visage était baigné de larmes. Les siennes ou les miennes ?

– Un mélange des deux, fut sa réponse à ma question inexprimée.

J'errais quelque part entre le sommeil et un bien-être ineffable. Je dérivais sur une mer presque lisse, apaisée par le son des vaguelettes, sous les fenêtres de la chambre.

– C'est incroyable, souffla Zoltan. Je te désire toujours. Ou je recommence à te désirer, si tu préfères...

– Moi, je suis rassasiée pour un temps.

– Toi ?

Il éclata de rire.

– Heureusement qu'on sait, maintenant, quelle menteuse tu peux être.

M'attirant à lui, il m'embrassa comme s'il voulait se procurer l'illusion d'étancher une soif qui reviendrait bientôt, inextinguible.

– Il a fallu que tu sois folle pour attendre douze ans ce qu'on vient de vivre ensemble.

– C'est toi qui n'as pas trouvé plus tôt la bonne méthode !

– Je devrais te tuer pour avoir dit ça ! D'autant que toi aussi, tu as tué quelque chose, en moi.

Je l'effleurai à tâtons, sous les couvertures.

– Pas de ce côté-là, on dirait.

Il écarta ma main. En baisa la paume.

– Non, de ce côté-là, tout est bien vivant.

– Alors, de quel côté ?

– C'est difficile à dire. J'ai toujours pensé que l'intelligence et la passion constituaient un mélange explosif. Dangereux. Dur à maîtriser. Toute passion peut grandir comme une bête affamée. Ce que tu as tué en moi, j'en ai peur, c'est ce qui empêchait la bête de se développer. À présent, je ne veux plus jamais maîtriser ce que je ressens à ton égard.

– Pourquoi voudrais-tu maîtriser ta passion ?

Il me releva le menton, de l'index.

– Tu sais, ma chère, si tu continues à promener ta main dans ce coin-là, tu vas te retrouver écartelée par ma passion au moment où tu t'y attendras le moins.

– Des promesses, toujours des promesses !

– J'ai l'habitude de tenir les miennes.

– Prouve-le.

– J'ai toujours relevé les défis... entre autres choses, dit-il en me bâillonnant de ses lèvres.

Les cris des oiseaux de mer me tirèrent du sommeil. Le ciel était d'un bleu si clair qu'il en paraissait presque blanc, et trois pélicans tournoyaient au-delà des rideaux de dentelle. Tor n'était pas auprès de moi, mais des drôles de bruits montaient d'en bas, comme s'il traînait un objet lourd sur les marches.

Allongée dans le lit ravagé, je tentai d'affronter les émotions qui s'étaient emparées de moi ces dernières heures. Et souris en concluant que, cette fameuse nuit, quelles qu'en fussent les conséquences, j'avais reçu en cadeau de Noël la meilleure chose que la vie m'eût jamais apportée. Georgiane et Tor avaient eu raison de me traiter de menteuse et d'hypocrite. J'avais été les deux, à la puissance dix. Tout ce que j'avais fui, auparavant, n'était autre que moi-même. Je n'échapperais plus jamais à ce sentiment pour Zoltan dont j'avais différé si longtemps l'échéance. Affaire réglée.

Il arriva à ce moment-là. Souriant de me retrouver dans les lambeaux de ma chemise empruntée.

– Tu es réveillée ! Debout, j'ai une surprise pour toi.

– Qu'est-ce que tu as sur ton pyjama ?

– De la boue. Sors du lit et balance-moi ces loques.

– Avant le café ?

– Je t'emmène nager.

– Il y a une piscine chauffée, dans cette île !

– Et quoi encore ? On est sur une plate-forme rocheuse entourée d'eau. On va piquer une tête dans la baie.

À ce point du dialogue, je jugeai prudent de marquer une pause.

– Excuse-moi, j'ai découvert, sur le calendrier, que c'était Noël. Toi, tu vas piquer une tête dans la baie, si ça te chante. Moi, je ne vais pas risquer la congestion pour te faire plaisir.

– Tu ne te seras jamais sentie aussi *vivante*. Chaque matin de Noël, je me baigne dans l'Atlantique nord. Même avec tout ce brouillard, le Pacifique me fait l'effet d'un paradis tropical.

Malgré mes protestations, il arracha les couvertures et me tira par les pieds, me jeta sur son épaule, m'emporta hors de la maison, traversa la pelouse au petit trot, jusqu'au quai où notre bateau était à l'amarre. Il sauta à l'eau, avec moi en travers du dos, toujours révoltée, et la mer se referma sur nous.

Je crus que j'allais y rester. Le choc de l'eau à basse température m'avait coupé le souffle, glacé le sang dans les veines, et noué l'estomac en un peloton compact. Tor me maintenait, pour que je ne coule pas, la tête hors des vaguelettes.

– Respire un bon coup, lentement. Remplis tes poumons. Expire. C'est ça. Détends ton corps. C'est une façon d'entrer dans l'eau qui paraît brutale, mais ça passe très vite, et c'est moins pénible qu'une immersion progressive. Comment tu te sens, maintenant ?

Je me retournai sur le ventre pour essayer de pratiquer mon crawl habituel. Mes dents étaient serrées comme si j'avais contracté le tétanos. Je bégayai :

– Tu es un sadique... Un dangereux maniaque... C'est la chose la plus affreuse... que tu m'aies jamais faite...

– Tu es encore trop tendue. Relaxe-toi et ça va te plaire.

– Je te souhaite une double pneumonie.

– Nage vraiment, tu vas te réchauffer très vite.

– Merci du conseil. Puisse Neptune...

Mais il m'enfonça la tête sous l'eau, me fit boire la tasse, et le froid me congela le cerveau. Je remontai en pestant et crachant. Puis je m'étonnai de la chaleur soudaine qui m'envahissait de toutes parts.

– Qu'est-ce qui m'arrive ? Voilà que je brûle de l'intérieur.

– C'est l'hypothermie. L'état de choc que tu ressens juste avant de mourir de froid.

– Très drôle !

– Non, sans blague. On va nager un peu, et ne pas rester trop longtemps. Cette eau ne doit pas être à plus de huit ou dix degrés.

245

On fit un petit tour de l'île. Puis, complètement frigorifiés, nos vêtements de nuit collés au corps, on remonta sur la rive et on courut jusqu'à la maison.

– Par ici ! ordonna Tor en me rattrapant par le bras. Il m'entraîna dans l'escalier, poussa une porte, et je compris instantanément la cause du vacarme que j'avais entendu au réveil.

C'était une autre chambre à coucher, plus grande que la mienne. Avec des sièges confortables et un grand lit de coin. Au centre du mur de gauche, en face des fenêtres, se dressait une cheminée monumentale, dans laquelle brûlait un feu de bûches. Celle du dessus était carrément un tronc d'arbre. Tor avait dû se lever longtemps avant moi, et travailler comme un galérien pour préparer tout ça.

Il se dépouilla de son pyjama mouillé, le laissa tomber en tas sur le sol. Puis il me transporta dans la salle de bains, où nous attendait un bain chaud. M'y déposa en douceur et grimpa dans la baignoire, avec moi. La baignoire émaillée, à l'ancienne, était largement assez vaste, sur ses quatre pieds massifs, en forme de pattes de lion, pour autoriser cette fantaisie.

– Ça t'a plu ?

– J'ai adoré.

Et contrairement à la première fois, sur la glace, j'étais sincère. Je plongeai ma tête sous l'eau pour me laver les cheveux. Quand je refis surface, je constatai :

– Mais maintenant, je meurs de faim.

– Je vais nous faire à manger. Il y a tout ce qu'il faut, en bas, selon ce que j'ai commandé quand j'ai appelé de New York. Les propriétaires voulaient nous faire la cuisine, mais j'ai préféré qu'on puisse bavarder en tête à tête.

– Je ne suis pas encore remise de tes bavardages.

– Non, je ne plaisante pas.

Soudain très sérieux, en effet, il m'expliqua sans sourire :

– Je n'étais pas prêt du tout pour l'épreuve que tu m'as collée sur le dos, à mon arrivée. Ni pour ce qui s'est passé entre nous, même s'il m'arrivait d'y penser souvent, durant les années écoulées. En fait, je venais te demander ton aide. Lélia t'a-t-elle donné des détails sur son odyssée européenne ?

– Elle m'a dit que Georgiane et toi étiez très fâchés contre elle. Mais elle ne m'a pas dit pourquoi.

– Alors, je vais te le dire. Elle a emporté les titres originaux en Europe, mais elle ne s'est pas contentée d'ouvrir des crédits garantis comme elle devait le faire. Elle a pris de l'argent liquide sous forme de prêts.

– C'est presque la même chose.

– Sauf en ce qui concerne les intérêts. On n'est pas encore prêts à investir l'argent, mais à cause de Lélia, il faut qu'on commence à effectuer des remboursements, dès maintenant. Et ce n'est pas tout. Elle a négocié de très mauvaises conditions. Avec des nantissements fixés à 200 *cents* du dollar, on aurait dû obtenir des tarifs exceptionnels. Mais elle a même signé des contrats prévoyant des agios pour paiements anticipés !

C'était moche, effectivement. Dans des conditions pareilles, il ne pourrait ni rendre l'argent en prétendant qu'il s'agissait d'erreurs malencontreuses, ni rembourser les prêts par anticipation, même s'il y gagnait en fin de compte. S'il tentait l'une ou l'autre, il devrait s'attendre à de lourdes pénalités.

– Ce que je ne comprends pas, poursuivit Zoltan en se savonnant la poitrine, c'est pour quelle raison elle a fait tout ça. Elle n'arrête pas de répéter : « Ça va leur apprendre ! Ça va leur apprendre ! » Comme si elle voulait prouver quelque chose.

Je soufflai dans sa direction les bulles qui fleurissaient sur ma main et murmurai, pensive :

– Attends un peu...

– Je suis tout ouïe. Je me demande ce qui pourrait encore me surprendre, à ce stade.

– Voilà. Je crois que c'est à cause des Rothschild. Tu te souviens de la crise qu'elle a piquée, quand tu lui as parlé d'eux, ce soir-là ? Pas les Rothschild en personne, mais les banquiers allemands, peut-être même *tous* les banquiers. Les Daimlisch étaient banquiers, eux aussi. C'est comme ça que je les ai connus, par mon grand-père. Le mari de Lélia était le mouton noir, celui qui voulait quitter la bergerie pour faire autre chose...

Je marquai une pause en voyant le sourire de Zoltan s'épanouir, comme un tournesol à midi. Se disait-il qu'après tout, je n'avais pas que la banque dans le sang, et que toutes les tares n'étaient pas héréditaires ? Je repris :

– Daimlisch ne s'est pas mal débrouillé, mais juste avant sa mort, le couple a eu besoin d'argent. Lélia est retournée en Allemagne. Contre l'avis de son époux et à l'insu de celui-ci, elle voulait emprunter de l'argent à sa famille.

– Et ils ont refusé.

– Ils ont dit qu'il avait suivi sa propre route, en tournant le dos à la banque, et ne lui ont pas prêté un *pfennig*. Elle a engagé ses bijoux. Ce qu'elle porte aujourd'hui est en grande partie du toc. Elle ne s'en est jamais remise. Georgiane et elle haïssent littéralement la banque et les banquiers. C'est pourquoi je savais qu'elles marcheraient avec nous, plutôt deux fois qu'une.

– Alors elle a voulu se sentir riche, ne fût-ce que pour un petit moment. Ça peut expliquer ses démarches irraisonnées, mais ça ne résout pas mon problème. J'ai des millions en titres authentiques qui se baladent là-bas, en garantie de prêts souscrits au nom de Lélia. Il va falloir que je les surveille comme un aigle, jusqu'à ce qu'on les ait remboursés. Et de peur que certains ne soient rachetés tôt ou tard.

– Comment ça, rachetés ?

– On était pressés, côté imprimerie. J'ai commis l'erreur de laisser Georgiane imprimer des titres que leurs émetteurs peuvent décider de rembourser un jour. L'émetteur, ou le porteur, dispose d'un certain délai pour les racheter, s'il le désire, à leur valeur d'émission.

– Tu as peur que les vrais propriétaires ne reprennent leurs titres à la Depository Trust, et découvrent qu'il s'agit de pâles imitations ?

– Et ce n'est pas tout. Les banques européennes qui ont accepté les vrais, en garantie des emprunts de Lélia, s'attendront à ce qu'on les leur envoie, en guise de remboursement. Afin d'éviter ça, il faudrait qu'on rembourse nos prêts, avec une perte importante, selon les termes des contrats signés par Lélia, ou qu'on leur propose d'autres valeurs collatérales. Or, on n'aura pas d'autres nantissements, à moins qu'on ne se lance dans le hold-up du siècle.

– Je n'ai pas de solution non plus, malheureusement. Tant que je garde ces transferts *à l'intérieur* de la banque, dans des comptes bidons, sous l'identité de gens qui l'ignorent, techniquement, je ne fais rien d'illégal. Ou, du moins, ils auraient toutes les difficultés du monde à remonter jusqu'à moi. Mais sortir de la banque cet argent difficilement gagné pour rembourser des prêts réels dans d'autres pays, ça, ce serait un crime fédéral passible d'emprisonnement.

Le sourire de Zoltan avait curieusement changé de couleur. Dans la gamme des jaunes.

– Difficilement gagné ? Aurais-tu oublié notre petite expédition d'hier soir, au centre de données ? Qui a sauvé ton ravissant petit cul, ma chère ?

J'embrassai dévotement un genou qui émergeait du bain de mousse.

– La reconnaissance de mon ravissant petit cul t'est tout acquise. Tu vas me donner la liste de tes valeurs en danger, et je vais les retracer à l'ordinateur mais, pour les traiter, il va falloir que je demande à mon équipe si elle veut courir d'autres risques pour couvrir tes prêts. À ce propos, si je puis me permettre, qu'est-ce que tu comptes faire de tout ce fric ?

– Je suis en train de monter un paradis fiscal, où les amateurs de transactions non fiscalisées pourront esquiver le fardeau des impôts et des taxes. Notre bénéfice proviendra de la nécessité, pour eux, de traiter dans notre monnaie et dans les limites de nos lois fiscales.

– Quelle nation accueillera un tel paradis sur son territoire ?

– Aucune, admit-il en enjambant la baignoire et en commençant à jouer de la serviette-éponge. Il va donc falloir que je crée ma propre nation.

J'aurais voulu lui poser bien d'autres questions, mais il dit qu'on en parlerait plus tard et quitta la pièce. Je finis de me laver les cheveux sous la douche, me séchai, puis, drapée dans une grande serviette, m'installai devant le feu pour remplacer le sèche-cheveux absent du nécessaire de toilette.

Tor remonta bientôt, chargé de café chaud et de madeleines au miel beurrées, qui dégageaient un parfum délicieux. Il tisonnait le feu, dans l'âtre, toujours sans un fil sur le corps, lorsque je sortis de la salle de bains.

– La souris que tu as essayé de noyer a finalement survécu.

Il me contempla un instant, drapée dans ma serviette, sans ouvrir la bouche. J'ajoutai :

– Grand-mère, comme vous avez de grands yeux.

Posant le tisonnier, il me rejoignit en trois pas. M'éplucha prestement de ma serviette qui tomba, dédaignée, sur le plancher.

– C'est pour mieux te regarder, mon enfant.

Ses longs doigts de musicien me parcouraient doucement, sous toutes les latitudes, comme s'il cherchait à m'apprendre par cœur, et mes genoux recommençaient à donner des signes de faiblesse.

– Grand-mère, comme vous avez de grandes mains.

– C'est pour mieux te caresser, mon enfant.

Puis il m'enleva dans ses bras et marcha rapidement vers le lit.

– Rien à dire à grand-mère pour la suite du programme ?

– Ne sois pas prétentieux. Elle n'est pas si grosse.

– On va faire avec.

En atterrissant sur les couvertures, je constatai sans aucune vergogne :

– Grand-mère, on dirait qu'elle a grossi.

– C'est pour mieux te faire ce que tu sais, mon enfant, plastronna-t-il en me sautant dessus.

Je pleurnichai, feignant la terreur :

– Grand-mère, je crois bien que vous n'êtes pas ma grand-mère.

– Si tu fais de telles confusions, ce n'est pas étonnant que tu aies hésité entre le garçon manqué et la fille réussie.

– Je ne fais pas de confusion. Je sais très bien à quoi ça sert.

– C'est ce que je constate, commenta-t-il alors que je rampais sous les couvertures. Qu'est-ce que tu crois faire exactement, là-dessous ?

– J'explore le terrain, histoire de compléter mes connaissances en anatomie.

Un petit coup de langue bien appliqué le fit frémir. C'était bien mon tour de dominer les débats. Et les ébats.

– Le goût est salé. Comme la mer.

– C'est un rapport technique ?

– Oui. Mais pas encore terminé.

– Bon sang, c'est merveilleux, mais...

Sa voix sombra dans le vague. Puis il m'empoigna, me ramena sur lui, ma bouche sur la sienne, en me serrant trop fort. Quand je me dégageai, en gémissant, il baissa vers moi ce regard de braise. Il était très pâle, dans la lumière issue de l'extérieur, tamisée par le brouillard.

– Comment peut-on désirer quelqu'un si fort que c'en est douloureux ?

– Ça va peut-être te faire plus mal qu'à moi. Mais ça ne veut pas dire que je vais y renoncer.

Je pressai mes lèvres contre son ventre, et il tressaillit de nouveau. Puis je descendis comme s'il s'agissait d'une statue dont je voulais apprendre tous les détails. Je le sentais réagir et frémir de plus belle, sous mes mains et sous mes lèvres, tandis que je fixais dans ma mémoire le dessin de la fière musculature cachée sous les draps. Finalement, il gémit et m'agrippa de nouveau alors que tout son corps s'arquait et se convulsait et perdait, à son tour, sa maîtrise habituelle.

Je me couchai auprès de lui pour le contempler à loisir. Ses yeux étaient fermés, dans son visage anguleux, très viril, avec ses boucles cuivrées en désordre sur l'oreiller. Il rouvrit les yeux et me regarda.

– Qu'est-ce que tu m'as fait ? C'était magnifique.

– Capucines.

Et devant sa mine ahurie, je précisai :

– Tu as le goût des capucines.

– C'est une fleur ?

– Du jardin de Monet, à Giverny.

Son visage s'était assombri, d'un seul coup. Je m'inquiétai :

– Qu'est-ce qui ne va pas ?

– Il y a quelque chose que je ne t'ai pas dit.

Ses yeux cherchaient mon regard.

– C'est bien pire encore que les frasques de Lélia, et ça ne faisait pas du tout partie de mes plans initiaux. Je le savais depuis longtemps, mais je n'avais jamais su comment te le dire.

Cette fois, j'avais vraiment peur d'entendre la suite.

– C'est quelque chose de potentiellement dangereux ?

– Horriblement ! Ma chère, je t'aime.

MOUVEMENTS D'ARGENT

> « Nulle part, la richesse n'est aussi bien développée
> que dans le pantalon des gens. »
>
> *Cantos*, EZRA POUND

Jeudi 25 décembre

Saïd-al-Arabi n'irait pas cette année à La Mecque.

Saïd était l'opérateur chargé des transferts de fonds par câble pour la National Commercial Bank de Riyad, Arabie Saoudite. Par cet après-midi du 25 décembre, enfermé, tout seul, dans la salle des Télex, il envoyait des ordres à diverses banques des États-Unis en règlement d'hypothèques concernant des propriétés foncières.

Assis devant les Télex, Saïd frappa la touche codée masquée par la machine de telle sorte que nul ne pût déchiffrer le code secret, par-dessus son épaule.

Puis il entra le reste des informations nécessaires pour déclencher l'opération.

De : National Commercial Bank, Riyad, Arabie Saoudite.
Numéro de compte : XXX.
À : Banque mondiale. San Francisco, Californie, USA.
Payez à l'ordre de : Compte séquestre numéro XXXX.
Montant : $ 50 000 et n° 100.
Date : 25 décembre 19xx.

Message : En règlement de propriété commerciale. Lac Tahoe.
Californie.

Fin.

Saïd-al-Arabi frappa la touche « Envoi » sur son Télex. Puis il
s'empara de l'ordre de transfert suivant, sur le dessus de la pile.

Lundi 28 décembre

À huit heures trente, le lundi matin, Suzan Aldridge pénétra
dans la salle des Télex de la Banque mondiale. C'était la première
opératrice désignée pour tenir la permanence, après Noël, et la
salle était toujours bouclée. Pestant après son patron, ses collègues
sans doute mal remis de leur gueule de bois, et douloureusement
consciente du travail qui l'attendait, en cette période de fêtes, elle
redescendit à la sécurité, signa la décharge pour la remise de la clé,
et remonta ouvrir la porte.

Elle laissa chauffer son terminal en vérifiant la présence dans sa
poche de son rouge à lèvres, puis, dès que l'ordinateur se déclara
prêt à fonctionner, saisit le premier télégramme de la journée :

De : National Commercial Bank, Riyad, Arabie Saoudite.
Numéro de compte : XXXX.
À : Banque mondiale, San Francisco, Californie, USA.
Payez à l'ordre de : Frederick Fillmore, numéro de compte XXXX.
Montant : $ 800 et n° 100.
Date : 25 décembre.
Message : Néant.
Fin.

Bizarre, se dit Suzan. C'était à peu près le moment où la
Banque saoudienne réglait ses hypothèques en Californie, mais les
sommes étaient toujours beaucoup plus importantes que huit
cents dollars. Envoyer un câble de neuf dollars pour une si petite
somme semblait particulièrement absurde. Mais qui pouvait

savoir, avec ces Arabes ? Ils roulaient sur tellement d'or. Noir, entre autres.

La clé codée avait été approuvée, donc le transfert était régulier.

À dix heures, la salle des Télex hébergeait quelques opérateurs au pas languide, aux gestes de somnambules. Une employée arriva, poussant son chariot, et passa son nez dans l'entrebâillement de la porte.

– Quelque chose pour moi ?

Suzan réunit les paquets d'avis de transfert. Tamponna les enveloppes. Se traîna jusqu'à la porte. Éprouva le besoin de s'excuser :

– Il n'y en a pas des masses. C'est dur de remuer les gens pendant la période de Noël.

– Ouais, approuva l'employée. Nous, on bosse, mais les superviseurs restent chez eux à cuver.

Elle signa la décharge réglementaire pour les enveloppes déjà préparées, les jeta dans son panier et poussa le chariot vers les ascenseurs.

Au service virements, Johnny Hanks rouvrit méthodiquement les enveloppes contenant les avis de transfert par câble. Il lui fallut à peine une demi-heure pour enregistrer débits et crédits sur sa machine comptable.

Il plaqua sur l'enveloppe du dessus un bordereau donnant le total de la pile, ceintura le tout d'un gros élastique, et lança le paquet dans un chariot de ramassage.

Pas possible, songea-t-il, elles doivent roupiller, dans la salle des Télex ! Elles auraient dû traiter ce matin plus d'avis de transfert que n'importe quel autre jour de l'année ! Le total n'atteignait pas trois millions de dollars. Avec des tas de virements inférieurs à mille.

Merde, se dit-il, ébranlé comme toujours par le vacarme implacable des puissants engrenages métalliques, on vient ici aux aurores et on doit trimer avec des boules Quies pour ne pas devenir sourds.

Pendant que ces foutues opératrices se les roulent dans la salle des Télex, en se limant les ongles et en jacassant.

À un certain numéro de Market Street, un immeuble anonyme abritait dans ses entrailles une chambre forte inviolable d'un hectare six à l'épreuve des bombes et du feu, pleine, d'un mur à l'autre, de matériel informatique impeccablement entretenu, riche des dernières réalisations de la technologie la plus évoluée. La plaque, sur la porte, disait « Traitement des produits à l'échelle mondiale ». C'était là que toutes les opérations financières de la banque étaient centralisées.

Chaque jour, à trois heures de l'après-midi, quand les agences fermaient leurs portes, tout le service se réveillait. À minuit, en ce 28 décembre, c'était un asile d'aliénés en pleine effervescence, un enfer souterrain de corps enragés et de papiers volants, une course folle contre la montre et contre la limite légale qui exigeait que toutes les opérations bancaires fussent terminées avant que l'on rouvrît la boutique à neuf heures, le lendemain matin.

Le service « Traitement des produits à l'échelle mondiale » ne s'enrayait jamais. Aucune erreur, aucune panne, aucune tempête, aucun incendie, voire aucun tremblement de terre ne pouvaient stopper ou retarder les opérations. Il y avait des garde-fous, des systèmes manuels d'urgence et des groupes électrogènes de secours. Et pour le cas improbable où quelqu'un s'aviserait d'oublier les priorités, un large écriteau mural rappelait qu'en cas de catastrophe improbable, il fallait, d'abord, SAUVER LES PAPIERS. Tous les papiers représentaient de l'argent.

À minuit moins dix, un bordereau récapitulatif jaillit du massif transmetteur-collationneur, suivi d'une balance des débits et des crédits répertoriant tous les transferts par câble reçus au cours de la matinée de la National Commercial Bank d'Arabie Saoudite. Ce dernier document avait été revu et approuvé, quatre fois au minimum, en passant d'un service à l'autre, avant d'arriver ici.

Les documents atterrissaient dans un scanner qui transcrivait les infos sur bande magnétique. Quand la bande était pleine, un opérateur l'ôtait du lecteur, y plaquait une étiquette autocollante et la plaçait sur un *rack*. Quelques minutes plus tard, le répartiteur la reprenait et la disposait sur son chariot.

– Combien encore ? était sa question elliptique.

– Quinze. Vingt, peut-être.

Avec son contingent de bandes, le répartiteur montait à l'étage supérieur où des manutentionnaires empilaient le long du mur les boîtes de bandes et de disques. Là-bas, au fond, près des portes d'acier, les camionneurs pointaient les caisses, en se référant à leurs feuilles de route. Puis les transportaient, empilées par quatre sur leurs chariots, jusqu'au camion en attente.

– Tenez le coup encore un moment, les gars, leur confia le répartiteur, et vous pourrez prendre les dernières avant de démarrer.

Les camionneurs opinèrent du bonnet, et sortirent en plein air pour en griller une.

Vers une heure de l'après-midi, à l'autre bout de la ville, le débardeur qui avait vidé le camion fut admis à l'intérieur du centre de données de la Banque mondiale. Il poussa son chariot chargé de boîtes de bandes vers le sommet de la rampe, un homme de la sécurité vérifia les bons de livraison collés sur chacune des boîtes et fit signe au gestionnaire tapi derrière son guichet, puis déchargea les boîtes et attendit que le guichetier lui préparât son reçu. Non sans lui avoir lancé, histoire de respecter la tradition :

– Bon Dieu, c'est pas trop tôt. Y a des heures qu'on t'attend !

Puis, s'emparant du micro qui diffusait sa voix sur toute l'étendue de l'étage des machines :

– Au boulot pour le traitement des rentrées de fonds ! Trente-sept dossiers. On est bon pour passer la nuit, les gars !

Un râle de désespoir courut entre les machines, et quelques secondes plus tard, le téléphone sonna au guichet, alors que le gestionnaire tendait son reçu au répartiteur. C'était Martinelli, le superviseur de l'équipe de nuit. Martinelli et sa grande gueule :

– Dites à ce trou-du-cul de la manutention qu'il interdise aux chauffeurs de faire une pause-clope ou une pause-café, quand ils ont douze heures de boulot dans leur camion et qu'on a six heures pour les traiter.

Le choc du téléphone raccroché fracassa le tympan du guichetier qui sourit au répartiteur.

– Je suppose que tu as entendu aussi bien que moi ?

Il rempila les boîtes sur le plateau du chariot et rentra le tout
dans le centre de données.

Mardi 29 décembre

À neuf heures du soir, un jeune programmeur à la calvitie nais-
sante s'assit devant un terminal du centre de données. Il n'y avait
presque plus personne à cet étage, et les rares arrivants qui ôtaient
leur manteau ne lui prêtèrent aucune attention.

Il alluma sa machine, sortit de sa poche une liste froissée, se
brancha sur les comptes de particuliers non commerciaux dont il
vérifia les numéros et les soldes créditeurs. Le premier était un
compte ouvert au nom de Frederick Fillmore, avec un dépôt initial
de huit cents dollars.

Tavish eut un sourire et passa rapidement d'autres comptes en
revue. Les milliers de comptes fictifs qu'il avait ouverts, avec de
modestes tranches prélevées sur les transferts de fonds par câble,
totaliseraient, pour aujourd'hui, plus d'un million de dollars.

Le 30 décembre, au matin, Saïd-al-Arabi rouvrit la salle des
Télex de la National Commercial Bank d'Arabie Saoudite, et
brancha son terminal pour voir s'il s'était passé quelque chose au
cours de la nuit.

Il imprima le message affiché sur l'écran, et s'assit pour en
prendre connaissance :

De : Banque mondiale, San Francisco, Californie, USA.

À : Salle des Télex. Nat'l Commercial Bank, Riyad, Arabie
Saoudite.

Message : Bien reçu votre ordre de transfert câblé en date du
25/12/XX. Aucun dépôt effectué. Stop. Câblogramme brouillé à
la transmission. Stop. Prière retransmettre. Stop. Nous répétons.

258

Aucun dépôt effectué. Stop. Câblogramme illisible. Stop. Prière retransmettre.

Fin.

Saïd-al-Arabi soupira.

Le problème, c'était que les saloperies de lignes téléphoniques saoudiennes ne valaient rien. La moitié du temps, les câbles qui traversaient le désert étaient enterrés sous des tempêtes de sable. Comment pouvaient-ils compter sur la banque pour faire des affaires dans le monde entier, quand les hommes chargés d'entretenir et de réparer les lignes se déplaçaient à dos de chameau ?

Il déboucla le classeur et sortit le dossier du transfert qu'il avait fait à la Banque mondiale, quatre jours pleins auparavant. Puis il se souvint que les banques américaines avaient dû fermer pour les vacances de Noël. Il allait donc falloir tout retransmettre, et prier que le retard dans le paiement de l'hypothèque n'entraînât aucune pénalité.

Assis devant son terminal, il calcula que l'argent ne serait certainement pas réceptionné avant quarante-huit heures. Neuf heures du matin, heure saoudienne, correspondaient à sept heures de l'après-midi, la veille, à San Francisco. Il y avait quatre heures que les bureaux de la Banque mondiale avaient fermé leurs portes.

LA VENTE AUX ENCHÈRES

« L'or est une chose merveilleuse. Qui le possède
peut avoir tout ce qu'il désire. Avec de l'or,
on peut même faire entrer des âmes au paradis. »

CHRISTOPHE COLOMB

Quand j'arrivai à la banque, le lundi matin, Pearl était perchée sur mon bureau, les jambes croisées, le regard perdu dans les eaux bleu turquoise de la baie que survolait, au loin, la silhouette délicate du pont suspendu.

– Eh bien, eh bien, eh bien, psalmodia-t-elle alors que je déposais mes affaires et contournais le bureau pour prendre connaissance de mon courrier. Un peu en retard, non ? Tu n'étais pas chez toi, ce week-end. Je t'ai appelée.

Je contre-attaquai :

– Est-ce que ta robe n'est pas un peu trop décolletée, même pour toi ? Ou est-ce que tu comptes sur la promotion canapé pour orienter ta carrière ?

Son rire eut le don de m'agacer.

– Si quelqu'un a changé de méthode, ces jours-ci, ce serait plutôt toi ! La romance est bonne pour le teint, ma belle, et on dirait que tu sors d'une cure de thalasso.

C'était moi qui avais commencé, mais je ripostai avec une parfaite mauvaise foi :

– Ce n'est ni l'heure ni le lieu d'une telle conversation, tu ne crois pas ?

– Tu m'étonnes. Quels ont été le lieu et l'heure ? Clair de lune ? Draps de satin ? Huiles corporelles ? Bains de mousse ?

J'ouvris une première lettre, d'un coupe-papier rageur.

– J'ai passé le week-end à méditer.

– Bien sûr, ton gourou est sublime ! Et moi qui te donnais des conseils sur la façon de t'envoyer en l'air à New York ! Tavish m'a dit que vous aviez bel et bien fait une descente au centre de données, et que ce matin, tout marchait à la perfection. Je suppose que tu as été trop occupée dans l'intervalle pour nous passer un coup de fil ?

Relevée d'un bond, j'allai fermer la porte.

– Tu veux savoir ce que j'ai fait, ce week-end ? Ça me paraît légitime, puisque la nouvelle risque fort d'affecter ton avenir.

– Mon avenir !

Sa voix exprimait une soudaine amertume.

– Depuis ton petit tête-à-tête avec Karp, la semaine dernière, il est tout juste bon à flanquer aux chiottes, mon avenir. Le petit chéri a l'air de penser que tout est réglé comme du papier à musique. Que tu vas me trouver un autre job, rien qu'en faisant claquer tes doigts, et que je vais quitter la banque pour une destination inconnue.

Je me plantai en face d'elle, sur le bord d'un fauteuil.

– Et c'est exactement ce qui va se passer, Pearl. D'ailleurs, on va tous quitter la banque. Ce n'est qu'une question de temps.

– Ouais. Y a-t-il une vie en dehors de la banque ? Je ne suis pas vraiment prête à lever le camp. Tu te prends pour qui, au juste ? Pour mon conseiller de carrière ?

– En fait, c'est bien avec Tor que j'ai conclu un marché, ce week-end. Il s'avère que, de son côté, le pari est un peu plus complexe que prévu.

– Ça, je l'aurais parié !

– Pour résumer la situation, il a le boulot idéal pour toi. Un boulot qui va réclamer tous tes petits talents personnels.

– Je suis prête à les lui montrer quand il veut, où il veut.

Voyant que je ne mordais pas à l'hameçon, elle poursuivit, plus sérieusement :

262

– À quels talents pensais-tu, au juste ?

– Deux surtout. Ton expérience du change international. Tu en sais autant là-dessus, je crois, que l'expert le plus chevronné.

– Et l'autre ?

– L'art de dépenser de l'argent.

C'était bizarre. Je connaissais Tor depuis douze ans, j'avais cru le connaître aussi bien qu'il est possible de connaître quelqu'un, mais après le week-end que nous venions de passer ensemble, je m'apercevais qu'en réalité, je ne le connaissais pas du tout.

Comme moi, il gardait une partie de lui-même à l'abri de la curiosité des autres. Pourquoi m'avait-il prise ainsi sous son aile, en cette première nuit qui paraissait aujourd'hui si lointaine ? Que cachait-il ? Quelle était la nature profonde de cette passion dont il avait parlé et qui, je le savais, dans sa bouche, ne s'appliquait pas seulement à l'amour dans son expression purement physique.

Quelque chose avait changé, non seulement entre nous, mais en nous, durant les trois jours que nous avions passés sur cette île. J'avais l'impression qu'une tornade nous avait emportés, qu'une explosion avait réarrimé nos molécules au point de nous intégrer une partie de l'autre. Et cette soif mutuelle, inextinguible, si longtemps réprimée ? N'était-ce pas ainsi que Platon définissait l'amour, cette nostalgie de l'âme pour ce qui lui manquait, ce qu'elle avait perdu dans la brume opaque des temps révolus ?

Difficile, dans ces conditions, de reprendre tout simplement le boulot.

Je contemplais la baie, en proie à toutes ces émotions violentes, sinon contradictoires, quand Peter-Paul Karp se glissa dans mon bureau.

– Banks, vous regardez fixement par la fenêtre. Vous est-il arrivé quelque chose ?

J'entrepris de ranger les objets épars sur mon bureau, afin de me donner une contenance. Karp était la dernière personne au monde dont j'avais besoin pour retomber sur mes pieds. Mais je réussis tout de même à répondre :

– Pas à moi. Bien qu'il soit, en effet, arrivé quelque chose. Ce problème dont on a discuté au restaurant. Je crois que j'en tiens la solution.

– Vraiment ? dit-il en accaparant le meilleur fauteuil.

– J'ai recommandé Pearl pour le séminaire du Forex, le Foreign Exchange Trader's Consortium. Leur symposium a lieu au printemps et il dure trois mois. Êtes-vous d'accord pour lui permettre d'y assister et financer sa participation ?

– Si je suis d'accord ? Bien sûr, il faudra la reclasser à son retour, mais pas nécessairement dans mon service, c'est bien ainsi que vous l'entendez ?

– Naturellement. Le symposium commence dimanche prochain, à New York.

Je poussai vers lui les papiers nécessaires. Il y griffonna sa signature en disant :

– Ça va partir tout de suite, je m'en charge. Et merci, Banks. Je crois que Willingly se trompe du tout au tout, quand il parle de vous.

J'aurais bien aimé savoir ce qu'il disait, mais j'avais des chats nettement plus importants à fouetter, tels que Karp.

– J'ai une autre surprise pour vous, si vous savez tenir votre langue. Mon programme est en très bonne voie. Je vous rendrai Tavish dans quelques semaines.

Un peu plus de miel pour l'adoucir encore.

– Mais c'est plus que je n'en espérais...

– Je vous devais quelque chose. Après tout, vous m'avez tenue au courant de ces bruits de couloir... Et avec les efforts que déploie Kiwi pour nous piquer Tavish, à tous les deux...

– Banks ! De quoi parlez-vous ?

– Mon Dieu, je pensais que vous le saviez. Kiwi l'a invité à dîner, la semaine dernière. Et lui a promis qu'il travaillerait avec lui, pas avec vous.

Le teint de Karp avait pris une jolie teinte pourpre.

– Alors, Willingly veut jouer au plus fin avec moi. Je vous suis très reconnaissant de m'en avoir informé.

Je le rappelai alors qu'il était à mi-chemin de la porte.

– Vous ne pouvez pas dire que je ne vous avais pas déjà prévenu contre Kiwi, Peter-Paul. Mais je vous suggère de faire croire à tout le monde que l'idée de confier cette mission à Pearl est venue de vous. Que personne ne puisse dire qu'on s'arrange entre nous derrière le dos de tout le monde... comme d'autres ne se sont pas gênés pour le faire à notre détriment.

Il sortit en lançant par-dessus son épaule :

– Elle sera partie pour la fin de la semaine.

Il contenait mal sa colère, et les doutes que j'avais semés dans son jardin allaient bientôt fleurir en méfiance généralisée à l'égard de son entourage, tout spécialement de Kiwi. Une perspective qui ne me contrariait nullement. J'avais tout fait pour. En souplesse.

Je descendis au garage ce soir-là en chantonnant, à fond de gorge, le cri de guerre des Walkyries. Pearl m'attendait près de ma voiture, dans laquelle on s'installa, côte à côte.

– Qu'est-ce que c'est que ces *ho-yo-di-yo* ? On dirait une mélopée vaudoue.

– C'est un mantra pour te porter chance. J'ai fait un marché avec Karp, ton patron, cet après-midi.

– Ce connard est tellement transparent qu'on doit voir sa cirrhose, quand il est à poil. J'aurais dû deviner qu'il se passait quelque chose. Il n'a pas arrêté de me reluquer en se marrant comme une baleine, toute la journée. Quel genre de marché ?

Je gloussai en remontant la rampe qui conduisait à la sortie :

– Le financement de ton nouveau job. Il s'apercevra assez tôt que je n'ai pas sa transparence.

– Qu'est-ce que tu lui as raconté ?

– Je lui ai donné à signer des papiers pour le Forex. Il était tellement excité à l'idée de ne plus t'avoir dans les pattes pendant trois mois, qu'il aurait signé le financement du séjour d'un trafiquant de cocaïne à Hong Kong pour affaires. Une pièce qui fera bien dans son dossier, s'il s'obstine à vouloir me compliquer la vie.

Pearl faillit s'étouffer de rire, une main sur la bouche, alors que je remontais California Street et piquais sur Russian Hill.

– Si tu ne m'envoies pas vraiment au Forex, de quoi va-t-on parler au dîner ?

– De ton nouveau boulot. Le vrai.

Je souriais intérieurement en songeant à ce dont nous avions discuté, avec Tor.

– Je crois que ça va te plaire. Tu vas loger chez des amis à moi, dans Park Avenue.

– Flanelle grise et langage châtié ?

– Noblesse européenne franco-russe. Tu pourras parler ta langue maternelle, en apprenant tout sur l'activité familiale.

– De quel genre ?

– D'après ce que j'ai cru comprendre, ils vont participer à une vente aux enchères.

Dimanche 10 janvier

À une heure de l'après-midi, une longue limousine noire jaillit du garage souterrain d'un bel immeuble de Park Avenue.

Deux femmes siégeaient sur la banquette arrière, parées et vêtues de façon tellement outrancière qu'en d'autres temps, en d'autres lieux, elles fussent probablement passées pour des courtisanes. Elles se rendaient à la vente aux enchères des galeries Westerley-Lawne, dans Madison Avenue.

– Parlez-moi de Georgiane, votre fille, suggéra Pearl. Où est-elle, actuellement ?

– Ah, Djordjione, elle est en France. Nous comptons aller en Grèce au printemps.

– Vous savez, Lélia, vous pouvez parler français si ça vous est plus facile.

– Non, je me sens plus confortable dans l'anglais, maintenant. C'est la meilleure langue que je parle couramment, comme tu dis.

Pearl avait parfois quelque difficulté à comprendre Lélia, dans n'importe quelle langue, mais elle affirma néanmoins :

– Je vois. Et qu'est-ce qu'elle fait en France, à part préparer votre voyage en Grèce ?

– Elle visite les banques. Le Crédit agricole, la Banque nationale de Paris, le Crédit Lyonnais. Elle fait les petits placements, pour notre futur voyage. *Tout droit !*

266

En tapant sur l'épaule du chauffeur, Lélia traduisit les deux derniers mots empruntés à la langue française. Ajouta :

– Juste après le coin de la rue.

– Y est-on déjà ? s'étonna Pearl. Tout ça m'excite tellement.

– Moi aussi. Voilà si longtemps que je ne vais plus aux ventes aux enchères.

Le chauffeur se rangea devant la galerie. Aida Pearl et Lélia à descendre de la limousine. Des passants se retournèrent sur elles. Toutes deux arboraient les manchons et les amples manteaux russes, lourdement brodés, que Lélia avait sortis de la naphtaline à cette occasion.

– Maintenant, tu vas voir, *cherrie*, comment les riches plient le genou devant les pauvres.

Elles franchirent les immenses portes de la galerie. Le concierge s'inclina très bas, les conversations s'arrêtèrent sur leur passage. Lélia avait pris le bras de Pearl, et la jeune femme s'étonna :

– Mais vous n'êtes pas exactement pauvre ! Vous avez un magnifique appartement, une limousine avec chauffeur, des meubles et des vêtements très chers. Quant à vos merveilleux bijoux...

– Tout est loué, *cherrie*. Tout ce qui pouvait se vendre a été vendu. Mes bijoux ? Du toc. Les vrais sont partis depuis bien longtemps. Le chauffeur ? Il vient me chercher à deux cents francs de l'heure. Son service ne va pas plus loin. L'argent, c'est tout. L'argent, c'est le pouvoir. Personne ne respecte qui n'en a pas. Maintenant, tu connais mon grand secret. Que même ma fille, Djordjione, ne connaît pas entièrement.

– Mais comment pouvez-vous faire monter les enchères si vous n'avez pas d'argent ?

Quand elle souriait ainsi, Lélia retrouvait tout le charme de sa jeunesse enfuie.

– C'est de la magie. On va acheter une propriété, avec de l'argent emprunté, et après, on va tous devenir riches.

– On va acheter quel genre de propriété ? Un appartement ? Un ranch ?

– Non, non, une *belle île* grecque. Et puis on va y vivre. *Au pays des merveilles.*

Pearl doutait du témoignage de ses propres oreilles.

– On va acheter une île au pays des merveilles !

– Oui, dit Lélia. Tu aimes la mer Égée, j'espère ?

Lionel Bream n'en crut pas ses yeux lorsqu'il aperçut Lélia au sein de l'auditoire. Le nom de Lélia von Daimlisch avait figuré sur la liste des enchérisseurs, mais il n'avait pas cru qu'il pût s'agir de la même Lélia. C'était la première fois qu'il la revoyait depuis des années.

Nul ne le savait, mais c'était à elle qu'il devait largement sa réputation de commissaire-priseur. Quand elle lui avait remis, à ses débuts, une fantastique collection de bijoux dont elle souhaitait tirer le meilleur prix, tant de confiance l'avait ému. Elle l'avait choisi, à l'époque, disait-elle, parce qu'il était jeune et *sympathique*.

Bien que Lionel n'eût jamais appris comment elle avait pu connaître de tels revers, il avait tout de suite reconnu, malgré son expérience du métier encore très réduite, l'immense valeur de ces pièces rares. Certaines, réputées perdues au sein du chaos révolutionnaire, avaient pu être raccordées à la dynastie des Romanov. Quoique le passé de Lélia s'entourât d'un voile de mystère, il avait cru en son histoire d'héritage, et personne n'avait pu prouver le contraire. C'était tout ce qui comptait, en l'occurrence.

Il avait fallu des années pour disposer des joyaux, peu à peu, avec toute la discrétion nécessaire. Lélia n'avait pas voulu que l'on connût, dans le grand public, l'origine de ce flux récurrent d'incroyables merveilles. Par-dessus tout, elle désirait cacher leur infortune à un mari gravement malade. Elle avait besoin de cet argent, et Lionel n'avait pas jugé utile de fourrer son nez dans les affaires privées de la baronne. Question d'éthique. Et de gratitude pour la réputation d'expert qu'il était en train d'acquérir. Mener les enchères suscitées par la collection Daimlisch était plus qu'un jeune commissaire-priseur eût pu espérer à l'époque. Et lui avait permis de grimper, rapidement, dans la hiérarchie de sa spécialité.

Au lendemain de la mort de son époux, Lélia avait disparu de la circulation. Une fois de plus, peut-être, pour raisons financières. De loin en loin, Lionel entendait citer son nom, mais n'avait plus jamais tenté de la joindre. Il eût été très incorrect de lui rappeler et son ancienne existence, et la conjoncture qui l'avait contrainte à y renoncer.

La retrouver tout à coup dans l'assistance le ramena bien des années en arrière. Elle avait été très belle, à l'époque, une des plus jolies femmes de son temps, et lui, jeune garçon vulnérable, n'avait pu s'empêcher, malgré leur différence d'âge, de tomber amoureux d'elle. Il y avait en elle des parfums de tragédie, avec un sens de l'humour sous-jacent qui se manifestait de mille façons charmantes. Lionel n'avait jamais oublié l'éclat de ses yeux, quand elle le regardait, malicieuse, comme s'il existait, entre eux, quelque secret très spécial. Elle avait représenté l'image de la femme telle que l'imaginaient, en ces temps romantiques, les jeunes gens idéalistes : toujours triste, indomptable, et belle à mourir.

Il vit qu'elle l'observait depuis la salle. Ses yeux avaient toujours le même éclat, et il était sûr qu'elle aussi le reconnaissait, bien qu'il eût changé plus qu'elle et que sa chevelure raréfiée fût désormais poivre et sel. Tout à coup, alors qu'il la contemplait du haut de l'estrade, la nostalgie de *ce temps-là* le submergea. Ah, se retrouver dans la Chambre prune de son appartement exotique, prendre le thé et l'entendre jouer Scriabine sur le vieux Bösendorfer. Les larmes lui brouillèrent la vue et, dans l'intensité de son émotion, il fit une chose qui n'entrait nullement dans ses habitudes. Il descendit de l'estrade et s'avança vers elle, dans l'allée centrale.

– Lélia, murmura-t-il en prenant ses deux mains dans les siennes.

À la main droite, elle portait une copie du rubis Falconer, entouré de saphirs noirs et de diamants, dont il avait vendu l'original à William Randolph Hearst, en 1949.

– Je ne peux pas croire que c'est bien vous. Vous m'avez tellement manqué.

– Ah, mon cher Lionel...

Elle prononçait le prénom à la française, comme jadis.

– Moi aussi, je suis heureuse, heureuse, heureuse de vous voir conduire une belle enchère, comme je n'ai jamais vu auparavant.

C'est vrai, pensa-t-il. Jamais elle n'a assisté à la vente aux enchères de ses bijoux. Elle demandait alors que les chèques fussent déposés à son compte, pour qu'elle n'eût pas à connaître le prix de chacune des pièces dispersées aux quatre vents.

– Mais qu'est-ce que vous faites ici, ma chère amie ? souffla-t-il. Vous savez qu'il s'agit d'une vente aux enchères bien étrange, en vérité !

Tous les regards de l'assistance convergeaient vers cette femme en l'honneur de qui le célèbre Lionel Bream retardait le début des enchères, afin de la saluer personnellement. Bien que Lionel fût certain que pas une des personnes présentes ne reconnaîtrait Lélia, il rit sous cape en voyant les spectateurs les plus proches loucher sur la copie des émeraudes de Fabergé qu'elle portait autour du cou, et qu'il avait vendues, en 1947, au roi Farouk.

– Permettez-moi de vous présenter ma très chère amie, mademoiselle Lorraine, minauda Lélia.

Il se pencha pour lui baiser la main, en disant :

– Enchanté, mademoiselle Lorraine, qui avez la joie d'être l'amie d'une des plus grandes dames du siècle. J'espère que son amitié vous est précieuse, comme elle l'est à tous ceux qui la connaissent.

Pearl sourit. Elle sentait qu'il se passait quelque chose autour d'eux, à la façon dont tous ces gens les regardaient, mais elle était incapable de deviner quoi.

C'est alors que Lélia se leva, prit Lionel dans ses bras et le pressa contre sa poitrine, dans une étreinte d'ours à la russe. Les gens commençaient à s'impatienter. Pearl n'en aurait pas juré, mais il lui avait semblé que Lélia chuchotait quelque chose à l'oreille du commissaire-priseur. Qui chuchota de même, en réponse :

– Vous savez que je ferais n'importe quoi pour vous. J'espère qu'on se reverra, maintenant que nos vies se sont croisées de nouveau.

Il lui serra brièvement la main, remonta sur l'estrade et prononça l'ouverture de la vente aux enchères. De temps en temps, il baissait les yeux vers Lélia et lui souriait, en souvenir de leurs anciennes connivences.

Les enchères se poursuivirent pendant près de cinq heures. La foule des amateurs se raréfia progressivement. Lélia ne bronchait pas, droite et fière comme une icône. Tant d'endurance, tant de maîtrise chez une femme de cet âge stupéfiaient Pearl que la chaleur ambiante, le bourdonnement des chiffres égrenés commençaient à endormir doucement. Et soudain, elle se redressa, d'un mouvement brusque. Quelque chose avait changé dans la salle. Quand elle se retourna vers Lélia, elle constata que sa voisine, elle aussi, avait changé. Ou bien n'était-ce qu'une impression subjective, née de l'intensité du regard de Lélia, rivé sur le commissaire-priseur ?

Les yeux de Lionel Bream balayaient sans arrêt la salle, prompts à repérer les doigts qui se levaient ou grattaient une oreille, toutes les surenchères éparses dans l'assistance. Mais sans cesse, son regard revenait se poser sur Lélia, et Pearl comprit qu'elle enchérissait, automatiquement, sur la dernière somme offerte. Par quel moyen, Pearl n'en avait aucune idée. Elle s'intéressa à l'objet de l'étrange compétition en cours.

Sur le programme, il s'agissait du lot numéro dix-sept, une petite île perdue parmi une vingtaine d'autres, au sein d'un archipel proche de la côte de Turquie. Trente kilomètres carrés de roche, avec une montagne conique aplatie au sommet, le cratère d'un volcan éteint depuis des millénaires.

Lionel Bream confirma le fait. Pearl se souciait peu que le volcan fût éteint ou non. Au vu de la photo figurant sur le programme de ce quartier de roche entouré d'eau, à la végétation clairsemée, elle commençait à se poser des questions sur la santé mentale de Lélia.

Omphalos Apollonius, le nombril d'Apollon, tel était le nom de l'île. Bream expliqua à une assistance légèrement houleuse que c'était également le nom du creux rocheux de Delphes, ou de toute autre dépression naturelle d'où prophétisaient les oracles.

Le nombril d'Apollon, semblait-il, hébergeait une population de cent soixante-dix personnes, pêcheurs et fabricants de voiles. La seule « ville », également baptisée Omphalos, était située à l'ouest de l'île, avec vue sur la côte grecque. Le rivage oriental, désertique, ne recelait que quelques ruines vénitiennes.

Pearl apprit également que tout l'archipel avait appartenu à un expatrié yougoslave, magnat de la marine de commerce, qui l'avait acheté peu de temps après la Seconde Guerre mondiale, alors qu'à la faveur de la partition ultérieure de l'Europe, les gouvernements grec et albanais s'en disputaient la propriété. Compte tenu de la position géographique de l'archipel, entre Grèce et Turquie, les Turcs auraient très bien pu exprimer la même revendication. Mais tant du point de vue stratégique que touristique, ces territoires ne possédaient pas la moindre valeur. Leur sol volcanique, chaotique, rendait impossible la construction d'une aire d'atterrissage, et leurs côtes rocheuses, escarpées, n'offraient asile qu'à des vaisseaux de dimensions modestes. Même les services les plus communs, lignes téléphoniques, plomberie, lumière et chauffage, y étaient presque inexistants. Ni bois, ni charbon, ni pâturages pour y élever du bétail. La plupart des produits d'alimentation, lait compris, devaient être importés du continent.

Le peu de valeur de l'archipel apaisa rapidement les querelles nationalistes. Et toute idée de conflit acheva de se dissiper lorsque le magnat yougoslave, en homme avisé, arrosa généreusement les fonctionnaires des trois pays concernés afin qu'ils oublient jusqu'à l'existence de ces rives déshéritées.

Pas idiot, le Slave ! conclut Pearl. Il avait bâti une résidence de villégiature sur la plus hospitalière des vingt îles, et payé les factures en mettant les dix-neuf autres aux enchères, devant un public de riches New-Yorkais prêts à payer très cher tout plateau rocheux sans valeur apte à offrir une vue imprenable sur la mer Égée.

Les enchères concernant Omphalos étaient tombées plus rapidement que les autres, car ce « lot dix-sept » était incontestablement le moins attrayant de tous. Seuls deux autres enchérisseurs s'opposaient encore à Lélia, dont les traits crispés, fiévreux, ne laissaient pas d'alarmer Pearl. Elle paraissait transportée, transfigurée, illuminée par quelque lumière intérieure dont Pearl ne savait concevoir la nature.

Pour empirer les choses, on en était maintenant à plus de dix millions. Bien que largement inférieur aux prix atteints par les autres îles, c'était tout de même un bon paquet de dollars, et Pearl se demandait d'où Lélia allait bien pouvoir le sortir. Puis elle remarqua que Lionel Bream ne la quittait plus des yeux. Lui aussi semblait très inquiet.

En fait, Lionel n'était pas inquiet, mais carrément angoissé, et n'avait jamais cessé de l'être depuis qu'il avait repéré Lélia, dans la salle. Aucune garantie, aucune avance financière n'avaient été requises pour obtenir le droit de participer aux enchères, car la liste des invités avait été l'œuvre des propriétaires de la galerie. Absente de cette liste, Lélia s'était débrouillée pour entrer quand même. Il espérait ardemment qu'elle serait en mesure de payer ce dont elle briguait si fort la possession. Nul, à part lui et Claude Westerby, n'était au courant des revers passés de Lélia von Daimlisch.

C'était le jeune Westerby qui avait pris le risque de vendre aux enchères les bijoux qu'elle avait confiés à Lionel, il y avait de ça tant d'années.

Bien que Lionel se fût engagé à ne jamais révéler leur provenance, il s'était vu contraint de montrer la collection à l'un des propriétaires de la galerie, avant de pouvoir accepter leur mise en enchères. C'était Claude Westerby qu'il avait jugé le plus *sympathique*. Et Claude disposait, déjà, d'une expérience étendue en matière de bijoux.

Or, non seulement les pierres proposées étaient magnifiques, mais les pièces elles-mêmes comptaient parmi les plus rares, les moins connues d'une collection qui jadis avait été célèbre. Même si la discussion n'était jamais allée jusque-là entre les deux hommes, Lionel Bream était persuadé qu'au terme de ses recherches personnelles, Claude avait fini par découvrir l'identité du vendeur.

Assis au fond de la salle, les bras croisés, attentif à la progression des enchères, Claude Westerby intercepta le regard du commissaire-priseur, dont l'agitation croissante sollicitait un avis, un conseil. Il lui confirma, d'un léger haussement d'épaules, qu'il partageait son incertitude, mais qu'à moins d'annuler les enchères, fait sans précédent dans les annales de la profession, il n'y avait pas grand-chose à faire.

Un changement de tonalité dans la succession des offres signala aux oreilles expérimentées des deux spécialistes que l'hallali était proche, et Lionel se sentit subitement allégé, presque heureux, comme si un lourd fardeau venait de glisser à bas de ses épaules.

Frappant de son maillet le socle de cuivre posé devant lui, il annonça calmement :

– Vendu à madame von Daimlisch, pour la somme de treize millions de dollars. Félicitations, madame la baronne, vous venez d'acquérir un bien digne de vous.

Lélia acquiesça d'un signe de tête, puis, avec l'assistance de Pearl, se leva pour quitter la salle.

En compagnie des quelques dernières personnes présentes, Claude Westerby la suivit des yeux. Bien qu'elle n'eût pas été invitée, il avait eu, à son arrivée, le geste qui intimait aux vigiles l'ordre de la laisser passer. Posément, il se leva pour la suivre.

– Où allons-nous ? s'informait Pearl, à voix basse.

– À la caisse, naturellement. Quand on a fini le repas, il faut payer l'addition.

– Le moment redoutable, commenta Pearl, la gorge serrée. Vous allez payer avec quoi ?

– Un chèque, évidemment.

Toute la fatigue qu'elle avait tenue si longtemps à distance semblait brusquement s'abattre sur Lélia, et malgré l'endurance dont la vieille dame avait fait preuve, Pearl bondit sur place quand une voix résonna, derrière elles :

– Félicitations, madame !

Claude Westerby les escorta, dans leur lente progression vers la caisse. Si quelque chose devait tourner mal, il entendait s'en occuper lui-même.

– Monsieur, rétorqua Lélia, nous n'avons jamais été présentés. Je suis...

– Je sais qui vous êtes, chère madame. Vous êtes la baronne Lélia von Daimlisch. Bien que j'aie sans doute beaucoup changé depuis notre première rencontre, vous, madame, en revanche, vous êtes toujours la femme qui était considérée comme la plus ravissante de tout New York.

Lélia lui dédia son sourire éblouissant. Il ajouta :

– Moi, je suis Claude Westerby. Vous avez fait un bon achat, ce soir. Le propriétaire va certainement nous en vouloir. Nous avions estimé la valeur de ce lot cinquante pour cent supérieure au prix atteint. Espérons que les lots restants rapporteront davantage. Je suis heureux que ce soit vous qui ayez remporté celui-ci.

Et encore plus heureux, compléta-t-il mentalement, si vous pouvez payer la note. Quel cauchemar ce sera, si elle se révèle insolvable !

– Voilà la caisse. Je vous laisse régler toute seule cette douloureuse formalité, mais je serai là si vous avez besoin d'aide. Puis-je vous dire quel plaisir c'est pour moi d'avoir enfin pu me présenter, après toutes ces années ?

– Merci, monsieur.

D'un geste imprévisible, elle lui prit la main. Sa voix tremblait d'une façon qu'il trouva fort troublante, chez une femme de cet âge.

– Et merci pour... le passé. Vous avez été si discret, au sujet de mes bijoux. Je n'ignore pas que c'est vous qui avez fait les... petites recherches sur mon compte, en ce temps-là. J'ai une mémoire d'éléphant pour cette sorte de chose. Encore merci, merci, mon ami Claude.

Il la regardait, surpris, le cœur étreint. Elle était toujours aussi belle, de cette beauté sublime qui vient de l'intérieur. Plus belle encore, peut-être, que trente ou quarante ans auparavant. Il était si heureux qu'elle eût acheté cette île qu'en cet instant, il ne se souciait plus qu'elle pût la payer ou non. Pour un peu, il l'eût payée lui-même, pour la lui offrir en cadeau, sans contrepartie imaginable.

Reprenant brièvement sa main dans les siennes, il la quitta, non sans une certaine brusquerie, et réintégra la salle d'un pas vif pour assister à la fin des enchères.

TROISIÈME PARTIE

FRANCFORT, ALLEMAGNE

Janvier 1810

En ce début de l'année 1810, Meyer Amschel Rothschild vivait toujours à Francfort, bien que ses enfants fussent adultes et que son fils préféré, Nathan, vécût désormais à l'étranger.

Assis à table avec son épouse, Gutle, autour d'un petit déjeuner frugal de pain trempé dans du lait, Meyer Amschel déclara sans y attacher d'importance :

– Cette nuit, j'ai fait un rêve.

– Un rêve ? s'étonna Gutle.

C'était bien la première fois que son époux lui parlait d'une chose pareille. Ses cheveux, coupés court, conformément à la tradition orthodoxe, disparaissaient sous une épaisse perruque non poudrée, elle-même recouverte d'un énorme fichu de cotonnade empesée, de dentelle hollandaise et de rubans de taffetas.

– Quel genre de rêve ? ajouta-t-elle en versant davantage de lait sur son pain. Un rêve de fortune ? Nous en avons déjà plus qu'il n'est bon pour nous. Parfois, je me demande si tant d'argent ne va pas finir par nous porter malheur.

Elle tapa sur la table avec sa cuillère pour chasser les démons qui pouvaient rôder alentour.

– C'était un drôle de rêve, raconta Meyer Amschel, pensif. J'ai vu notre maison menacée par le feu et l'eau, comme il est dit, dans le vieux livre, du sort de toute l'humanité, sous le regard de Dieu. Nos fils combattaient pour une cause commune, tel Judas Macchabée, alliés par une force qui défiait la nature...

– On connaît tous tes idées dans ce domaine... comment une brindille se brise entre les doigts... et comment de nombreuses brindilles, réunies en faisceau, peuvent résister, ensemble, à tous les efforts...

– Ce rêve me dit que quelque chose de grand et de magnifique se prépare... grâce à quoi la maison Rothschild restera debout contre vents et marées, pendant le siècle à venir et bien d'autres siècles encore... Tu verras, ma chérie... tu le verras bientôt...

En cette année 1810, comme le prédisaient les visions nocturnes de Meyer Amschel, son fils Nathan ourdissait un projet si audacieux qu'il risquait de coûter à toute la famille fortune et sérénité. Voire liberté.

Nathan vivait en Angleterre depuis plus de douze ans, et sa réussite était enviée. Dès 1798, il avait exporté *via* Manchester des cotonnades anglaises sur le continent, où son père et ses frères négociaient leur vente. Naturalisé britannique, en 1809, Nathan avait ouvert l'année suivante sa propre banque. Des cinq fils Rothschild, deux plus âgés que lui et deux plus jeunes, il était de très loin le plus entreprenant.

En 1810, au début du mois de mars, il écrivit à son père à Francfort, qu'il souhaitait que le cadet de la famille, James, fût envoyé à Paris, d'où il serait plus à même de se déplacer librement dans toute la France ainsi qu'en Espagne, en Italie et en Allemagne. Meyer Amschel avait peine à y croire. Comment un juif pourrait-il bénéficier de tels privilèges ? L'autorisation de résider à Paris n'était déjà pas si facile à décrocher, car les Rothschild n'étaient pas seulement juifs, mais également prussiens.

Encouragé toutefois par ce rêve qu'il estimait prémonitoire, Meyer Amschel mit son chapeau de soie, son jabot de dentelle, son plus beau costume noir, et rendit visite à son vieil ami le prince de Thurn und Taxis, à qui les Rothschild avaient prêté des sommes considérables dans le passé. Peut-être était-ce le moment d'évoquer cette dette... d'une certaine façon ?

– Ah, Rothschild, quelle élégance ! s'exclama le prince. Je devine à votre tenue qu'il ne s'agit pas là d'une simple visite amicale. Quoi que vous puissiez désirer, je ferai tout ce qui sera en mon pouvoir pour vous satisfaire.

– Votre Altesse est très perspicace, comme toujours, dit Meyer Amschel. C'est peut-être un peu délicat. J'aimerais que mon fils James puisse obtenir l'autorisation d'établir sa résidence principale dans la ville de Paris.

– Ah, c'est effectivement un problème, admit le prince, contrarié. Même moi, en ma qualité de Prussien, je ne saurais obtenir cette autorisation.

– Je savais que ma demande serait délicate, Votre Altesse. Délicate, mais cruciale, pour raisons personnelles et familiales.

– Compte tenu que vos « raisons personnelles et familiales » sont le plus souvent financières, s'esclaffa le prince, je suppose qu'il est de mon intérêt d'essayer de vous aider tout de même. Vous savez quel motif vous allez alléguer ? Je vous ai rarement vu à court d'idées.

– En fait, j'ai pensé à une solution possible, avoua modestement Rothschild. Si mon fils pouvait voyager dans l'équipage d'un membre de la noblesse, quelqu'un qui, à la connaissance de Votre Altesse, désirerait se rendre à Paris pour une raison quelconque, la personne en question accepterait peut-être dans certaines conditions de...

Le prince s'était mis à hocher la tête.

– Comme vous le savez sans doute, un événement se prépare dans la capitale française, qui prochainement va faire voyager toute l'Europe.

– Vous faites allusion, sans doute, au mariage royal ?

– Si toutefois l'on peut qualifier aussi joliment le mariage de cet arriviste hérétique vomi par la Corse ! Seigneur Dieu, voilà un monsieur qui renie son épouse légitime, et qui se permet d'en épouser une autre alors que le souvenir de la première est toujours vivace. Mon sang se glace dans mes veines, lorsque j'y pense. Même les cardinaux seront absents, mais la noblesse française va s'y précipiter comme à un combat de coqs... Ma foi, Rothschild, si vous supportez l'idée que votre fils puisse se commettre en telle compagnie... Quoique, à la réflexion, je ne voie personne, parmi mes connaissances, qui acceptera... si vous voulez bien me passer l'expression... la présence, dans sa suite, du fils d'un commerçant juif... Il va falloir y réfléchir beaucoup, car je n'assisterai pas, moi-même, à cette ignominie...

– Certes, Votre Altesse. Nous allons devoir trouver quelqu'un que l'idée de participer au mariage de Napoléon et de l'archi-duchesse Marie-Louise ne rebute pas le moins du monde, au contraire... et qui, pour une raison quelconque... à cause de diffi-cultés pécuniaires, peut-être...

– Aha, Rothschild, gloussa le prince, je savais que vous ne vous embarquiez jamais sans biscuit ! C'est ma théière que vous voulez, plutôt que mon opinion, n'est-ce pas ?

C'était un aveu candide de la part du prince de Thurn und Taxis, car dans ses attributions de maître des postes d'Europe centrale, il lui était arrivé souvent d'ouvrir, à la vapeur, des lettres officielles, et d'en partager le contenu avec Rothschild dans le cadre de leurs relations ambiguës.

Sur un claquement de mains de l'éminent personnage, accou-rut un aide de camp. Le prince griffonna quelques noms sur un morceau de papier, et le remit à l'homme.

– File jusqu'au relais de poste et ramène-moi quelqu'un de l'une ou l'autre de ces familles. Rothschild, avec un peu de chance, nous aurons résolu votre problème avant le coucher du soleil.

L'œil de Meyer Amschel brillait de malice contenue.

– Votre Altesse est trop bonne... et tellement douée pour résoudre tous les problèmes !

Pour rien au monde, le grand-duc von Dalberg n'eût envisagé d'emmener au mariage royal, dans sa suite, le jeune James Rothschild, mais pleinement au courant de sa position pécuniaire, le prince lui fit une offre qu'il lui fut impossible de refuser. Rothschild couvrirait toutes les dépenses, véhicules, vête-ments, frais de voyage et de séjour dignes de son rang dans la capitale française, à la seule condition que le duc fournît au fils de Rothschild non pas un, mais trois passeports de durée illimitée pour l'ensemble de la France. Soulagé d'un grand poids, le duc accepta avec enthousiasme.

En mars 1811, Carl et Salomon Rothschild étaient fermement implantés en France. James, le plus jeune des cinq frères, dégustait fréquemment des pâtisseries avec monsieur Mollien, ministre français des Finances, au siège de son ministère. Le bureau de l'homme politique était généralement inondé de soleil, et toujours fleuri de jacinthes fraîchement cueillies juste en face, dans le jardin des Tuileries.

– Monsieur Rothschild, disait le ministre en essuyant, d'un petit coup de serviette, la crème qui adhérait à sa lèvre supérieure, je viens d'écrire à Sa Majesté l'empereur pour lui faire part de votre conseil. Mais j'ai toujours peine à croire qu'une telle bonne fortune puisse nous échoir.

– Vous vous moquez de moi, monsieur le ministre. Vous ne pensez pas sérieusement que les Britanniques puissent être meilleurs financiers que les Français !

– Oh non, sûrement pas ! Ce sont tous des imbéciles. C'est ainsi que le monde entier les considère. Mais comment imaginer qu'à Londres, à moins qu'ils ne soient tous d'ignobles traîtres, ils envisagent réellement de dévaluer la livre de dix pour cent et la guinée de trente et plus ! Comment peuvent-ils dévaluer leur propre monnaie, en temps de guerre ?

James lui rappela, très calme :

– Mais vous, monsieur Mollien, n'avez-vous pas vu, de vos propres yeux, les lettres en question ?

– Oui, oui, naturellement. Et même s'il n'en était pas ainsi, la politique de l'empereur est de drainer l'Angleterre de son or, et cette dévaluation va y contribuer encore davantage. Aucune armée ne peut combattre les pieds nus ou le ventre creux. Et nous connaissons la position désespérée de leur général Wellesley dans la péninsule. Nous avons intercepté les lettres qu'il écrivait à Londres, demandant que ses troupes fussent rappelées d'urgence puisque le gouvernement ne peut même plus leur fournir le strict nécessaire. Ils peuvent être maîtres des mers, comme ils aiment à dire, mais nous autres Français sommes maîtres des terres ! Aussi longtemps que nous les priverons d'or, ils ne pourront ravitailler Wellesley. Ils ne peuvent pas risquer que nous coupions leurs lignes.

Le ministre français des Finances de la France souligna son cours de stratégie et d'économie d'un grand geste péremptoire,

283

avant d'enfourner un autre gâteau dans sa large bouche. James profita qu'il avait la bouche pleine pour répondre poliment :

– Il est heureux que l'empereur ait pris cette position, monsieur Mollien, car il me serait très difficile de faire passer cet or britannique en Allemagne. Il faudrait l'y introduire par les Pays-Bas, au prix de tant de pots-de-vin que le jeu n'en vaudrait pas la chandelle. Mais comme vous m'autorisez à transiter par Dunkerque, tout le bénéfice reviendra au gouvernement français. Je ne saurais trop vous féliciter de votre clairvoyance.

– Je me flatte, reconnut Mollien, d'être excellent juge en matière d'hommes. Il est bien connu que vous autres juifs êtes toujours plus attachés à votre profit personnel qu'à toute considération patriotique ou nationaliste. Dans un certain sens, vous êtes des gens sans patrie. Ravir cet or à un Empire britannique en cours d'écroulement risque de coûter cher, mais chaque pièce sortie de votre poche entrera dans celles de la France, et quand le code Napoléon sera loi en Allemagne, les juifs de Francfort pourront faire leurs affaires et posséder des biens en toute liberté, pour la première fois en mille ans.

– Il est heureux pour nous que vous voyiez les choses sous cet angle, monsieur Mollien, dit James. C'est une chose pour laquelle l'Histoire retiendra à jamais votre nom.

Au cours des deux ans durant lesquels il avait séjourné à Londres, Nathan avait acheté des lingots d'or à la Compagnie des Indes orientales. Il avait pu en acquérir une bonne quantité, car tandis que le gouvernement britannique attendait la chute des cours, lui, n'hésitait jamais à payer le prix courant.

La chute des cours n'avait pas eu lieu, et quand arriva le printemps de 1811, alors que le Trésor britannique cherchait fébrilement de l'or pour financer ses armées, Nathan leur avait revendu ses lingots légèrement au-dessous des nouveaux tarifs, mais toujours avec un certain profit pour lui-même. Nathan croyait à l'efficacité, pas aux promesses, et l'Angleterre était le seul pays d'Europe dont tous les citoyens, quelle que fût leur religion, possédaient des droits de propriété. Il avait bien l'intention de les aider à conserver cette habitude.

– Monsieur Herries, dit-il au haut-commissaire, maintenant que nous avons mené à bien notre transaction, dans l'intérêt des deux parties, puis-je vous demander ce que vous comptez faire de tout cet or ?

– Voilà une question effroyablement directe, monsieur Rothschild, mais comme tout le monde peut le voir à l'œil nu, nous sommes dans de mauvais draps, à cause de ce bandit corse qui terrorise toute l'Europe, épouse nos alliés et place sa famille sur tous les trônes accessibles.

– Vous allez donc utiliser cet or pour renforcer votre maîtrise des océans, pour protéger les côtes britanniques de voisins trop téméraires ?

– Rothschild, trancha brutalement Herries, vous n'êtes pas un imbécile. Vous êtes l'homme le plus intelligent que je connaisse, et aussi le plus clairvoyant. Vous savez que Lord Wellington est en très fâcheuse posture, actuellement. Son armée stationnée dans la péninsule Ibérique n'a pas reçu d'or depuis des mois, car nous n'en avions tout simplement pas un gramme à lui envoyer. Notre économie est au plus bas, une fois de plus, nos colonies américaines se rebellent, et je dois admettre que nous serons en guerre avec eux, tôt ou tard, lorsqu'ils se sentiront assez forts pour contester notre suprématie navale. Le roi, à franchement parler, est beaucoup trop malade pour nous être de quelque utilité. Le Premier ministre prend une décision par jour, chaque fois différente, et se met le peuple à dos. Je peux vous dire, en confidence, que le chaos règne d'un bout à l'autre du pays, et que si Wellington ne parvient pas à gagner cette guerre péninsulaire, il va être rappelé d'Espagne, sans autre forme de procès.

James connaissait l'état de la trésorerie britannique mieux que le haut-commissaire Herries en personne, mais il n'en feignit pas moins de s'étonner :

– Vraiment ?

L'hiver précédent, il avait racheté à très bon compte les traites que, sur le conseil du prédécesseur d'Herries, Lord Wellington avait tirées sur le Trésor britannique pour essayer de tenir le coup en Espagne. Ces traites étaient passées entre les mains de Nathan par l'intermédiaire de l'implacable bloc financier sicilien, dont la richesse provenait exclusivement de l'exploitation méthodique des nations en déclin. Vautours de la communauté financière européenne, les Siciliens n'achetaient jamais rien au-dessus du quart de sa valeur. Si les titres de Wellington avaient échoué entre leurs mains, c'était parce que le général n'avait trouvé personne d'autre pour l'en dépouiller. Ce détail seul en avait révélé davantage à Nathan qu'un rapport détaillé des autorités financières britanniques.

– Vous allez donc envoyer cet or à Lord Wellington pour l'aider à se maintenir dans la péninsule ?

L'expression du haut-commissaire se fit encore plus lugubre.

– C'était l'intention. Mais j'ai bien peur qu'elle ne soit irréalisable. L'envoyer par bateau est hors de question. Nous en avons perdu trois en autant de mois. Impossible également de passer par les pays alliés. Trop long et trop aléatoire. La guerre sera peut-être finie, en fait, avant que nous ne trouvions le moyen de faire parvenir cet or à Wellington.

– Puis-je faire une suggestion, monsieur ?

– Toute suggestion est la bienvenue, à ce stade, bien que la solution du problème n'existe nulle part, j'en ai peur.

– Pas tout à fait, le contredit Nathan. Il y en a une dont vous n'avez pas parlé. Avec votre accord, je me chargerais de transporter l'or jusqu'à Wellington. Contre une certaine compensation, bien sûr, j'en garantirais la livraison.

– Vous seul ! se moqua Herries. Mon cher Rothschild, vous êtes un brillant financier, mais je ne vous vois pas marcher sur l'eau, et c'est le genre de miracle dont nous aurions besoin. Quelle garantie, d'ailleurs, pourriez-vous offrir ?

– L'engagement formel de rembourser, de ma poche, tout ou partie de l'or que je n'aurais pu acheminer jusqu'au bout.

– Et comment comptez-vous aller jusque là-bas ?

– À moi de me débrouiller, conclut Nathan.

Tandis que monsieur Mollien se congratulait d'avoir si bien conseillé son empereur sur la meilleure manière d'affamer l'armée britannique, James Rothschild était à Paris, très occupé à échanger l'or reçu de son frère Nathan en traites tirées sur des banques espagnoles.

Ses frères Carl et Salomon faisaient la navette entre Paris et l'Espagne, traversant les Pyrénées avec leurs traites et rentrant avec les reçus signés de la main du général Wellington. Et les Français ne surent jamais que l'or qu'ils avaient permis aux Rothschild d'introduire en France gagnait l'Espagne par les voies les plus légales, et permettait à Wellington de nourrir et de rééquiper ses armées.

Assis sur ses coffres remplis, Wellington remporta une brillante victoire contre les Français, et fit son entrée à Madrid.

Le père de Nathan, Meyer Amschel, resta à Francfort avec son fils aîné, Amschel, recueillant journellement les nouvelles de la guerre auprès du bureau de poste central, afin de les transmettre à la ronde. Trop vieux à présent pour mener une vie plus active, il occupait ses journées à entretenir le colombier et nourrir les pigeons que Nathan lui avait envoyés de Londres.

En septembre 1812, alors que Napoléon se battait à Borodino, sur la route de Moscou, Nathan s'éteignit doucement, dans son dernier rêve. Trois jours plus tard, le comte Borodino déclencha l'incendie de Moscou, vouant les armées de Napoléon à battre en retraite, en plein hiver russe, et consommant ainsi leur ultime défaite.

Ainsi se termina l'une des ères historiques les plus marquantes de l'histoire du monde.

LA FED

« D'après la Constitution, c'est le droit et c'est le devoir
du Congrès de créer de la monnaie. La tâche est entièrement
à la charge du Congrès. Le Congrès a abdiqué ce pouvoir
au profit du système bancaire. »
« Constitutionnellement, la Banque fédérale de réserve
est un canard boiteux. »

WRIGHT PATMAN

Quand la poussière de Noël eut achevé de retomber, après le premier janvier, Tavish jeta un coup d'œil aux programmes qu'on avait installés au réveillon, et les mit définitivement au point.

On percevait un bon pourcentage sur les transferts de fonds qui se faisaient chaque jour, et que notre système découpait en tranches aussitôt réparties dans les comptes bidons ouverts sous les noms prestigieux fournis par Charlie et les jumeaux Bobbsey. Pour éviter d'éveiller les soupçons, on amputait ainsi tous les virements téléphoniques reçus en vingt-quatre heures. On prélevait les intérêts, puis on les rendait. Mais étant donné que nos « emprunts » se chiffraient à présent par centaines de millions, le rapport croissait par bonds quantitatifs, à la faveur du roulement quotidien de notre affaire.

Tor et son équipe, Pearl désormais comprise, étaient en Europe. Tout semblait se passer pour le mieux de leur côté. Du moins jusqu'à ce que Tavish se ramenât un jeudi matin :

– Il y a une bonne et une mauvaise nouvelle.

– Commence par la bonne.

– Je vérifie les titres de Tor, d'après la liste que tu m'as donnée, dans les journaux financiers. Personne n'a encore essayé de les racheter ou de les amortir, du moins pour le moment. Pas besoin de s'inquiéter pour les prêts qu'ils garantissent en Europe. Et j'ai rectifié notre système pour ramasser de plus grosses tranches du gâteau. Notre jackpot est d'environ trois cents millions, qu'on va pouvoir placer.

– Formidable. Et la mauvaise nouvelle ?

– J'ai recalculé les chiffres que Charlie t'a donnés, la somme à investir pour gagner trente millions le premier avril au plus tard, c'est-à-dire dans quarante-quatre jours ouvrables. Ces chiffres sont erronés, tu n'y arriveras pas. C'est un gros problème, pas seulement à cause du pari, mais parce que s'il faut couvrir les emprunts du docteur Tor, en cas de nécessité, je doute qu'on y arrive rien qu'avec nos gains.

Comment était-il possible que nos gains ne fussent pas suffisants ? J'avais fait et refait ces calculs une douzaine de fois, et les résultats étaient toujours les mêmes. Tavish interrompit mes réflexions en expliquant :

– Tu as tenu compte de *tous* les transferts par câble qui passent par chez nous. Ton plan était de prélever un max sur le total sans risquer d'éveiller l'attention.

– Et alors ?

– Il y en a un gros paquet auquel on ne peut pas toucher. Transferts, réajustements, opérations diverses, tout se passe en dehors de nous, sur nos réserves à la Fed. Et le fric est dans leur poche, pas dans la nôtre. Ça, tu n'aurais pas dû l'ajouter au total.

Il avait raison, mais le problème était pire qu'il ne le pensait. Pire que l'idée de cambrioler une banque. Le réseau câblé de la Banque fédérale de réserve appartenait au gouvernement des États-Unis, et c'était dangereux de jouer avec ça. On peut faire de la prison fédérale rien qu'en attrapant une contravention sur une propriété gouvernementale. Je préférais ne pas me demander ce qu'ils feraient s'ils nous surprenaient à jongler avec leur argent.

– Et c'est pas fini, reprit Tavish. Je viens de croiser Lawrence dans l'ascenseur. Tu vas recevoir un mémo. Il semble qu'il ait appris, d'une façon ou d'une autre, qu'on avait percé la sécurité. On ne pouvait pas espérer garder le secret indéfiniment. Mais maintenant, même les commissaires aux comptes sont dans le coup, et ils attendent nos explications. Lawrence m'a dit qu'il partait ce soir en voyage d'affaires, et il veut non seulement un rapport complet, mais que tout soit rentré dans l'ordre pour son retour. Si on veut aller jusqu'au bout de notre programme, il nous reste exactement deux semaines pour le faire. Alors ? Qu'est-ce que tu décides ?

Je soupirai en posant mes mains à plat sur mon bureau, et me composai, pour Tavish, un sourire empreint de résignation.

– On va faire un casse à la Banque de réserve fédérale.

La Réserve fédérale dressait dans Market Street sa forêt de piliers de granit rose, chargés de soutenir les arches délicates qui cachaient sa vraie façade beaucoup plus massive. La Fed n'avait jamais changé, ni de goûts architecturaux, ni de concepts technologiques depuis sa création, soixante-quinze ans auparavant. Jamais ils n'étaient sortis du Parthénon.

Toutes les banques affiliées à la Fed devaient y maintenir alimentés, en permanence, d'importants dépôts de garantie. Autant de types de transactions prévisibles, autant de comptes différents exigeant tous leurs dépôts de garantie. Tous les mercredis, un bordereau de la Fédérale récapitulait les opérations de la semaine précédente, afin de s'assurer que la balance de ces dépôts demeurait dans les limites prescrites par la loi. Toute banque dont le bordereau accusait deux semaines de suite un solde débiteur se faisait méchamment taper sur les doigts. Mais inversement, aucune banque n'aimait y laisser dormir un solde par trop créditeur, car ces dépôts accumulés ne rapportaient pas un centime d'intérêt.

Tant mieux pour *moi* !

Quand un établissement bancaire comme la Mondiale augmentait ou diminuait certains de ses dépôts, à la Fed, on pouvait déplacer l'argent, d'un compte à l'autre, dans leurs livres, ou vendre nos surplus à d'autres banques, grâce à leur service au nom tellement approprié : le Marché des fonds fédéraux. Toutes ces transactions passaient par le réseau câblé fédéral, entrant et sortant comme des petits pains de la boulangerie, pour des destinations aussi multiples que variées. Quand j'en aurais fini avec cette pirouette, je pourrais ajouter à tous mes autres titres celui d'expert formé sur le terrain, en matière de sécurité bancaire fédérale.

Assis, Tavish et moi, dans ma cage de verre, cet après-midi-là, on étudiait les interfaces qui nous reliaient au réseau câblé fédéral, et Tavish soupirait en se grattant la tête :

– Il semble que ce soit une question de degré. La question des détournements, je veux dire. Une seule peau de banane et tu te retrouves dans la merde. Mais il est clair qu'on peut aussi détrousser la Fed. Leur sécurité est aussi minable que la nôtre.

– Un petit pas pour le criminel, un grand pour le crime ! Mais naturellement, ne sont criminels que ceux qui se font prendre. Si on peut conduire notre affaire jusqu'au bout, on ressortira tout notre système du leur sans laisser la moindre trace. Ils ne pourront jamais prouver quoi que ce soit, mais personne ne pourra, non plus, réfuter les faits : des centaines de millions portés au crédit de comptes où ils n'avaient rien à faire !

J'étais si profondément immergée dans mes pensées que, pour un peu, j'aurais oublié l'heure de la sortie, ce meilleur moment de la journée, d'après une chanteuse largement oubliée. Mais Tor serait fier de moi, et Bibi aussi, pour avoir réagi si vite et si efficacement. Je savais à présent, au-delà du dernier doute, qu'on était en train de faire un sacré bon boulot, et qu'on avait raison de le faire.

Je montrai mon plan à Tavish, compliqué à plaisir pour retarder au maximum, en cas d'audit, les conclusions des commissaires aux comptes. Il releva les yeux, en grattant sa tête de moins en moins blonde, et de plus en plus dégarnie.

– En quinze malheureux jours, tu entends planquer un milliard ou plus. Tu ne crois pas que la Fed va finir par tiquer si, du jour au lendemain, il manque une telle somme dans leur poche ?

– Ce n'est pas leur poche, c'est la nôtre, celle de la Banque mondiale. Et il y a plus de huit milliards de dollars qui y dorment, dans leur poche, en ce moment précis ! On est légalement obligés de conserver chez eux un pourcentage moyen de nos fonds disponibles. Ça ne veut pas dire que la Fed sait d'où ils viennent, et à quoi ils peuvent servir. Même s'ils remarquent une anomalie, il leur faudra des mois, dans les conditions que j'ai prévues, pour déceler une seule de ces myriades d'opérations.

– Tu as amélioré ta technique, reconnut Tavish. Allons-y, on va s'amuser !

Ce même jour, Lawrence pénétra dans mon bureau, manteau sur le bras et valise au poing.

– Est-ce qu'il n'est pas un peu tard pour une réunion extraordinaire ? J'ai un avion à prendre, moi !

Je l'apaisai d'un geste :

– J'ai bien eu votre mémo. Si je l'ai bien compris, vous voulez que je boucle mon programme avant votre retour. Mais c'est un peu court. J'avais l'intention de préparer une autre proposition, afin de régler les problèmes qui...

– Je crois qu'on a eu assez de propositions comme ça, Banks ! Faites un rapport sur ce que vous avez découvert et je me chargerai de le transmettre à qui de droit. On n'aura pas besoin de vous, si je ne m'abuse, pour en tirer les conséquences. Dans quinze jours, vous réintégrerez le service de Willingly. C'est un bon élément. Dommage que vous vous soyez si mal entendus, vous avez, l'un et l'autre, une forte personnalité. Vous êtes une protagoniste, et lui...

– Un antagoniste ?

Trop beau pour le laisser passer, non ? Ce salaud était en train de rédiger mon arrêt de mort, bien détaillé et prêt pour la signature. Il fallait que je gagne encore un peu de temps :

– Dans ce cas, monsieur Lawrence, j'aimerais avant de partir que vous approuviez un autre transfert. La restitution de Bobby Tavish au service de son ancien patron, Karp. C'était un sujet de désaccord, mais je me suis entendue avec Karp, la semaine passée.

Lawrence griffonna son paraphe sur les papiers que je lui tendais. Me conseilla :

– Cessez de porter des gants pour manier tous ces tekos ! Croyez-moi, ce n'est pas en écoutant leurs doléances et en ménageant leurs susceptibilités que vous les mettrez au pas. Bouclez-moi ce projet, je vous le répète, débarrassez-vous de votre groupe, et je ne vous oublierai pas. Je vous en donne ma parole.

– Merci, monsieur. Vous savez quel prix j'y attache.

Lawrence me jeta un coup d'œil ambigu, puis me dit au revoir et s'éclipsa.

Le temps de décrocher mon téléphone et je réservai ma place dans un prochain vol pour New York. Puis j'appelai les ressources humaines et confirmai au DRH le retour de Tavish au service de Karp, fraîchement approuvé par Lawrence. Pas d'autre paperasserie nécessaire. Ensuite, je téléphonai à Karp, qui déborda de remerciements, de mensonges et de tout un tas d'autres conneries. Enfin, je pianotai le numéro de Tavish.

– Ils ont mordu à l'hameçon ? grogna-t-il.

– Mordu, avalé, digéré ! Personne ne s'étonnera de ta démission, lundi prochain. Sauf peut-être Karp qui comprend toujours après la bataille.

– J'aimerais tellement t'accompagner, gémit Tavish. Je sais qu'il faut que quelqu'un garde le magasin, mais je vais penser à toi sans arrêt. À toi et à New York.

– Tu embrasseras pour moi Charles Babbage et les jumeaux Bobbsey.

On avait décidé, sans risque d'erreur, que Tavish pourrait suivre nos opérations pas à pas grâce au cher vieux Charlie, et les Bobbsey étaient ravis d'avoir quelqu'un avec eux, fût-ce temporairement, pour les aider dans leur tâche.

J'ajoutai, en conclusion :

– Si tu as des nouvelles de Pearl ou de Tor, embrasse-les pour moi, eux aussi. Et n'oublie pas de leur redire qu'on va les avoir.

Mais quand je raccrochai, je sentis un poids terrible s'abattre sur mes épaules, car je me retrouvais seule, entourée de salopards, et pour combien de temps ? J'étais sans aucune nouvelle de Zoltan, depuis qu'ils étaient partis pour l'Europe.

Je relevai les yeux vers le calendrier pendu au mur. Premier février. Près de deux mois et demi après cette représentation mémorable, à l'Opéra. En soixante-douze jours, j'avais sapé les fondements de deux des plus vastes institutions financières du monde. Avec Tor, ça en faisait trois. Et tout avait basculé dans ma vie. Je le savais sans l'éprouver réellement, en profondeur. Je me sentais comme anesthésiée.

Trente-deux ans. Et l'image de la réussite, selon la plupart des critères. J'étais même allée jusqu'à battre le système avec ses propres armes. Mais bientôt, je n'aurais plus aucune raison de me battre, puisque la preuve de son inanité serait chose faite.

Tor l'avait compris depuis longtemps, bien sûr. D'une seule ruade, il avait détruit tous mes points d'appui, dans le seul domaine qui m'importait vraiment, même si je l'avais ignoré jusque-là. Un domaine qui ne dépendait aucunement des structures, des règles et des systèmes bâtis par les autres. Il m'avait obligée à regarder ma vie en face, à cesser de jouer le genre de rôle que chacun s'invente pour meubler une existence faite de faux-semblants et d'objectifs illusoires. Maintenant que je voyais clairement, derrière moi, s'écrouler tous ces ponts que j'avais construits et dont il ne restait qu'un immense champ de ruines, je savais, si je lui en parlais, quel serait le conseil de Tor.

Assise dans mon bureau, entre des parois transparentes, je contemplais sans la voir l'orchidée fanée dont les pétales jonchaient le dessus de la table. Et j'entendais la voix de Zoltan me chuchoter à l'oreille :

– Vas-y, allume la mèche !

Deux semaines plus tard, en ce lundi matin du retour de Lawrence où j'étais censée avoir parachevé mon projet en le sortant du système, je n'avais toujours pas la solution espérée.

À ce stade, Tavish et moi avions confié tout le monitoring de notre entreprise frauduleuse aux bons soins d'un Charles Babbage tournant vingt-quatre heures sur vingt-quatre, exclusivement pour nous, dans sa bonne ville de New York. Il fallait bien que quelqu'un veillât de loin sur l'ensemble des systèmes, en cas d'ingérence prématurée de quelque indiscret plus dangereux que la moyenne. Si j'étais retransférée sous les ordres de Kiwi, on m'affecterait à plein temps au nettoyage des toilettes avec ma brosse à dents.

En montant au royaume de Lawrence, j'étais particulièrement oppressée. Bien que Tor m'eût toujours affirmé que la meilleure défense était l'attaque, je n'étais pas sûre de pouvoir arrêter le processus que nous avions initié. Tout ce que je pouvais faire, c'était tenter de saisir la première occasion favorable.

S'il se présentait une telle occasion.

Lawrence m'accueillit sans quitter son fauteuil. Solidement retranché derrière le rempart de son grand bureau, il n'avait aucune intention de quitter sa position stratégique. C'était sans importance. Je savais que les quelques munitions dont je disposais fondraient dans la flamme du plus petit chalumeau, et qu'il pourrait faire mieux, rien qu'avec son haleine.

– Voyons donc ce rapport final, ronronna-t-il la main tendue.

Il parcourut les premiers feuillets, puis s'absorba dans la lecture des suivants, avec plus d'attention que je ne l'avais espéré. Sachant mon sort sur la balance, je me balançais moi-même, d'un pied sur l'autre, en contemplant le paysage nivelé par la densité du brouillard. Serait-ce le peloton d'exécution, sans jugement préalable ? Je tentai en fermant les yeux de me représenter la scène, les fusils braqués, l'ordre vociféré, la salve mortelle.

– Banks, dit-il enfin, cette étude, au demeurant fort bien faite, me paraît exagérément pessimiste. Vous suggérez que nos systèmes de sécurité peuvent être violés...

– Ont été violés, rectifiai-je.

– Mais je n'emploierais pas des mots tels que « laxisme dans les mesures de contrôle »... voire « aveuglement », qui peuvent prêter à malentendus. Je me rends compte que ces systèmes ne sont pas exactement gravés dans le marbre...

– ... ou que le marbre peut casser, sous le maillet du sculpteur...

– ... mais franchement, j'en ai assez de toutes ces études, et je n'ai pas l'intention de poursuivre leur financement. Je vais m'assurer que vos suggestions seront suivies, j'en prends personnellement la responsabilité, mais je refuse catégoriquement votre proposition de poursuivre ce genre de programme...

– Je ne vous suggère nullement de financer les améliorations proposées, monsieur, ni même d'impliquer davantage le comité de direction...

Je respirai un bon coup en me mettant sur pied. C'était maintenant ou jamais.

– C'est pourquoi j'ai l'intention de transmettre mes conclusions aux commissaires aux comptes. C'est leur travail de bâtir les remparts adéquats au sein de nos systèmes, et maintenant que Tavish n'est plus là, je suis la seule qui puisse leur signaler l'existence de ces brèches dans notre sécurité.

Je ne désirais pas vraiment que les commissaires déclenchent un audit général à ce stade, mais puisqu'il semblait bien qu'ils fussent déjà au courant du viol de la sécurité (sans en soupçonner la raison, Dieu merci), ils s'attendraient à recevoir le rapport réclamé par Lawrence à cor et à cri. D'un autre côté, si je pouvais travailler avec eux la main dans la main, je serais aux premières loges pour suivre leurs initiatives et ne retomberais pas de sitôt dans les pattes de Kiwi.

Mais la réaction de Lawrence fut très différente de ce que j'attendais, et me propulsa littéralement à la renverse. Au lieu de me renvoyer, toute affaire cessante, chez ledit Kiwi, ou d'approuver ma dernière suggestion, deux issues possibles à la même impasse, il resta là, assis, à lire et relire mon rapport ou à faire semblant. Pour relever finalement les yeux et, je ne rêvais pas, me gratifier d'un grand sourire, en haussant les sourcils, comme à l'audition d'une bonne histoire.

– Les commissaires aux comptes, ma chère amie ? Je ne vois vraiment pas pourquoi on les mêlerait à cette histoire.

Mauvaise réaction, mon cher ami ! Qui va te coûter ta reine et ton roi.

La *bonne* réaction, en sa qualité de plus haut dignitaire de la banque, eût été d'appeler les commissaires aux comptes à la rescousse. C'était lui qui aurait dû nier farouchement que nous puissions avoir du linge sale à laver en famille. Lui qui aurait dû soutenir, *mordicus*, que nous n'avions rien à cacher. Lui qui aurait dû décrocher son téléphone pour convoquer, dans l'heure, les sorciers des audits.

Lui. Pas moi.

Le fait qu'il n'en fît rien permettait de déduire qu'il y avait du linge sale dans l'armoire. Qu'il avait quelque chose à cacher aux regards scrutateurs des commissaires aux comptes. De quoi diable pouvait-il s'agir ?

À présent, il se levait, derrière son grand bureau. Allongeait le bras pour me serrer la main en glissant avec le sourire mon joli petit rapport dans son tiroir du haut, celui qui fermait à clé. Je ne comprenais rien à ce qui se passait, mais je me levai à mon tour.

– Je n'aime pas m'en remettre aux commissaires aux comptes pour résoudre nos problèmes, Banks, dit-il. Pas sans avoir une solution à leur proposer. Voilà ce que vous allez faire. Prendre un peu de temps, un mois, peut-être plus, pour éplucher à fond ces systèmes de sécurité. Soyez opiniâtre, voulez-vous ? Qui sait ? Peut-être devrions-nous repartir de zéro, et monter des systèmes de sécurité tout neufs, même au prix d'une certaine dépense. Mon service est à votre disposition, si vous avez besoin d'aide.

Totalement déstabilisée, je ripostai néanmoins dans le même registre :

– D'accord. Je vous remettrai demain un planning établi sur ces nouvelles bases.

– Pas de précipitation. Prenons le temps de faire bien les choses.

Il me raccompagna jusqu'à la porte, et je redescendis le long corridor dans une confusion absolue. C'était bien ce même homme qui m'avait dit, quinze jours auparavant, de boucler mon programme et d'envoyer mon équipe brouter ailleurs l'herbe verte. Ce même homme qui venait de me dire, on ne peut plus clairement, qu'il en avait assez des propositions et des études. Il avait revu sa copie du tout au tout, en revenant bel et bien sur sa décision antérieure de geler les crédits.

– Toujours là ? constata Pavel. Tu m'as l'air intacte, mais as-tu compté tes doigts et tes orteils ?

– Mes doigts et mes orteils sont encore là, mais il y a autre chose qui manque. Tu peux redéfaire nos valises pendant que je me pose la question. On n'est pas encore sur le départ.

Je m'enfermai dans mon bureau, et tentai de m'intéresser au jeu des poches de brouillard sur la baie. Un canot à moteur passa sous le pont suspendu. Il me rappela celui qui nous avait transportés, Tor et moi, jusqu'à la petite île, quelque cent ans plus tôt, ou du moins, c'était l'impression que j'avais. Où était Zoltan ? Pourquoi ne m'appelait-il jamais ? J'avais besoin de parler à quelqu'un d'assez retors pour analyser les gens et leurs motivations, faculté qui n'existait, chez moi, qu'à l'état de traces.

Certes, je savais que Lawrence se souciait de la sécurité, à la Mondiale, à peu près comme moi de mon premier soutien-gorge. Et l'opinion des commissaires aux comptes sur ce point lui importait peu. Tout ça n'avait rien à voir, ni avec la sécurité, ni avec les commissaires. Ni avec moi. La seule personne réellement concernée, semblait-il, n'était autre que Lawrence lui-même.

J'épluchai les comptes de Lawrence pendant des semaines, jusque vers la fin février, mais n'y trouvai rien d'anormal. Je m'en mordais les doigts. Apparemment, il était irréprochable. Au-dessus de toute critique et de tout soupçon. Pourquoi un type comme Lawrence, qui avait trouvé un demi-million de valeurs préférentielles dans son sabot de Noël, irait-il menacer, de quelque manière, la stabilité du bâtiment ?

Peut-être n'avait-il encore rien fait ? Peut-être était-il *sur le point* de faire quelque chose ? Mais comment décrypter ses *intentions* ? J'envisageai d'envoyer Pavel dans son sanctuaire, avec mission de consulter son agenda, puis je me rappelai que Lawrence ne notait jamais rien, ne laissait jamais rien traîner sur son bureau. Rien par écrit, tout dans sa grosse tête.

Mais il existait un dossier de correspondance qui n'était enfermé dans aucun tiroir, et dont je pouvais obtenir l'accès. Il s'agissait du dossier des e-mails, dont tout le monde se servait à la banque pour envoyer des mémos d'ordinateur à ordinateur. Si Lawrence était aussi nerveux que son comportement me l'avait suggéré, il devait s'agir d'une chose *imminente*. Je parcourus deux cents mémos tous plus ennuyeux les uns que les autres avant de tomber sur ce que je cherchais.

C'était un court mémo adressé au comité de direction, intitulé « Protection des fonds d'investissement ». On y employait le mot garage. Un garage qui n'avait rien à voir avec les voitures. Il y était question d'argent, et c'était illégal. Dans la plupart des banques, on pratiquait cet exercice, aussi longtemps que personne ne se faisait prendre.

À la fin de chaque jour ouvrable, ils viraient, dans un paradis fiscal tel que les Bahamas, tout profit récolté en dehors des frontières. Il suffisait que l'agence ouverte sur place « rachetât » ces profits. De cette façon, tout s'effaçait des livres comptables sans que personne ait à payer d'impôts. Était-ce une simple coïncidence que ce mémo évoquât le même schéma d'investissement auquel travaillait, en ce moment précis, mon amant et mon maître, le docteur Zoltan Tor ?

Je me disposais à creuser le sujet quand je reçus la visite inopinée de Lee Jay Strauss, le commissaire aux comptes numéro un de la Mondiale.

Lee Jay Strauss était plus que le grand sorcier des audits internes. Sa mission principale consistait à relever les anomalies dans nos dépôts à la Banque de la réserve fédérale. Les services comptables se chargeaient de gérer les dépôts *ordinaires*. Que Lee Jay Strauss apparût dans mon fief signifiait qu'il y avait anguille sous roche. Ses yeux tristes d'épagneul m'observaient à travers de grosses lunettes à monture de corne.

– Bonjour, Verity. Puis-je me permettre de vous appeler Verity ?

– C'est bien mon prénom. Je vous en prie.

– Visite informelle. Incognito. Il semble qu'il y ait eu un petit pépin dans notre position à la Fed, le mois dernier. Rien de sérieux. Un pépin n'est pas encore une pomme !

Il rit de son propre trait d'esprit. Je lui signalai, alors qu'il riait encore :

– Mes connaissances au sujet de la Fed ne vont pas très loin. Je ne sais même pas combien on peut leur envoyer tous les mois.

– En réalité, c'est tous les jours.

Il baissa les yeux vers ses notes alors que je m'exclamais :

– Tous les jours, ils nous pompent de l'argent, à la Fédérale !

– Oh, on n'a pas à s'en plaindre. Ils nous fournissent de nombreux services et mesures de protection que les banques devraient assurer elles-mêmes, autrement. Souvenez-vous des difficultés du travail de la banque, avant qu'ils établissent ce système.

– C'est une époque que je n'ai pas connue, mais qui était sûrement très dure... Que puis-je faire pour vous, aujourd'hui ?

– Sans doute très peu de chose. C'est juste qu'il nous manque une partie de notre réserve, fin janvier, sans qu'on puisse savoir où elle est passée.

– Désolée, je ne l'ai pas dans ma poche !

– Non, bien sûr. Le problème, c'est qu'on sait tout de même où elle est passée, mais qu'on n'arrive pas à se l'expliquer. On dirait, en fait, que l'argent est rentré ici, à la banque. Au siège de San Francisco.

– Alors, où est le problème ? Il suffira de le rapatrier à la bonne place.

– Ce n'est pas aussi simple.

Et il entreprit de m'expliquer ce que je connaissais par cœur, puisque j'avais tout organisé moi-même :

– Voyez-vous, l'argent que nous aurions dû envoyer à la Banque fédérale semble avoir été viré dans d'autres banques, ce qu'on fait souvent quand on a besoin de réduire nos réserves, et que d'autres banques doivent augmenter les leurs. Ce n'était pas le cas, et on n'arrive pas à comprendre comment les fonds ont pu changer d'affectation de cette manière.

Il me passa un relevé montrant les transactions réalisées au profit d'établissements bancaires tels que la Chase Manhattan, le Crédit agricole, le Crédit suisse, la Première de Tulsa et divers autres marchés financiers. Je relevai les yeux, avec le sourire. Il enchaîna sérieusement :

– Ce n'est qu'un des bordereaux d'opérations avec la Fed. Il m'a fallu huit jours pour le repérer, et quand je suis tombé dessus, je suis retourné à la Fed. On croit qu'il y a d'autres contradictions dans le système, et qu'elles viendraient toutes d'un de nos dispositifs.

– Lequel ?

Comme si je l'ignorais.

– L'interface avec les Télex de la Fed. Dans le cadre des transferts de fonds par câble.

– Je vois. Malheureusement, ce n'est plus moi qui gère ce système. J'ai quitté le service depuis des mois.

– Oui, on le sait tous.

Les yeux baissés vers ses mains croisées sur ses genoux :

– Mais il paraîtrait que vous avez fait une étude des mesures de sécurité afférentes à nos principaux systèmes. J'ai pensé... on a pensé que vous aviez pu découvrir des petites choses qui pourraient nous aider.

Le sujet de mon étude avait dû faire pas mal jaser, chez les auditeurs. Ainsi que la mise hors circuit insolite de mon rapport.

– Je suis sincèrement navrée, Lee, mais je ne suis pas encore habilitée à dévoiler ces informations. Sur quelle somme portent ces... anomalies ?

– Pour la dernière semaine de janvier seulement, près de soixante millions... jusque-là. Ce n'est rien, en comparaison de notre balance de réserve, mais il peut s'agir de bien davantage. Ces comptes par lesquels sont passés les fonds gèrent des milliers de transactions par jour, et il va falloir tout éplucher.

De mieux en mieux. Je ne manquai pas de lui exprimer toute ma sympathie :

– Non, c'est vrai, l'ordinateur n'est pas d'un grand secours, dans un cas pareil. Je vous plains, vous et vos gars. Mais je vais vous dire une chose. Bien que je ne sois pas censée partager mes trouvailles pour le moment, rien ne m'empêche de continuer à fouiner, avec votre problème spécifique en tête. Après tout, c'est peut-être le système des transferts de fonds par câble de la Fédérale elle-même qui a foiré, pas notre interface : c'est d'eux que ça viendrait, pas de nous. Si je peux vous donner un coup de main...

– Ça, ce serait formidable. Quel boulot en moins, si on pouvait démontrer *comment* le fric a pu s'éparpiller comme ça...

On échangea une poignée de main. Je relançai :

– Un détail, Lee. Vous n'avez pas discuté de ce problème avec Kislick Willingly ?

– Pas encore. Je suis venu vous voir en premier.

– Parfait. Ce sont ses systèmes, à présent, et il faudra l'informer de ce qui se passe, mais peut-être pas tout de suite. Pas avant qu'on ait résolu le problème.

La petite graine du doute, au sujet de Kiwi, plantée dans les cerveaux fertiles des commissaires aux comptes, se répandrait comme chiendent chez les auditeurs. Ces gens-là sont soupçonneux par nature, ou ils ne seraient pas commissaires aux comptes.

J'en aurai beaucoup à dire au cher Lee Jay Strauss, quand je serai prête à le faire. Mais je savais que ses confrères et lui ne travaillaient jamais aussi bien que lorsqu'on donnait à leur méfiance naturelle envers l'humanité le temps de se propager comme des champignons de couche. En secret. Dans le noir.

CONVERSIONS INTERNATIONALES

« Dix centimes à la banque, un seul à dépenser. »
JOHN D. ROCKEFELLER

Mercredi 3 mars

Pearl faisait son jogging, au petit matin, sur l'enfilade des quais d'Omphalos. De l'autre côté de la mer, s'étendait la côte ensoleillée de Turquie. Elle était heureuse que cette île qu'elles avaient achetée fût en réalité beaucoup plus belle que la photo du catalogue. La mer brillait d'un éclat de turquoise dans la lumière éclatante, des petites embarcations aux couleurs vives ballottaient sur l'eau, et de jeunes Grecs pleins de santé nettoyaient leurs filets tendus sur des râteliers de bois, en marge des quais.

Six semaines plus tôt, le jour de son arrivée en compagnie de Lélia, Pearl n'était pas encore réellement impliquée dans l'affaire, elle s'était juste efforcée d'apporter à ses amis son soutien moral ou de les mettre en garde contre toute erreur possible. Mais à présent qu'elle s'était laissé embarquer, au propre comme au figuré, jusqu'à se retrouver sur cette île, plongée jusqu'au cou dans l'entreprise commune, elle voyait les choses différemment. Et ce qu'elle voyait, à sa propre surprise, c'était que ce « complot » n'était même pas *illégal*.

D'accord, c'était contre la loi de contrefaire des titres cotés en Bourse. Mais ni ces contrefaçons, ni les originaux dont elles jouaient le rôle et occupaient la place n'avaient jamais été converti en argent liquide ! Les utiliser comme garanties équivalait à emprunter sur votre voiture en présentant ses papiers, après l'avoir jetée dans un ravin la nuit précédente ! Vous possédiez toujours un document valable qui attestait l'existence de la voiture et le fait que vous en fussiez propriétaire. Si vous remboursiez le prêt à bonne date, intérêts et principal, nul n'aurait été lésé, en fin de compte.

Ils avaient donc acheté un caillou hypertrophié que personne ne revendiquait plus depuis cinquante ans, et bien que, Tor s'en était assuré, aucune cour internationale n'eût pouvoir de légiférer sur la souveraineté d'une zone territoriale méprisée par toutes les nations limitrophes, cette île désormais souveraine avait d'ores et déjà acquis le statut de paradis fiscal international.

Pearl elle-même avait rédigé les textes économico-constitutionnels requérant que pour recevoir de sa main le tampon « libre de toute taxe », toute affaire traitée sur ce territoire devrait être conclue dans la « monnaie locale » dont la contre-valeur, au cours des changes, serait fixée au jour le jour, avec une marge bénéficiaire modeste mais suffisante. Quand on change de l'argent dans un aéroport, le taux accordé comprend la commission du courtier, pratique que Pearl avait mise en œuvre durant des années à la Banque mondiale. Nantie de ces bénéfices, elle « prenait position » sur le marché mondial des devises, augmentant ainsi doublement ses bénéfices.

Rien de tout cela n'était illégal, à l'exception des contrefaçons réalisées à l'origine. Même si, dans l'ignorance de la substitution, les propriétaires légitimes continuaient de bénéficier des avantages inhérents aux originaux.

Quant à l'avantage de Pearl dans cette histoire, il résidait dans le fait que l'aventure lui apporterait beaucoup plus que dix carrières à vie dans le cadre de n'importe quelle institution financière. Elle était en passe de créer le système économique d'un pays nouveau, elle était la Fed et la Mondiale, le Trésor, Fort Knox et toutes les Monnaies du monde, tous les courtiers en Bourse en une seule et même personne. Elle n'aurait que le choix des jobs, avec de telles références, et n'aurait sans doute plus, d'ailleurs, à en chercher un autre. S'ils faisaient tourner ce que représentait cette île assez longtemps pour rembourser prêts et intérêts, elle ne voyait pas pourquoi ils ne resteraient pas un ou deux mois de plus, le temps de gagner quelques millions pour chacun des participants, et sans les voler à personne !

Comme chaque matin, Pearl s'arrêta pour admirer le paysage, emplir ses poumons d'air marin, et descendre les marches de pierre qui conduisaient au port. Les jeunes pêcheurs grecs s'arrêtèrent de travailler pour lui adresser de grands signes. Elle marcha vers le dock. Le bateau du matin arrivait du continent. Elle y acheta son assortiment de journaux habituel et les jeta dans le panier de paille tressée qu'elle portait sur son épaule. Puis elle poussa une pointe jusqu'au petit bistrot à matelots où elle s'installa devant un café.

Elle en était à sa deuxième tasse et au troisième journal quand elle tomba sur l'entrefilet. Le souffle coupé, elle sortit un stylo-feutre de son sac et traça, autour de l'article, une épaisse ligne rouge. Pestant à mi-voix, elle rassembla les journaux épars, posa de l'argent sur la table et quitta le restaurant.

Elle escalada la colline, remonta la rue pavée qui menait à l'ancien atelier des fabricants de voiles, une vaste grange aménagée que Tor avait acquise pour en faire leurs bureaux. Pénétrant dans le bâtiment, elle salua le jeune Grec qui cumulait les fonctions de réceptionniste, d'homme à tout faire et de vigile. Puis elle grimpa au premier étage par l'escalier branlant, entra sans frapper dans la première pièce à gauche et jeta sur la table, devant un Tor éberlué, l'exemplaire vieux de quarante-huit heures du *Wall Street Journal*, avec son annonce cernée de rouge.

– Lis ça et pleure !

Tor fit ce qu'elle disait. Il ne pleura pas, mais son visage se crispa légèrement.

– Alors, ça y est. Ils rachètent nos bons ! Quelle est leur valeur nominale, et dans combien de banques sont-ils dispersés ?

– Accroche-toi : il va falloir sortir vingt millions, au bas mot, pour couvrir tout ça. Ceux qui sont rappelés garantissent nos emprunts dans une demi-douzaine de banques françaises, plus une italienne. C'est l'argent que tu as consacré à l'achat et à l'aménagement de cette île adorable. Si on ne peut pas rembourser les prêts, et s'ils découvrent les faux à la Depository Trust, on aura tout loisir en taule de se rappeler à quel point on s'est plu, ici, le temps d'un merveilleux et trop bref séjour !

Tor avait retrouvé son sourire.

– Comment se fait-il que tu n'aies pas déjà gagné cette somme, et au-delà ? Tu jongles avec les devises depuis six semaines dans ce paradis hors taxes. Et tu es l'un des plus grands experts mondiaux dans ta spécialité. Le *nec plus ultra* en la matière.

– Qui t'a raconté ça ? jappa la jeune femme.

– Toi-même, chère petite ! Mais j'avais prévu le cas et je sais comment réunir les fonds, très vite, sans mettre en danger notre liberté ou faire appel à nos amis de Californie pour nous tirer d'affaire. Dans le meilleur des cas, il n'est pas impossible qu'il nous reste assez d'argent pour que je gagne mon pari.

Pearl haussa rageusement les épaules.

– Si tu comptes sur moi pour vendre mon corps aux beaux marins grecs qui nous entourent, ça ne paiera même pas un retour en autobus ! Dis-moi ce que tu as en tête.

– Quelque chose de plus pragmatique, quoique sans doute moins intéressant de ton point de vue. En fait, je l'ai toujours prévu, depuis le commencement. Il faudra simplement qu'on change de méthode d'ici à une semaine ou deux. Ma chère enfant, je crois que le moment est venu de revendre notre petit pays.

Vendredi 12 mars

Le *Vagabond Club* baignait comme toujours dans le lierre et la nostalgie, sur la courbe de Nob Hill, à San Francisco. Juste au-delà du hall dallé de marbre multicolore, s'étendait la vaste salle de lecture dont les fenêtres biseautées donnaient sur la descente abrupte de Taylor Street, vers le Tenderloin. Dans le silence de cette pièce, avec ses tapis bleu et pêche, ses tables massives, ses lambris de bois précieux et ses toiles achetées dans les expositions parisiennes, subsistait l'atmosphère chaleureuse de San Francisco au dix-neuvième siècle.

Au rez-de-chaussée, dans la Salle rouge, avaient été préparés une centaine de sièges, les lustres Waterford brillaient de tous leurs feux, la porcelaine chinoise étincelait dans la lumière romantique, et des roses rouges, couleur sang, artistement disposées dans des vases de cristal, complétaient la décoration somptueuse.

Dans la salle adjacente, derrière de lourds battants clos, les messieurs cravatés de noir dégustaient des cocktails en attendant que soit annoncé le dîner. Ils provenaient de tous les pays du monde et des milieux professionnels les plus variés, mais ils avaient une chose en commun. Ils appartenaient au *Vagabond Club*. Par relations familiales, chiffre de fortune ou prestige personnel, chacun d'eux avait largement payé sa carte de membre.

Quand les portes massives s'ouvrirent enfin, ils pénétrèrent dans la salle à manger et trouvèrent leurs places respectives, prédéterminées avec le tact et la discrétion coutumiers. Les plus riches, les plus titrés, ceux qui disposaient des statuts sociaux les plus élevés, siégeaient à la table principale, répartis selon leurs fonctions et les rôles qu'ils jouaient dans la hiérarchie mondiale. Estrade et micros attendaient, à l'écart, les discours de fin de banquet.

Au saumon écossais, choisi par ces messieurs de préférence à tout autre pour son prix élevé, succéda le célèbre canard rôti du chef. La salade suivit le plat, conformément à la tradition du club, et les desserts variés couronnèrent les plateaux de fromages.

Quand le café eut été servi, le premier orateur, un banquier britannique, monta sur le podium, attendit que le bourdonnement des voix se fût apaisé, tapota son micro du bout des ongles, afin de vérifier son fonctionnement.

– Messieurs, préluda-t-il, la circonstance qui nous réunit en ce jour sera particulièrement mémorable. Comme vous le savez, c'est la tradition, la règle inviolable de ce club que d'éviter toute allusion à la politique, aux affaires ou à l'argent. Nous sommes les Vagabonds, et fiers de l'être, en dépit du fait que parmi nous figurent et ont figuré de tout temps plus d'ambassadeurs, de têtes couronnées, de présidents de conseils d'administration et de présidents des États-Unis, ainsi que de fondateurs de dynasties industrielles et commerciales, en un mot, plus de personnages aux grands noms et au sang bleu que dans toute autre association privée, à l'échelle mondiale.

« Conformément à la règle évoquée, qui nous interdit de discuter des conjonctures sordides que la marche du monde nous impose à l'extérieur de ces murs, je suggère simplement que nous levions nos verres au lancement de la nouvelle entreprise dont nous sommes ici pour célébrer l'inauguration... à l'aube d'une ère grandiose au cours de laquelle...

– Qu'est-ce que vous essayez de nous dire, Paul ? lança une voix, au milieu des rires.

– Buvons donc à notre nouvelle entreprise, contra le banquier britannique, souriant.

Les verres tintèrent. Plusieurs serveurs vinrent les remplir, avec discrétion, et se retirèrent. Livingston, patron d'un trust pétrolier mondial et président de soirée, remplaça le banquier sur le podium.

– Bonsoir, mes amis, je crois que vous me connaissez tous. Je suis membre de ce club depuis l'âge de vingt-cinq ans, et j'ai pris quelques années depuis lors !

Quelques rires soulignèrent sa déclaration alors qu'il enchaînait déjà :

– Mon père et mon grand-père étaient déjà des Vagabonds. Les hommes de ma famille ont toujours considéré notre club comme un second foyer, souvent plus chaleureux et plus amical que l'autre !

Gloussements à fond de gorge et coups de coude dans les côtes s'échangèrent autour des tables, sans interrompre le discours de Livingston :

– Mais pendant les quelques décennies de mon appartenance au club, je n'ai jamais éprouvé l'orgueil que je ressens en cet instant, face à vous. Car, messieurs, ce soir, nous ne baptisons pas seulement une nouvelle entreprise, mais une façon nouvelle de conduire nos affaires. Une véritable aventure audacieusement projetée à la rencontre de l'avenir.

« En nous lançant sur ces eaux inexplorées, nous allons briser nos chaînes et laisser le passé dans notre sillage. Si nous échouons, l'histoire nous désavouera peut-être. Mais si nous réussissons, ah, si nous réussissons, elle nous couronnera des lauriers qui nous seront dus. Par conséquent, je le répète, ce n'est pas seulement une entreprise, mais une *aventure* commune. Notre fraternité nous donnera les moyens de la mener à bien, laissant à la postérité un fabuleux héritage, ouvrant un nouveau livre dans l'histoire de l'argent, et gravant nos noms au fronton du panthéon des grands hommes d'affaires.

Tous s'étaient levés comme un seul homme, au sein d'une tempête d'applaudissements et d'interjections approbatrices. Certains trinquaient de nouveau ou tapaient sur les tables. Dès que la tempête se fut calmée, Livingston martela avec force :

– Ceux de nos membres qui sont à l'origine de cette épopée, qui ont contribué à son financement et recueilli des fonds auprès de leurs confrères siègent aujourd'hui parmi nous. Mais je m'abstiendrai de les nommer tous, car à force de toasts, nous ne quitterions pas cette salle sur nos deux pieds ! Donc, debout, messieurs, vous savez qui vous êtes, et saluez l'assistance !

Une douzaine d'hommes se levèrent au milieu des rires et des sifflements. Ovation et tonnerre d'applaudissements les saluèrent. Livingston ricana :

– J'espère que vous les avez bien regardés. De cette façon, si l'aventure tourne court, vous saurez à qui vous en prendre !

Il attendit, une fois de plus, la fin des rugissements et des claques dans le dos pour conclure :

– Demain, notre représentant va se rendre à Paris pour mener à bien la phase ultime des négociations. Si tout marche à souhait, il vous soulagera d'une partie de vos capitaux durement acquis. Dès la fin des négociations, notre équipe directoriale partira pour la Grèce afin de prendre le contrôle du consortium européen qui a créé cette entreprise. La semaine prochaine, messieurs, avec l'aide de Dieu et d'un peu d'argent, nous serons les propriétaires, autrement dit les rois de notre propre pays !

Toute la salle explosa en vivats décuplés. Les verres se levaient, les hommes hurlaient et trépignaient sur place. Quand la procession s'ébranla pour monter au premier étage où seraient servis cognacs et autres alcools réputés digestifs, l'un des membres se hâta de rattraper l'un des banquiers dont Livingston avait fait tout particulièrement l'éloge.

– Eh bien, Lawrence, dit-il, vous avez mené rondement cette affaire, non ? À notre future satisfaction, j'en suis sûr. Si vous bouclez rapidement les négociations parisiennes, nous serons tous bientôt plus riches que nous ne le sommes aujourd'hui.

– L'intérêt général est notre objectif, confirma Lawrence en se dirigeant vers l'ascenseur.

– Je n'ai qu'une question à vous poser. Livingston m'a dit que c'était votre idée, géniale au demeurant, de forcer ces Européens, quelle que soit leur origine, à nous recéder leurs titres de propriété sur cette île. Quelque chose comme une reprise en main légale par votre banque.

– C'est déjà pratiquement chose faite, même s'ils ne le savent pas encore, plastronna Lawrence. Ils demandaient trente millions de plus que la valeur réelle de leur entreprise, mais nos recherches ont révélé qu'ils avaient financé toute l'opération, l'achat de l'île et le reste, avec des fonds empruntés à de nombreuses banques européennes. Hier, nous avons racheté ces emprunts.

– Vous voulez dire que nous... les membres du club... sommes maintenant leurs créanciers ?

– Ce qui fait de nous, légalement, les nouveaux propriétaires de tous leurs biens. Qu'ils s'avèrent incapables de couvrir un seul de leurs remboursements, et nous les tenons par la gorge. Dans ces circonstances, leur payer trente millions de plus ne me paraît pas du tout nécessaire !

– Génial ! apprécia son compagnon d'ascenseur. Alors, votre voyage à Paris ne sera qu'une formalité. La remise des clés entre vos mains. À propos, je n'ai pas aperçu votre nouveau candidat à la dignité de membre du club. Kislick Willingly n'aurait-il pas dû faire acte de présence, ce soir ?

– J'ai annulé sa candidature, riposta Lawrence.

L'autre lui jeta un regard étonné, car il s'agissait là d'une mesure sans précédent dans l'histoire du club. Lawrence précisa, sans émotion particulière :

– Après tout, n'importe qui pouvait le recaler, lors du vote. Il ne saura jamais que je m'en suis chargé moi-même.

La lumière tamisée de la cabine brillait sur l'or de ses lunettes, et son compagnon songea, non sans un frisson mal réprimé, qu'il n'avait jamais vu, auparavant, de regard aussi glacial et dépourvu de tout sentiment humain. Ils sortirent de l'ascenseur pour rejoindre les autres...

– Qu'est-ce qui a motivé votre changement d'opinion, cher Lawrence ?

– Ce n'est pas vraiment l'un des nôtres, riposta celui-ci en haussant les épaules.

Mercredi 17 mars

La petite rue de Berri s'amorce, à l'oblique, sur les Champs-Élysées, à courte distance de l'Arc de triomphe.

Au dernier étage d'un immeuble sis à moins d'un pâté de maisons de la plus belle avenue du monde, se nichait le repaire exclusif de la gent bancaire : le Club des Banquiers. Dans un coin de la salle principale, au-delà d'un océan de moquette verte un peu passée, Zoltan Tor buvait à petites gorgées une boisson gazeuse rosâtre, en regardant distraitement par une proche fenêtre.

De l'autre côté de la rue, les vieux marronniers réchauffaient au soleil leurs branches ankylosées par l'hiver, heurtant de leurs rameaux alourdis de bourgeons les hublots d'un ancien atelier d'artiste. L'approche du crépuscule teintait d'or les fenêtres aux vitres brouillées.

Tor consulta sa montre, dégusta une autre gorgée de son breuvage, et se tourna vers la porte. Un homme entra, vêtu de gris souris, fouilla la salle du regard, et marcha vers l'homme qui l'attendait.

– Navré d'être en retard. Non, non, ne vous levez pas. Qu'est-ce que vous buvez ?

– Cassis et soda.

– Je vais prendre un scotch *on the rocks.*

Dès que le garçon fut reparti avec sa commande, le nouveau venu ajouta :

– Tout est au point, je pense. Il ne manque plus que votre signature, et le transfert sera définitif.

Le soleil se reflétait dans ses lunettes d'or, lui prêtant quelque chose d'inaccessible, mais Zoltan secoua la tête.

– Pas tout à fait. Il y a cette petite histoire de paiement qui n'est pas réglée.

– Je ne partage pas votre avis, trancha froidement Lawrence. Voyez-vous, tous vos emprunts sont désormais entre nos mains. Techniquement, nous sommes déjà propriétaires de l'île, et de toute l'opération. Vous ne récupérerez vos garanties qu'en signant ces papiers.

– Je vois, déclara Tor, ébloui, malgré lui, par l'éclat de ses montures de lunettes. Et les trente millions que vous vous êtes engagé à payer ? Après tout, vous n'achetez pas qu'un plateau rocheux avec vue panoramique, mais une affaire en plein essor.

– Nous avons pesé le problème, rétorqua Lawrence. Votre position légale reste fragile. N'importe quel pays limitrophe peut réclamer la propriété de cette île, maintenant qu'elle possède une certaine valeur. Ils l'ont fait dans le passé, même si ce n'était pas avec autant d'acharnement que dans le cas de Chypre. Nous ignorons si ce que nous achetons va continuer à prospérer. Mais pour en finir avec cette affaire, nous vous verserons *un* million, afin d'éviter toute rencontre devant les tribunaux, et nous sommes prêts également à payer les pénalités de retard que vous avez encourues sur certains de ces emprunts.

– Un million au lieu de trente, releva Tor, furieux. Votre proposition est inacceptable.

– Ce n'est pas une proposition. C'est une décision sans appel. Un million, c'est une somme. Nous ne demandons qu'à traiter à l'amiable. Vous signez et nous nous quittons bons amis.

– Désolé, Lawrence, je ne marche pas, dans ces conditions unilatéralement modifiées. Vous auriez dû m'en informer avant que je ne débarque ici, nanti de tous les pouvoirs, persuadé que vous alliez honorer vos engagements. Les principaux investisseurs que je représente ne pouvaient deviner que vous reviendriez sur votre parole.

– L'honneur n'a rien à faire là-dedans, trancha Lawrence. Les affaires sont les affaires. Mes collègues entendent bien reprendre vos opérations dans un délai d'une semaine au maximum. À vous de convaincre vos investisseurs. Sinon, nous vous attaquerons en justice, dans toutes les règles du droit international.

Inutile de faire remarquer à Lawrence que leurs emprunts n'étaient garantis ni par l'île ni par les opérations en cours. Lawrence n'était pas stupide. Il devait être au courant du rachat anticipé des bons au porteur, et de l'absence de toute couverture. Eu égard à la hâte que Tor semblait avoir de conclure le marché, même un aveugle eût pu voir qu'ils n'étaient pas en mesure de rembourser leurs emprunts sans revendre leur île. Gagner du temps était l'unique porte de sortie, toute provisoire, qu'il leur restait encore.

– Un seul de nos investisseurs a voix décisive au chapitre, affirma Tor en souriant. Le génie qui a conçu toute l'entreprise. Si vous pouvez différer votre voyage d'une semaine ou deux, disons jusqu'au trente et un mars, je pourrai peut-être le persuader d'en passer par vos nouvelles exigences.

– Très bien.

Lawrence expédia d'une lampée le reste de son scotch, et se leva.

– Mais pas un seul jour de plus. Qui est ce petit génie dont je n'ai jamais entendu parler ?

– La baronne von Daimlisch. Quelqu'un de pas facile à convaincre, j'en ai peur. Mais qui peut jamais savoir ?

LIQUIDATION DE L'ACTIF

« L'argent est comme la réputation...
plus facile à gagner qu'à conserver. »

Ainsi va toute chair, SAMUEL BUTLER

Je changeais de vêtements chez moi, quand Tavish m'appela de New York.

– Salut à mon ancienne patronne ! Quoi de neuf à la banque ? Toujours les bains de sang et les assassinats politiques ?

– Estime-toi heureux d'en être sorti. Comment va Charles Babbage ?

– Il suit tes investissements à la trace avec beaucoup de compétence. Je n'ai pas eu l'occasion de te le dire, mais certains des titres du docteur Tor ont été rappelés la semaine dernière. Ils n'ont pas réclamé ton aide, et c'est ce qui m'étonne. Apparemment, ils ont puisé quelque part d'autres ressources.

– Comment tu le sais ?

J'étais très excitée. Il y avait presque dix semaines que j'étais sans nouvelles de Zoltan et des autres. C'était comme s'ils avaient disparu de la surface de la terre.

– Ils s'entourent d'un voile de mystère, comme d'habitude. Mais je viens juste de recevoir un message de Pearl. Pas très explicite, et pas moyen de lui répondre par oui ou par non. Il s'agit simplement d'un aller simple pour la Grèce. À ton intention.

– Je te demande pardon ?

– Pearl a transmis des tas d'infos à Charlie. Les horaires, les devises, les transports, les instructions. Je te les fais parvenir en urgence. Tu dois partir jeudi prochain. Pas la peine de prétendre que c'est impossible, j'ai eu accès à ton dossier personnel. Et ni Charles ni les Bobbsey n'ont besoin de toi pour assurer le suivi depuis New York. Même si Charles Babbage n'y gagne rien de plus que notre considération distinguée, moi, je me suis déjà empoché plus de thune que je ne le croyais possible. Et le docteur Tor m'a offert de bosser pour lui. Il dit que ma brillante programmation lui a sauvé la vie, cette nuit-là, au centre de données, et même si je ne le crois pas, tu dois comprendre, mademoiselle Banks, que c'est le rêve de ma vie qui se réalise... et c'est à toi que je le dois.

– Oh, Bobby, mille fois merci, je suis si heureuse pour toi, mais jamais Tor ne t'offrirait de bosser pour lui s'il ne pensait pas tout ce qu'il t'a dit. Tu ne le dois qu'à ta seule science, et je t'en félicite.

Je respirai un peu avant de poursuivre :

– Mais pourquoi me réclament-ils là-bas ? Pas un coup de fil en plus de deux mois et demi, et voilà que Tor m'appelle, comme s'il avait déjà gagné son pari.

Bien sûr, j'avais hâte de revoir Zoltan, et le pari ne signifiait plus grand-chose, en comparaison des difficultés qui semblaient se multiplier.

– J'ignore pourquoi ils te veulent, Very. Peut-être qu'ils ont déjà gagné, en effet.

Je n'y croyais pas vraiment, mais Tavish avait raison. Je ne servais plus à rien, à San Francisco. Je m'étais torturé les méninges, j'avais farfouillé dans tous les systèmes accessibles sans rien trouver sur les éventuelles irrégularités de Lawrence. À part ce mémo, je n'avais rien dans mon jeu. Bien que planquer de l'argent hors de portée du fisc fût évidemment illégal, et que ce bout de papier indiquât que Lawrence y poussait la banque, je n'avais aucun moyen d'en apporter la preuve. Je ne pouvais pas non plus demander à Tor ce qu'il en pensait, puisqu'il y avait des semaines que nous n'avions plus le moindre contact. Je remerciai donc Tavish, raccrochai, et contemplai sans les voir les murs qui m'entouraient.

Je savais ce qui m'angoissait, bien sûr. Moins de quatre mois après ma soirée à l'Opéra, je me retrouvais seule, confrontée à un environnement dont j'avais épuisé les charmes, mais aussi, mais surtout, confrontée au tableau d'une vie démolie. J'avais détroussé deux banques, aidé à créer un pays sans existence légale définitivement avérée, saboté les systèmes de sécurité bancaire, détruit ma propre carrière et couché avec mon meilleur ami et maître de toujours, qui, depuis près de trois mois, semblait avoir oublié jusqu'à mon existence. J'avais l'impression que la vie m'avait décoché un méchant coup de pied dans le ventre. Si c'étaient là les émotions fortes dont Georgiane faisait volontiers l'apologie, j'éprouvais une violente envie de revenir en arrière. Au décor de ma vie passée, celui que Tor avait qualifié de mausolée. Mais que nul danger extérieur ne menaçait.

Trop tard pour faire machine arrière, à présent, même si je n'avais aucune idée de ce que je dirais à Tor et de ce qu'il me dirait quand je le retrouverais en Grèce. Si j'avais perdu le pari, et qu'il se fût abstenu par calcul de me demander l'aide que j'étais prête à lui accorder en retour, quelle serait son attitude ? Et la mienne ? D'après Tavish, certains des titres donnés en garantie aux banques européennes avaient été rappelés, mais personne n'avait sollicité mon assistance. Visiblement, Tor ne voulait pas me devoir quelque chose.

Mais le pire, c'était cette sensation d'avoir tout perdu, à cause de ce pari. Il ne me restait rien qu'un billet d'avion pour la Grèce. Je restai là, immobile, assise dans l'obscurité durant des heures. Puis j'ouvris la petite boîte posée devant moi, sur la table, y prélevai une allumette, la frottai pour le plaisir de regarder la petite flamme décliner et s'éteindre rapidement, dans les ténèbres. Une lueur minuscule, dans le noir. Je me représentai le pont, sur la baie, et me surpris à sourire.

Le rafiot progressait laborieusement sur les eaux cristallines qui s'étendaient entre les îles éparses. Le cône aplati d'Omphalos se découpa bientôt sur le fond lumineux du ciel. La croûte de lave répandue par l'ancien volcan étincelait comme une ceinture de diamants, et sous les embruns projetés par les vagues et sur la rive, se dressaient en procession des cyprès dont les silhouettes noires alternaient avec les maisons blanches groupées non loin du port. Une petite jetée de pierre lançait sur la mer un court fer de lance au long duquel somnolaient, au mouillage, quelques petits bateaux de pêche rouges ou bleus. Les vagues caressaient paresseusement l'ensemble de la berge.

Alors que mon bateau s'amarrait à sa place, j'aperçus Lélia, assise sur un petit mur de pierre, en retrait du quai, qui me faisait signe de loin, agitant son ombrelle dans la brise. Sa robe de mousseline à fleurs aux manches bouffantes, ses cheveux châtain clair tombant en boucles sur son front, le panier de fleurs posé auprès d'elle, tout concourait à composer un tableau si joli, si paisible, que je sentis mes yeux s'emplir de larmes.

– *Cherrie*, me cria-t-elle en se précipitant à ma rencontre. J'avais si peur que tu ne viennes pas.

– Bien sûr que je suis venue !

Les fleurs dégageaient un parfum merveilleux. Où était Tor ? Je murmurai, hypocrite :

– Où sont-ils tous ?

– Au travail. Tout le monde. Djordjione prend des photos de l'île, elle la trouve si belle qu'elle ne peut pas résister. Pearl s'occupe de la monnaie pour nous, comme toujours. Et Zoltan le magnifique, il est en France.

– En France ?

Alors qu'il m'avait fait venir, sans me demander mon avis ! Je tentai de faire contre mauvaise fortune bon cœur :

– Allons déposer mes sacs à l'hôtel et voir ce que font les filles.

– Pas d'hôtel !

Lélia me prit le bras avec une familiarité, une possessivité que je ne pus m'empêcher de trouver réconfortantes. Les talons de mes chaussures n'arrêtaient pas de se coincer entre les pavés pittoresques du quai.

– On habite un manoir, ajouta Lélia. Un château. C'est moi qui l'ai tout décoré. C'est unique.

C'était unique, en effet. Et le chemin qui y menait ne l'était pas moins.

On laissa derrière nous le petit village de maisons blanchies à la chaux, dont les toits de tuiles rouges enchâssaient la baie, dans l'odeur des grands citronniers. Le vieux cheval qui tirait la carriole, une sorte de trésor national, d'après Lelia, semblait connaître l'itinéraire mieux que personne. Pas question de le presser tandis qu'il nous emmenait à travers les oliveraies sillonnées de minuscules ruisseaux, dont les eaux éparses nourrissaient une flore abondante, iris blancs, pervenches bleues, jaunes et pourpres éparpillés dans la verdure. Une bonne chose que rien de tout cela n'eût été révélé par la photo du programme de la galerie, ou jamais Omphalos ne serait tombée pour la modique somme de treize millions de dollars !

Sur la falaise, de la lisière du cratère éteint, à trois ou quatre cents mètres d'altitude, on découvrait tout le paysage, depuis le terrain de roche noire jusqu'aux eaux si claires qu'elles semblaient reposer sur fond d'aigues-marines. Même à cette distance, je distinguais les bancs de petits poissons folâtrant parmi les récifs. Et là, tout en haut, s'élevait le château.

Lélia n'avait pas exagéré en l'appelant ainsi. Cernée de murs crénelés, une cour intérieure entourait la bâtisse de pierre brute. Bâtie par les Vénitiens, d'après Lélia, dans les années 1500, pour défendre le chenal s'étendant de la côte de Turquie à ces îles grecques. Bien que la suite de son histoire fût un mystère enfoui dans la poussière des siècles, Lélia pensait que Grimani, le premier Doge de Venise, y avait peut-être passé les premières années de son exil.

À peine avions-nous déchargé mes bagages que le vieux cheval tourna sur place et repartit au petit trot.

– Hé ! Notre moyen de transport fout le camp !

Mon avertissement eut le don d'égayer Lélia.

– Oh, il reviendra. Il retourne au quai pour voir s'il y a des touristes. Il est comme un pigeon voyageur qui rentre toujours à la maison.

La maison ? Je me sentais soudain très seule, comme au bord d'un gouffre, et sur le point de faire un grand pas en avant.

Lélia rayonnait de plaisir en posant le pilaf et les côtelettes d'agneau sur la massive table de pierre. Pearl lui donnait un bon coup de main tandis que Georgiane, assise sur le parapet, photographiait le coucher du soleil sur la mer.

La chère baronne avait garni les urnes de pierre d'une profusion de fleurs sauvages, et niché des bougies dans les creux des murs croulants. Bien que le château ne disposât point du courant électrique, grâce à elle, la soirée était idyllique, à l'ombre des créneaux.

En bas, s'étendait une mer en feu parcourant la gamme des roses soutenus aux rouges vermillon, dans la lumière déclinante. Le soleil couleur sang plongea bientôt derrière Omphalos, et la mer vira au pourpre. Une légère humidité montait de la côte, mais les bougies de Lélia entretenaient autour de nous une zone de chaleur illusoire. Je m'enveloppai dans le chandail de laine brute qui m'était proposé, et rejoignis Georgiane toujours assise sur le parapet.

– C'est tellement joli. On aimerait rester ici à jamais. Tout laisser en arrière.

– Ça te passera, prédit la voix de Pearl, dans mon dos. Dès que tu seras confronté au manque de plomberie !

– À ton premier gros besoin, renchérit Georgiane. Tu en auras vite marre de poser ton cul sur le bord du parapet.

– Je vous en prie ! leur cria Lélia. Votre conversation n'a rien de *romantique* ! Vous venez manger les plats que j'ai préparés, oui ou non ?

Georgiane sauta à bas du parapet, dans son épais caftan brodé de paillettes réfléchissantes. Celui de Lélia était bleu canard, et Pearl, sublime comme toujours, portait du vert émeraude, bien entendu. On se pressa autour de la dalle de pierre qui servait de table, et Lélia nous versa du vin dans des verres gravés. Je recouvris de légumes ma côte d'agneau alors que Pearl me promettait :

– Demain, je t'emmène faire le tour du propriétaire. Tor sera sûrement là. On l'attendait aujourd'hui, mais il a téléphoné au bureau, le seul standard de l'île. Il y avait là-bas une divergence de vues qu'il devait aplanir.

Je questionnai, un peu trop vite :

– À Paris ?

J'en avais gros sur le cœur d'avoir fait ce que tout le monde semblait avoir eu la certitude que je ferais, au premier claquement de doigts, sans que Zoltan fût là pour me recevoir. Pearl dut prendre mon irritation pour de l'inquiétude, car elle s'empressa d'ajouter :

– Je suis sûr qu'il n'y a rien de grave. Il est très perfectionniste, tu sais, je m'en suis rendu compte depuis des semaines que je bosse avec lui. En fait, c'est à toi que je dois des remerciements pour m'avoir branchée sur ce coup. C'est la plus belle expérience que j'aie jamais vécue. Ça a changé ma vie ! Quand je vais rentrer, je pourrai choisir mon prochain boulot. Qui peut se vanter d'avoir eu la même chance ?

Plus fort que moi, je m'esclaffai, sarcastique :

– Parce que tu as l'intention de rentrer ? J'avais cru comprendre que tout était si formidable, ici, que personne n'aurait plus jamais envie d'en repartir.

Pearl échangea avec Lélia un regard chargé de malice.

– Il se pourrait bien que la réalité vienne avant peu nous surprendre à domicile !

Georgiane me réveilla aux aurores, l'heure qu'elle avait choisie pour me faire admirer le lever du soleil. Encore un goût que je ne partageais pas totalement avec elle !

Sa poigne solide me secouait avec énergie, sur le matelas de paille qui me servait de couche. Alors qu'elle me traînait vers l'escalier, l'œil à peine ouvert, je râlai :

– Café...

– Pas besoin de café ! Regarde-moi cette lumière ! Ça ne te fait pas battre le cœur de voir la nature dans tout son éclat ? C'est pas merveilleux d'être en vie... tout simplement en vie... un jour comme celui-là ?

– Je l'apprécierais mieux après un bon café. J'ai mal aux yeux. Je ne crois pas qu'on ait été mises au monde pour admirer tant de splendeur avant le petit déjeuner.

– Que tu le veuilles ou non, je t'emmène, gronda-t-elle, et tu ne me fileras pas entre les doigts. Après le retour de Tor, on va tous avoir des montagnes de boulot. Je ne t'aurai même plus une minute à moi.

C'était gentiment exprimé, mais je continuai de grommeler tandis qu'elle me tirait par un bras sur le sentier qui traversait la pente, en diagonale, avant de plonger tout droit vers la mer. En bas, glougloutait une source chaude qui jaillissait de la roche et se perdait dans l'eau agitée d'une cuvette de lave creusée en contrebas, telle une piscine suspendue entre ciel et terre, pour se déverser en cascade par-dessus le bord de l'à-pic.

Fleurs sauvages et plantes vivaces suivaient le même chemin que la cascade, franchissant avec elle la lisière des falaises environnantes dont elles tapissaient les parois de tentures végétales qui, en pleine mer Égée, rappelaient les jungles tropicales.

Rejetant son caftan à raies jaunes et pourpres, Georgiane s'immergeait déjà dans l'eau vive qui accrochait des bulles à ses cheveux argentés. Avec derrière elle cette mer de saphir et, en arrière-plan, le fond des sombres falaises turques, elle avait tout d'une sirène postée à cet endroit pour attirer les marins sur ses récifs perfides.

J'étais immobile sur le sentier, juste au-dessus d'elle, et, dans un flash, m'apparurent la banque et ses tubes fluo, son air pulsé, son degré hygrométrique constant, ses laissez-passer, ses sas, ses parois de verre à l'épreuve des balles, bref, tous les accessoires d'une prison moderne. Comment avais-je pu supporter ça, pendant dix ans de ma vie, alors qu'il existait ailleurs des lieux enchantés comme celui-là ?

Que disait Georgiane ?

– Cesse de rêver, feignasse ! Cette eau vient du sous-sol volcanique. Juste chauffée comme on aime ! C'était encore l'hiver, quand on est arrivés. J'ai pris des bains formidables en plein air, avec la pluie froide sur la tête. Le yin et le yang !

Je m'enhardis jusqu'à tâter l'eau, du bout des orteils.

– J'espère que tu as pris des photos ?

– On ne photographie pas la magie. Ton problème, c'est que tu voudrais que tout soit blanc, net et parfait. Antiseptique ! Tor et moi, on s'est mis d'accord pour secouer un peu tes certitudes.

Je balançai ma robe et me glissai, à mon tour, dans cette eau magique.

– Sans blague ? Et qu'est-ce que vous avez mijoté, tous les deux ?

– Demande-le-lui ! Le voilà qui déboule de la colline !

Je levai les yeux. Ce n'était pas une plaisanterie. Tor descendait avec une certaine prudence la pente inégale, chaotique, étrangement déplacé dans son costume de ville et ses élégantes chaussures italiennes dont les semelles dérapaient sur le sol rocailleux.

– Salut, belles naïades ! lança-t-il en promenant son regard alentour. Je ne connaissais pas cet endroit. Lélia m'a cueilli au bateau et conseillé de venir voir ce qui se passait par ici. Je ne le regrette pas. Quelle vue !

À présent, c'était moi qu'il regardait, et je me sentis rougir. Il était encore plus beau que les souvenirs de lui que j'avais thésaurisés, durant tant de jours solitaires. Bronzé, doré, avec ses cheveux de cuivre répandus en boucles sur le col de sa chemise blanche. Je vis qu'il commençait à dénouer sa cravate.

– Je vous rejoins si vous promettez de regarder ailleurs. Je suis toujours très pudique en présence de jolies jeunes femmes.

Heureuse de cette description commune, Georgiane se retourna, les mains sur les yeux, tandis qu'il se dévêtait et s'introduisait dans l'eau, avec nous. Je me demandai si Pearl avait révélé le changement survenu dans mes relations avec Tor. Il semblait évident qu'ils avaient passé beaucoup de temps à comploter derrière mon dos.

– Regarde ce que j'ai trouvé en dégringolant la pente.

Il s'approchait de moi, fendant l'eau bouillonnante. Il avait à la main une petite orchidée sauvage qu'il me fixa dans les cheveux, tant bien que mal. Je l'en remerciai à mi-voix :

– Merveilleux. Tu crois que je pourrais en transplanter quelques-unes chez moi, à San Francisco ?

Tor pivota vers Georgiane pour la prendre à témoin.

– Elle s'imagine qu'elle va rentrer ! Elle n'a pas compris qu'on l'avait kidnappée, et que personne ne s'évade de l'Île au trésor.

– À ton tour de ne pas regarder, pouffa Georgiane. J'ai assez mariné dans ce bouillon !

On se détourna. Au bout d'un moment, elle nous appela, du flanc de la colline.

– Ne faites rien que je ne ferais pas à votre place !

Et s'éclipsa en rigolant, dans sa longue robe jaune et pourpre. Tor souriait.

– Je me demande ce que Georgiane ne ferait pas à notre place ?

– Très peu de chose, à ma connaissance.

– Alors, faisons plutôt quelque chose qu'elle ferait. Je pourrais rester toute la journée dans cette eau, à parler exclusivement de sexe.

J'éclatai de rire, mais j'avais un mal de chien à cacher mon émotion de l'avoir vu apparaître sur ce sentier après toutes ces semaines de solitude. J'étais profondément bouleversée, et je n'en ignorais pas la cause.

Pendant douze ans, avait régné, entre Tor et moi, une relation psychique tellement puissante que c'était un peu comme si nous avions été reliés en permanence par quelque cordon ombilical intangible. Puis il y avait eu ces deux mois de rivalité et de périls partagés, suivis d'un week-end amoureux si intense, si magnifique, que j'en supportais à peine le souvenir.

Et depuis lors, plus rien. Pas un coup de fil, pas une lettre, pas une carte postale disant quelque chose du style « Un coucou de Bora Bora. J'aimerais que tu sois là ». Il m'avait laissée livrée à moi-même, déchirée par mes doutes et les vicissitudes de mes projets insensés, pour s'en aller vivre sa propre aventure, exactement comme si je n'existais plus. Comme s'il avait tout oublié. Sans parler de cette convocation humiliante, par personne interposée, sans douter un instant de mon obéissance. Je me détestais d'avoir cédé aussi vite.

Comme tant de fois dans le passé, il parut m'avoir devinée :

– Je regrette d'avoir manqué ton arrivée. J'aurais tellement voulu être là. Mais il y avait quelque chose qui clochait, là-bas. Que je devais régler sans attendre.

Tout proche de moi, il prit ma tête entre ses mains et se pencha pour m'embrasser.

326

– Ta peau... on dirait de la soie. Je ne peux pas m'empêcher de te toucher. Tu es... comme une anguille d'or.

– Une anguille ? Il y a des comparaisons plus séduisantes !

– Tu serais surprise d'apprendre quel effet me produit celle-ci.

– Je suis aux premières loges pour m'en apercevoir. Alors, cette chose urgente, à Paris ?

– Ce doit être l'eau chaude, soupira-t-il en fermant les yeux. J'ai la tête vide. Je n'ai plus aucune force mentale.

– Je sais où elle se concentre ! Est-ce qu'on ne ferait pas mieux de sortir de l'eau et de chercher un coin de mousse épaisse pour s'y allonger ? À moins que ma proposition ne te semble trop choquante ?

– Tu n'as jamais fait l'amour en milieu aquatique ?

– Non, et je n'en ai pas l'intention.

Mais ses lèvres descendaient sur ma poitrine, et mes jambes se dérobaient sous moi. J'essayai encore :

– Ça me paraît compliqué, difficile et inconfortable. Je risquerais de me noyer au meilleur moment.

– Je ne te laisserais pas te noyer, ma chérie.

Ses mains et sa langue étaient de plus en plus éloquentes. Ainsi que sa voix, lorsqu'il chuchota :

– Crois-moi, tu es faite pour l'amour.

On remonta lentement vers le château. Zoltan portait sa chemise large ouverte, les jambes de son pantalon retroussées, cravate et chaussettes dépassant de ses poches. À mi-chemin de la maison, il me fit face avec un grand sourire.

– Même décoiffée, mouillée et les pieds nus, qui pourrait imaginer qu'une vice-présidente de banque puisse être aussi ravissante ?

– Et aussi ravie, dans toutes les acceptions du terme !

Je ne m'étais jamais sentie aussi lasse et aussi bien dans ma peau. En paix avec la vie.

On aperçut de loin Georgiane, Pearl et Lélia réunies sur le parapet. Toutes les trois en maillot de bain, très occupées à prendre le soleil en sirotant une chartreuse. Elles se levèrent à notre approche.

– Tous mes petits *poulets* sont arrivés, se réjouit Lélia. Il est temps de *déjeuner*.

Elle disparut en courant, revint avec une pile de sandwichs sur un plateau : baguettes croustillantes bourrées de thon, d'olives, d'oignons rouges, de viande aigre-douce et de poivrons. Toutes les mains puisèrent dans ce festin matinal, arrosé de bière glacée.

– Lélia a cuit le pain elle-même, me confia Pearl. Dans un four de pierre qu'on a rafistolé au sous-sol. J'adore sa cuisine, mais question régime... J'ai déjà dû prendre au moins cinq kilos.

Tournée vers Tor, Lélia coupa sérieusement :

– On ne parle pas de ça, on parle affaires, maintenant. Qu'est-ce que c'est que ces gens qui veulent racheter notre petite entreprise ?

Racheter leur entreprise ? C'était donc comme ça qu'ils allaient gagner... Rembourser leurs emprunts et s'en sortir avec un bénéfice substantiel. Puis restituer les titres volés et rentrer définitivement dans la légalité. En fait, ils n'auraient jamais rien volé. Juste emprunté des capitaux bancaires à des établissements qui ne sauraient jamais que les garanties, elles aussi, avaient été « empruntées » durant quelques mois à la Depository Trust. Ils empocheraient leur bénéfice et tout se serait passé comme s'ils avaient souscrit des emprunts sans garantie réelle. J'insistai doucement :

– Alors ? Ces acheteurs ?

– Encore mystérieux, riposta Georgiane. Tor est seul à savoir qui ils sont et d'où ils viennent. Franchement, ce n'est pas rassurant. Après tout, il y a des tas de gens peu recommandables qui aimeraient mettre la main sur une affaire comme celle-ci. Pourquoi pas en butant tout le monde, purement et simplement ?

Tor commençait à s'énerver.

– Je peux en placer une, oui ? C'est moi qui ai mené les négociations. Les résultats n'ont rien de mystérieux, au moins pour moi !

Georgiane se le tint pour dit alors qu'il enchaînait :

– Il y a un bout de temps que j'étais en pourparlers avec un groupe international d'hommes d'affaires.

J'intercalai :

– Combien de temps ?

– Depuis une réunion au sommet où tous les banquiers ont refusé de tenir compte de leurs propres réserves.

– C'est-à-dire bien avant que tu n'achètes cette île ou détournes les titres. Bien avant que je te présente Lélia, Georgiane et Pearl.

Et dans un éclair de compréhension soudaine :

– Bien avant qu'on ne fasse ce fameux pari !

Jamais son sourire n'avait été aussi radieux.

– Évidemment, ma chère ! J'aime préparer les choses longtemps à l'avance, et je savais que tu accepterais le pari.

Ma rage était telle que j'en fermai les poings. S'il avait gagné son pari, c'était avec des moyens déloyaux. Il avait mijoté toute l'affaire, trouvé des acheteurs pressentis avant même d'avoir chargé le canon. S'il s'imaginait que j'allais me laisser réduire en esclavage pour un an et un jour, il se trompait du tout au tout !

– Mais enfin, c'est qui, ces mecs-là ? intervint Pearl. Et comment les as-tu dénichés ?

– Ce sont des gens avec des relations dans tous les milieux, des biens immobiliers considérables et des capitaux à l'avenant. J'ai trouvé leurs noms à l'endroit même où Very a trouvé ceux qui figurent sur *votre* liste. C'est Charles Babbage qui me les a donnés.

– Seigneur Dieu ! s'écria Pearl.

Et je sursautai, sous le choc d'une révélation tardive.

– Je sais ce que ces noms ont en commun ! Si je ne me trompe, tous ou presque sont membres du *Vagabond Club* !

– Dans le mille ! approuva Zoltan. Je savais que tu comprendrais.

– Mais ça signifie que Lawrence est de la fête ?

– J'en ai bien peur. C'est la quintessence du problème que j'ai dû résoudre à Paris. Voyez-vous, après des mois de négociations, ces beaux messieurs refusent de payer le prix convenu.

Tel était le sens du mémo qui m'était tombé entre les mains. Ce salaud de Lawrence allait pousser la banque à planquer illégalement des capitaux. Dans un paradis fiscal qu'il entendait bien acheter lui-même. Utiliser la puissance dont il disposait pour obtenir de gros profits personnels équivalait au délit d'initié ou à l'extorsion bien camouflée. J'en aurais ri, pour ne pas en pleurer. J'avais cru mystifier les pires minables (quoique richissimes) que je connaissais sur cette terre, et voilà qu'ils se révélaient infiniment plus retors que ma pauvre petite personne. Combien mince était la frontière qui séparait la spéculation de l'escroquerie, dans le domaine des affaires !

Mais j'étais la seule à pouvoir goûter pleinement tout le sel de la plaisanterie. Ce que Lawrence avait fait à Tor et aux autres, c'était précisément ce qu'on avait fait à mon grand-père, vingt ans auparavant. S'emparer de l'idée brillantissime de quelqu'un, conçue dans la sueur et les larmes, et lui en arracher les fruits, le saigner à blanc et le laisser crever, dans le désespoir et la solitude. On ne pouvait accepter ça sans rendre coup pour coup.

Pearl salua les explications de Zoltan d'un long cri du cœur :

– Cette espèce de rat puant ! Cet immonde salopard ! Si on ne rembourse pas ces titres dans les quinze jours, il va nous les racheter sous le nez, devenir notre principal créancier, et on sera tous baisés !

– Oui, renchérit Lélia. On sera tous baisés sur la bouche !

– Je crois que tu n'as pas très bien compris tout le sens de l'expression, maman, dit Georgiane.

– Mais elle n'est pas tombée loin, admit Tor.

Pearl se retourna vers moi.

– Il faut qu'on récupère ces titres avant qu'il puisse s'en servir et soupçonner la vérité. Est-ce que toi et Tavish, vous pourrez sortir assez d'argent pour payer l'addition ?

Je savais ce qu'elle voulait dire. Je le savais depuis que Tor en avait émis l'idée, et c'était plus que dangereux, c'était suicidaire. Voler de l'argent à une banque pour couvrir une dette personnelle dans un pays étranger n'avait rien à voir avec souscrire un emprunt et le garantir à l'aide de valeurs collatérales également « empruntées ». Si je me faisais prendre avant d'avoir pu restituer l'argent, je serais compromise dans une affaire de fraude internationale, à une échelle inusitée.

Mais c'était mal connaître Zoltan Tor.

– Je ne peux pas accepter ça. On a parié l'un contre l'autre, et le pari tient toujours. Si j'acceptais, je perdrais le pari.

Ma rage s'exhala enfin, dans une tirade désespérée :

– Mais tu viens de nous dire que tout était foutu. Ce misérable pari m'a déjà coûté les yeux de la tête. Mon job, ma carrière, peut-être mon indépendance. Tout ce pour quoi j'ai toujours travaillé dur, dans ma pauvre existence !

La réponse de Zoltan exprimait une intense amertume :

– T'es-tu jamais demandé pourquoi j'avais travaillé aussi dur, de mon côté ? L'honneur et l'intégrité, la justice dans la rémunération du travail et la conduite des affaires, un monde où le talent et la loyauté seraient toujours reconnus, où les gens sans honneur n'auraient pas droit de cité.

Il marqua une pause. Le temps de me jeter, pour la première fois depuis que je le connaissais, un regard d'une telle froideur qu'un frisson glacé me parcourut tout entière.

– La personne pour qui tu travailles, c'est Lawrence !

– C'est toi qui es déloyal en me reprochant une chose pareille !

Mais au fond, il avait raison. Pourquoi l'idée de travailler pour lui, d'abdiquer mon indépendance entre ses mains, me rebutait-elle à ce point. Quelle sorte d'indépendance y perdrais-je ? Celle de jouer au chat et à la souris avec des gens comme Lawrence, Karp et Kiwi ? Celle de gagner de minuscules batailles en y perdant ma vie, mes « talents », selon le mot de Zoltan. Qu'étais-je en réalité, sinon l'un des rats un peu moins stupides que la moyenne lâchés dans le labyrinthe ?

Mes trois amies assistaient à notre affrontement, médusées, sans comprendre. Je relançai plus calmement :

– Gagner le pari, je m'en fous. Je l'ai accepté pour la même raison qui t'avait incité à me le proposer. Pour montrer qu'il y avait, dans toute l'industrie financière, des voleurs, des menteurs, des exploiteurs et des destructeurs du travail des autres. Quelle que soit l'issue de cette expérience, je ne retournerai pas à la banque ! Je veux rester ici et vous aider à les battre. Mais je ne vois pas comment, à moins de détourner les capitaux nécessaires...

– Il est trop tard pour ça. Beaucoup, beaucoup trop tard.

– Je ne laisserai pas mes amis finir en taule alors que j'ai le moyen de les sauver ! Toi, tu m'as bien aidée quand j'en avais besoin.

– C'est ce que tu crois ? Je me demande si je n'ai pas fait tout le contraire !

Là-dessus, il quitta la terrasse, si vite et si brusquement qu'on resta là, toutes les quatre, à échanger des regards surpris. Première à récupérer, Georgiane s'étrangla :

– C'est quoi, au juste, cette connerie ? *Elle* offre de sauver nos fesses et c'est *lui* qui refuse, à cause de leur foutu pari ! C'est « ça » qu'on appelle un « gentleman » ?

– Tu n'es pas équipée pour entendre les voix du cœur, dit paisiblement Lélia. Le divin Zoltan, il pense qu'il a eu tort d'entraîner Verity dans cette galère, et qu'il lui a rendu un mauvais service en l'aidant à s'en tirer, quand elle était à la dérive. S'il ne l'avait pas fait, elle serait peut-être déjà libérée de toute cette histoire. Et nous, les amies de Verity, il se sent coupable de nous avoir entraînées, nous aussi. Mais il faut qu'ils comprennent, tous les deux, qu'on est des adultes. Ce qu'on fait, on le fait librement, sans y être poussées par la force.

Une fois de plus, elle avait raison, comme toujours lorsqu'elle faisait entendre ce qu'elle appelait « la voix du cœur ». Elle avait parfaitement compris quelle frustration, quelle fureur devaient habiter l'âme intransigeante de Zoltan. Mais naturellement, cette compréhension ne résolvait pas le problème. Je partis à la recherche de Tor. Il me fallut plus d'une demi-heure d'errance à travers bois et sur les sentiers conduisant à la mer pour le retrouver enfin, assis sur un quartier de roche, dans sa chemise fripée et son pantalon retroussé, l'œil perdu dans l'immensité aveuglante.

Le temps de m'asseoir à ses genoux, et je levai les yeux vers lui, avec un sourire.

– Tu ne peux pas te résigner à oublier ce pari ridicule ! Tu es trop fier pour accepter un sou qui vienne de moi !

– S'il venait vraiment de toi, comme tu dis, je me résignerais au sort d'homme richement entretenu ! Mais quand tu es prête à courir le risque de vingt ans de réclusion pour me tirer d'affaire, là, je jette l'éponge. Ça te semble anormal ?

– Alors, c'est toujours la guerre. Qu'est-ce que tu comptes faire, si ça n'est pas trop indiscret ?

Il me baisa le poignet, distraitement, sans détacher son regard de la mer.

– Je n'en sais foutre rien. Je n'ai pas eu la moindre idée depuis mon entrevue avec Lawrence. Je n'ai pas voulu céder, et on risque tous d'y perdre notre liberté. Ce qui m'étonne le plus, c'est que moi, qui me croyais si fort, j'aie pu me laisser prendre dans un piège aussi grossier !

– Comment l'entrevue s'est-elle terminée ?

– J'ai gagné un maximum de temps, en prétendant que Lélia était la principale associée, et que je ne pouvais rien faire sans la consulter. Mais ils vont se pointer ici dans deux semaines au plus, pour recueillir nos signatures ou faire mettre nos biens sous séquestre par la justice.

Je réfléchis une demi-seconde.

– Écoute, je sais parfaitement que Lawrence est un escroc, mais ni mon intime conviction, ni le méchant mémo que j'ai découvert ne suffiront à le prouver. Pas plus que son appartenance à certains clubs. Sans oublier qu'il est champion dans l'art de couvrir ses traces et virtuose dans le domaine de la paperasserie. Mais deux semaines, c'est mieux que rien, et puisque c'est tout ce qu'il nous accorde, profitons-en pour essayer de lui couper l'herbe sous le pied. Je n'ai peut-être pas encore déterré tout ce qu'il peut y avoir à exhumer en Californie...

Son regard incroyable, d'or et de lumière, me fouilla jusqu'au fond de l'âme.

– Si tu penses vraiment ce que tu dis, alors aide-moi à les abattre comme ils le méritent. C'est notre dernière chance.

QUATRIÈME PARTIE

LONDRES

Septembre 1814

Deux ans, presque jour pour jour après la mort de Meyer Amschel, les têtes couronnées d'Europe se réunirent à Vienne pour tenter de se mettre d'accord sur la meilleure façon de partager le continent, maintenant que le tyran nommé Napoléon croupissait sur l'île d'Elbe.

À Londres, Nathan Rothschild recevait un autre personnage important, l'un de ceux qui avaient contribué à débarrasser le monde de la peste napoléonienne.

– Lord Wellington, dit Nathan. Je crois savoir que votre souhait a été finalement exaucé, et que vous pouvez désormais vous éloigner du champ de bataille.

– Certes, concéda Wellington. Comme je l'ai souvent déclaré, quiconque a jamais participé à une bataille, ne fût-ce qu'une seule journée, n'éprouvera jamais le désir de participer à une autre, même une heure !

– Et vous fûtes un maître incontesté dans un domaine pour lequel vous n'aviez aucun goût ! s'exclama Nathan, admiratif. Si vous aviez choisi une matière à votre convenance, imaginez un peu tout ce que vous auriez pu accomplir.

– Vous en êtes le vivant exemple, Rothschild ! On dit que vous aimez l'argent plus que nulle autre personne au monde ne l'a jamais aimé. Et maintenant, vous voilà plus riche que quiconque ne l'a jamais été. Assez pour avoir sauvé l'Empire britannique de la ruine et de la destruction, et la majeure partie de l'Europe, par-dessus le marché !

– L'argent m'a offert la liberté et un mode de vie que même mon père n'aurait pu imaginer à ses débuts. Le pouvoir de la richesse, pour le meilleur ou pour le pire, ne doit jamais être sous-estimé.

– J'ai ouï dire que dans cette Europe libérée, vous et vos frères commencez à construire quelque chose de neuf, quelque chose qui vous procurera encore plus d'influence que par le passé.

– C'est une idée très simple, en réalité. Un service déjà rendu par les financiers, jusque-là, sans lui donner un nom précis. On le désigne par le terme « chambre de compensation ».

– Vous changez de l'argent, résuma Wellington, pour les têtes couronnées d'Europe, c'est bien ça ?

– C'est ça et bien davantage, rectifia Nathan. Jusqu'à présent, les banques fournissaient financements et intérêts sur dépôts. Mais désormais, nous pourrons changer les monnaies selon la demande, même en temps de guerre, sans aucune perte de valeur. Nous contrôlerons ainsi la stabilité des devises.

– Voilà qui sera éminemment favorable à l'économie européenne. Une sorte de marché commun de la monnaie. Je n'ai jamais été aussi surpris qu'en revenant d'Espagne après y avoir vaincu l'armée française. Nous sommes entrés en France pour y affronter les troupes de Napoléon après leur retraite de Russie, et l'or que j'ai reçu de votre part avait traversé la France, le territoire ennemi, en monnaie française ! Comment avez-vous pu réaliser ce miracle ?

– Nous avons persuadé le gouvernement britannique de laisser se répandre la rumeur qu'ils allaient dévaluer leur monnaie. Les Français nous ont donc autorisés à introduire en France de l'or britannique, convaincus qu'en agissant ainsi, ils drainaient la réserve d'or de l'ennemi. On a utilisé cet or pour acheter des lettres de crédit tirées sur les banques espagnoles. De cette façon, nous avons passé l'argent par-dessus les frontières, sans éveiller les soupçons ou avoir à payer des taxes. Mon cher Wellington, un jour, les gouvernements comprendront, bien après les financiers, que les cordons de la bourse sont les seuls qui vaillent la peine d'être tirés. Et les bons gouvernements seront ceux qui favoriseront une économie libre.

Wellington buvait littéralement les paroles de son interlocuteur.

– Ah, Rothschild, vous êtes un homme d'ambition et de génie. Je ne suis qu'un pauvre soldat que les tueries de la guerre rendent malade. Maintenant que je dispose d'un titre et d'une retraite, je n'aspire qu'à vivre en paix. Je pars demain pour l'Irlande, où je cultiverai mon jardin, comme l'a si bien dit Voltaire. Et puissé-je ne plus voir une seule guerre avant ma mort. Ce qui vous a enrichi m'a vidé jusqu'au fond de l'âme.

Nathan hochait doucement la tête.

– Ne vous attachez pas trop à votre jardin, malgré tout, cher ami. On ne sait jamais ce que l'avenir nous réserve. Mon père était un bon joueur d'échecs. Il disait toujours que le meilleur n'était pas celui qui pouvait prévoir les mouvements de l'adversaire, mais celui qui savait adapter sa stratégie, n'importe quand, à la position des pièces. Cela est aussi vrai dans de nombreux autres domaines.

– C'est vrai sur le champ de bataille, acquiesça le général. Mais je voulais vous dire au revoir avant de me retirer sur mes terres irlandaises. Je voulais même vous apporter un cadeau, en remerciement de ce que vous avez fait pour moi et pour l'Angleterre, mais franchement, je n'ai rien trouvé qui pût plaire à un homme de votre poids et de votre richesse. Vous avez déjà un titre que vous n'utilisez point. Existe-t-il quelque chose, au monde, que je puisse vous offrir, en témoignage de ma reconnaissance ?

– Il y a quelque chose. Un cadeau que j'aimerais vous voir accepter, de ma part.

– De votre part ? Impossible ! Vous en avez déjà tant fait.

– Mon cher Wellington, n'oubliez jamais que toute médaille offerte par un homme riche possède toujours son revers.

Wellington ne put s'empêcher de rire.

– De quoi s'agit-il ? Vous piquez ma curiosité.

– De ce panier, dit Nathan, que je vous demande de conserver auprès de vous en toutes circonstances. Non, ne l'ouvrez pas maintenant. À l'intérieur, vous trouverez des petits oiseaux gris, et je vais vous expliquer comment les utiliser, le cas échéant...

LE RÈGLEMENT FINAL

« L'argent est la source de toute civilisation. »

WILL et ARIEL DURANT

Le lendemain matin, on parcourut la colline dans la carriole, avec Lélia et Pearl derrière nous, comme une petite armée se préparant au combat.

Quand les Vagabonds se manifesteraient, dans deux semaines, il faudrait bien que quelqu'un présentât aux nouveaux propriétaires les agréments et les inconvénients de ce qu'ils avaient acheté. Peut-être Lawrence reconnaîtrait-il aussi Pearl : on aurait donc soin de rester cachées pendant toute la durée de leur séjour.

C'est à Georgiane que reviendrait la mission de leur exposer le processus de nos opérations de change. C'était son premier jour d'apprentissage, et elle n'en était pas ravie.

– Les appareils photo, je connais, fulmina-t-elle alors qu'on marchait côte à côte, en projetant de la poussière dans le vent. Mais ça ! On me répète qu'il va falloir que je l'explique comme si je n'avais fait que ça toute ma vie !

Je lui ris au nez.

– Cesse de pleurnicher : si Pearl a pu engranger des millions en quelques mois, n'importe qui peut le faire !

Je tirai la langue à Pearl qui me fusilla du regard depuis son siège sur la carriole. Georgiane, Tor et moi nous écartâmes pour laisser passer le vieux cheval qui poursuivit paisiblement sa descente vers la mer.

Un peu plus tard, nous parcourûmes à notre tour la rue encadrée de petites maisons aux façades d'or et de turquoise, avec leurs balcons aux rambardes coquettement fleuries. Au bout de la rue se dressait un long bâtiment trapu de deux étages, au toit pointu comme un clocher d'église.

– C'est l'ancienne grange aux voiliers, nous rappela Pearl. C'était la seule industrie, avant notre arrivée, mais comme on avait besoin de locaux, on leur a versé une somme suffisante pour qu'ils aillent s'installer ailleurs.

La bâtisse était sombre et sentait vaguement le moisi et la mer, avec de vastes pièces voûtées sur le devant, et un escalier central conduisant au premier étage mansardé. Dans l'entrée, je déchiffrai, sur les premières pages du livre d'or, les noms et les raisons sociales de firmes connues qui, selon toute probabilité, devaient faire partie de la clientèle.

– Rien que des boîtes d'Europe ?

Tor eut un de ses sourires en coin.

– D'Europe. Du Moyen-Orient et de plus loin. Tous ceux qui veulent échapper aux impôts et se déclarent prêts à suivre nos règles sont les bienvenus.

En haut, s'étirait un long corridor avec une petite fenêtre à son extrémité. On poussa la première porte à gauche. Pearl marcha jusqu'au grand bureau disposé au fond de la pièce, éclairé par une seule lampe. Y ramassa quelques papiers. Près du bureau, le mur se parait d'un petit standard téléphonique vieux modèle, avec plusieurs téléphones posés devant lui sur une petite table. En guise de moniteur, Pearl avait un tableau noir sur lequel elle inscrivit à la craie les derniers cours des changes pendant qu'on déplaçait les sièges alignés contre le mur afin d'y prendre place.

– OK. Ici, on change les monnaies étrangères. Une spécialité qui a son jargon, comme toutes les autres. Georgiane, quand des clients vont s'amener, tu seras notre courtière. La première chose à leur expliquer, c'est comment on gagne notre argent. Reste simple. Montre-leur nos tarifs et donne-leur quelques détails. Dis-leur, par exemple, que tous les matins, tu téléphones aux grands centres bancaires pour vérifier les cours, et puis que tu les traduis dans notre monnaie véhiculaire, le « krugerrand-or ».

Georgiane leva le doigt, comme une écolière.

– Qu'est-ce qu'une monnaie véhiculaire ?

– Celle à laquelle on compare toutes les autres, ma douce. Le numéraire.

– J'explique, proposa Lélia. Tu vois, *cherrie*, tu ne peux pas changer des francs contre des marks et des marks contre des livres sterling, c'est trop compliqué. Alors, tu choisis une seule monnaie pour calculer la valeur de toutes les autres.

– J'ai pigé, affirma Georgiane le regard vague, alors que Pearl continuait :

– Une fois que tu leur as expliqué comment on établit le cours véhiculaire, tu leur dis comment...

– Et tu l'établis comment, ce cours véhiculaire ?

– On le fixe à quelques points au-dessus du marché. Je vais te montrer la formule qui...

– C'est quoi, des « points » ? implora Georgiane, désespérée.

Cramponnée à sa patience, Pearl nous consulta du regard, à l'oblique, comme pour nous demander si elle devait continuer ou non.

– Des pourcentages d'intérêt calculés dans notre seule monnaie...

Je suggérai :

– Pourquoi ne commences-tu pas par lui définir la terminologie ? Ça pourrait faciliter les choses.

– Bonne idée. Toutes les devises ont des surnoms qui ne figurent pas dans les livres, mais que les courtiers utilisent entre eux pour conclure les marchés. Par exemple, les lires italiennes sont des spaghettis, les livres anglaises des câbles, les francs français des Paris, et les monnaies arabes des saudis. Quand tu pratiques une opération de change importante, tu la mesures en mètres. Un million de lires égale un mètre de spaghettis.

– Et vous voulez, protesta Georgiane, que j'apprenne ce charabia en deux semaines. Je ne me souviens même pas de ce que sont les cordes...

– Les câbles ! aboya Pearl, irritée. C'est pas grave, je vais te faire la liste. L'important, c'est que tu assimiles le mécanisme. Il y a deux paliers dans le marché des changes. L'immédiat, et le différé. Ce qui fait toute la différence entre le bénéfice brut et la spéculation.

– Tu vois, *cherrie*, intervint de nouveau Lélia, là aussi, c'est très simple. Ou tu choisis le cours d'aujourd'hui, ou tu essaies de prévoir le cours que la monnaie aura dans tel laps de temps. Mais il y a différentes façons d'acheter de l'argent, et...

Georgiane bondit sur ses pieds, furieuse.

– J'en ai marre ! Même maman pige tout ça beaucoup mieux que moi !

– C'est clair, approuva froidement Pearl. Lélia, ça vous plairait de remplacer votre fille à ce poste délicat ?

– Oh, je suis heureuse, heureuse, de pouvoir faire une chose aussi importante !

Lélia rayonnait de bonheur, mais son enthousiasme fut de courte durée.

– Je crains une chose, pourtant. C'est mon anglais qui ne dit pas toujours exactement ce que je veux dire.

– Pas de danger, chérie, trancha Pearl en entourant Lélia de ses deux bras. Quand j'en aurai fini avec toi, tu seras une telle virtuose que tu pourras leur parler russe, ils ne le remarqueront même pas.

On se retira pour laisser Pearl commencer la formation express d'une Lélia aux anges. Georgiane, soulagée, s'éclipsa pour un nouveau safari-photo autour de l'île. Tor et moi rentrâmes au château, où nous allions pouvoir discuter en tête à tête, jusqu'à ce que le décalage horaire nous permît d'appeler Tavish à New York.

– Je sais que Lawrence est le roi des pourris. Il prépare son coup depuis des mois, je l'aurais su même sans ce fameux mémo. Si seulement je pouvais le prouver avant qu'il n'en sache trop sur nous tous.

Tor me prit par la taille alors que nous remontions du même pas la colline.

– Je ne m'en ferais pas trop pour ça à ta place. Personne n'ira en prison, ni même devant les tribunaux. Ces messieurs éviteront à tout prix d'attirer l'attention sur nous, parce qu'ils ne pourront le faire sans attirer l'attention sur *eux*. Je parierais n'importe quoi qu'ils ont tous essayé de pousser leurs propres boîtes à planquer de l'argent ici, dans un paradis fiscal dont ils seront, ou du moins *seraient* propriétaires. Comme tu l'as fait remarquer, ce n'est pas seulement une fraude fiscale caractérisée, mais une façon illégale d'utiliser leurs fonctions à des fins personnelles. Qui plus est, il est interdit aux banquiers tels que Lawrence de changer des devises autrement que par l'intermédiaire de leur propre établissement. Ils sont doublement en danger. Ils tiennent à cacher leur implication dans l'affaire, et je doute qu'ils puissent prouver la nôtre, en termes de manœuvres illégales.

C'était vrai. Bien que la Depository Trust eût sa bonne part de titres contrefaits, il ne serait pas facile de prouver comment ils avaient échoué dans leurs chambres fortes, et ce que les valeurs authentiques étaient devenues. Même si Lawrence avait racheté tous les emprunts de Tor et la totalité des bons rappelés par leurs propriétaires, rien ne permettait d'affirmer qu'il en existait des copies quelque part. Après tout, c'était les nôtres qui étaient authentiques, et il s'était engagé à nous les remettre dès que l'île lui appartiendrait. Il nous restait quelque temps avant la date du rachat officiel.

Quant à Tavish et à moi, on avait toute licence de détruire nos programmes en cas de nécessité pressante. D'en effacer, en quelques clics, jusqu'à la dernière trace. On n'avait jamais utilisé de mots de passe susceptibles de nous impliquer. Ni viré le moindre dollar sur des comptes portant nos noms, ce qui aurait pu prouver qu'on avait tiré profit de nos crimes. Il n'y avait eu aucun crime.

À moins d'événements imprévisibles, il était encore possible de tout remettre en ordre sans se faire coincer, mais ça ne me suffisait pas. Sauver simplement mes fesses ne pouvait plus me satisfaire. J'avais gâché quatre mois de ma vie pour réaliser des choses que ni Tor ni moi-même n'avions pu mener à leur terme. Le tableau était plutôt moche. Mais manquer sa cible à la première volée de flèches n'entraîne pas la disparition de la cible.

On traversait une orangeraie dont les arbres en fleur avaient semé leurs pétales odorants sur le sol du verger. Tor brisa une ramille pour m'en parer avant de me prendre par les épaules et d'en inhaler le parfum, mêlé au mien. On rencontra un groupe de jeunes garçons qui couraient en faisant voler des oiseaux de bois, taillés dans des branches grossièrement assemblées, avec de grandes ailes en fleurs printanières. Zoltan, égayé, tira de sa poche une poignée de monnaie qu'il jeta en travers du sentier, à la volée. Ils se précipitèrent pour récupérer les pièces, au milieu des chahuts et des rires, nous remercièrent et repartirent en courant de plus belle.

– C'est une vieille coutume méditerranéenne, m'expliqua Zoltan. À Pâques, les garçons fabriquent des hirondelles en bois, les peignent, les ornent de fleurs et les montrent aux passants, en échange de piécettes. Les vieilles légendes en parlent.

– Une coutume charmante.

– Qui me rappelle la fable de l'oiseau enfermé dans une cage dorée. Un oiseau dans ton genre, qu'il fallait libérer pour l'entendre chanter. J'y ai beaucoup pensé, tous ces derniers mois. Tout ce temps écoulé sans te revoir, après ce qui s'était passé entre nous. Je ne pouvais supporter l'idée de ne pas entendre ta voix. Je brûlais d'envie de t'appeler tous les soirs, et de te réveiller tous les matins. Mais je savais que toute initiative de cette sorte serait interprétée comme la pire forme de...

– Quoi ?

Je m'étais arrêtée net. Je ne pouvais en croire mes oreilles. Puis j'éclatai de rire. Lui aussi s'était arrêté et me regardait, surpris. Mais je n'arrivais pas à maîtriser ce fou rire, et je sentais les larmes couler sur mes joues. Tor m'observait en silence.

– J'aimerais partager la blague, si ce n'est pas trop demander. Ça t'amuse que j'aie pu penser à toi tout le temps, et je ne trouve pas ça tellement agréable.

– Tu n'y es pas du tout...

Je parvins à endiguer mon rire et m'essuyai les joues, du revers de la main.

– Tu ne comprends pas. Je t'en voulais de m'abandonner comme ça. Je t'aurais appelé, si j'avais su à quel numéro ! J'étais profondément malheureuse, je me demandais pourquoi tu ne me téléphonais ni ne m'écrivais, tout ce qui pouvait bien se passer. Et pendant ce temps-là, tu ne pensais qu'à me libérer, comme ce pauvre petit oiseau !

346

Son diable de regard fauve ne me quittait pas. Semblait absorber, comme une ambroisie, l'aveu que je venais de lui faire. Puis un large sourire détendit enfin son visage figé.

– Oui, c'est bien étrange, admit-il, que deux personnes dont les esprits sont sur la même longueur d'onde... et dont les corps se complètent si merveilleusement... aient besoin d'un traducteur pour interpréter quelque chose d'aussi simple qu'un sentiment sincère.

– Tu vas peut-être pouvoir traduire, sans intermédiaire, ce sentiment-là : je t'aime.

Il ne réagit pas tout de suite, comme s'il entendait ces mots pour la première fois. Puis il m'attira contre lui, m'embrassa, et cacha son visage dans mes cheveux.

– On est arrivés, chuchota-t-il.

Mais bien que nous ayons enfin trouvé, tous les deux, notre vitesse de croisière sentimentale, la mer, dans tous les autres domaines, continuait d'être houleuse.

À mesure que les jours s'égrenaient, rapprochant l'échéance, mon humeur passait de la colère – du désir de *vendetta impassionata*, dans la bouche de Lélia – à une détermination sans espoir, une frustration abyssale, un épuisement moral et physique. Malgré mes conversations quotidiennes avec Tavish et mes nuits passées à chercher une solution, je ne trouvais rien, aucune recette magique, pour nous arracher des griffes des membres infâmes du *Vagabond Club*.

Au premier plan de nos préoccupations, bien sûr, figurait le fait brutal que c'était précisément contre les individus de cette sorte qu'on avait déclenché notre croisade et fait ce maudit pari. C'était pour démasquer ces hommes que nous avions tout risqué, tout perdu.

Ces gens étaient de la même race que ceux qui avaient assassiné Bibi, en détruisant sa banque. Une banque édifiée avec la collaboration de modestes investisseurs que la faillite avait ruinés, en même temps qu'elle tuait mon grand-père. Une banque que tous ces braves gens avaient prise pour une institution solide et honorable, gérée par des gens qui protégeraient leurs dépôts et les feraient fructifier, au lieu de les répartir, sous la table, en prêts illégaux et en bakchichs à l'usage de sénateurs pourris. Mon grand-père avait été de la première catégorie. Ils s'étaient servis de sa réputation pour mieux dépouiller leur misérable clientèle. Ces salauds qu'il eût fallu écarteler entre quatre chevaux, pour l'exemple, dînaient couramment à la Maison-Blanche. C'était ignoble, mais c'était comme ça.

Si étrange que cela pût paraître, vu de notre place, le pire, c'était encore le *Vagabond Club*. Pas le club lui-même, qui n'était nullement exceptionnel, mais tous les clubs du même genre.

Ils n'étaient pas là pour faire du monde un endroit plus habitable. Ils ne rendaient aucun service, ils ne fabriquaient aucun produit, ils n'exerçaient aucune fonction utile, telle qu'enseigner à leurs membres l'art d'aider leurs semblables à s'élever dans la société. Ceux qui s'enorgueillissaient d'appartenir à ces clubs n'aidaient jamais personne, car ils s'estimaient parvenus eux-mêmes au plus haut rang de cette société, et considéraient avec mépris, de leur olympe, le reste du monde.

Si l'objectif de leurs réunions avait été de partager entre eux une camaraderie sympathique, qui aurait pu les en blâmer ? Mais leur prétendue fraternité ne constituait rien de plus qu'un moyen d'obtenir, à l'extérieur du club, des tas de privilèges immérités. Les trois derniers grands directeurs de la Banque mondiale, entre autres, avaient été choisis parmi les membres de clubs privés du même acabit. Nullement à cause de leur intelligence, de leur productivité, de leurs qualités de chefs ou de leur valeur morale. Ils avaient été élus *parce qu'ils appartenaient au club*.

Il était temps de mettre fin à ce cryptogouvernement, à cette mafia qui régissait l'économie américaine, mais ce temps nous était compté. Inexorablement, arriva la nuit précédant l'arrivée des Vagabonds. Je décidai de passer à Tavish un ultime coup de fil, au cas où il aurait trouvé *in extremis* un moyen de coincer Lawrence. Ces deux dernières semaines avaient été si désespérantes. Je lui avais même demandé de faire appel à tous ses copains tekos pour fouiller les poubelles, mais comment espérer encore ?

Il était encore plus sinistre que d'habitude. On savait tous les deux que le lendemain matin, vers dix heures, heure de l'Égée, quand le bateau du continent arriverait avec la marée, tout serait fini. Sans la moindre rémission possible.

– Bien que ça n'apporte rien, articula Tavish dans la friture qui encombrait la ligne, il y a un petit truc qui va peut-être te faire rigoler. J'ai parlé à ton secrétaire. Pavel est toujours au courant des derniers ragots. Devine ce que les dieux ont fait à ton ancien boss, Kiwi. Les gens du *Vagabond Club* ont rejeté sa candidature.

– Sans blague ? Comment un truc pareil a-t-il pu se faire ?

– Il paraît que c'est au cours du vote secret qui devait décider de son admission. Mais d'après Pavel, ce serait Lawrence lui-même qui aurait désapprouvé son entrée au club.

Je protestai :

– Impossible. Lawrence était son seul parrain. Il ne voudrait jamais passer pour une girouette sans suite dans les idées.

– Même Kiwi en est convaincu. Tu ne peux pas t'imaginer son comportement. Pavel raconte que cela fait maintenant des jours qu'il reste cloîtré, avec ses lunettes réfléchissantes et la bave aux lèvres ! Personne ne sait s'il est toujours le dauphin de Lawrence pour entrer dans le comité de direction. La seule chose qui pourrait rendre tout le monde encore plus heureux, ce serait d'apprendre que Karp a été déporté en Sibérie.

Nous raccrochâmes en riant trop fort pour faire croire qu'on gardait le sens de l'humour. J'avais promis à Tavish de le rappeler le lendemain pour lui communiquer la date de notre enterrement, après autopsie. Puisque le bannissement du Kiwi semblait être la seule nouvelle fraîche, il ne resterait plus qu'à rédiger nos faire-part de décès.

Un soleil impavide se levait sur la mer, clairsemant de pierres précieuses les eaux indifférentes. De la confiture aux cochons, selon l'expression consacrée !

Le bateau des cochons n'allait pas tarder à accoster, et quelques-uns des êtres humains qu'ils avaient l'intention de conduire à l'abattoir descendaient vers la mer en un petit groupe au pas lent, qui avait tout l'air de suivre déjà ses funérailles. Pearl et moi devions rester là-haut. Allongée sur le parapet taché de soleil, dans une sorte de transe, je regardais un papillon voleter au petit bonheur parmi les bouquets versicolores de Lélia.

Je ne pouvais me résigner à croire que c'était l'hallali. La curée. Il semblait impossible, après tout ce travail, toutes ces idées brillantes, de déboucher ainsi sur un fiasco total. Sans un espoir de dernière minute. Sans un petit lot de consolation.

Pearl était allée se baigner dans l'eau chaude de la cuvette de lave, probablement pour qu'on n'ait pas à se regarder en chiens de faïence, jusqu'à ce que tombe le couperet. Une conclusion qui pouvait se faire attendre encore quelques heures.

Je restai là, sans force, à contempler le papillon. Il voletait de fleurs en fleurs, sans but apparent, se heurtant parfois aux murs, puis se laissant porter par un courant d'air, en une large ellipse, et revenant, sans se lasser, butiner les mêmes fleurs. Bizarre qu'un simple insecte pût survivre sans but, alors que nous autres animaux supérieurs en étions incapables.

Lawrence, par exemple. J'avais toujours su qu'il n'agissait jamais sans un but précis, même si je ne pouvais en préciser la nature. Son but ultime, en repoussant l'intervention des commissaires aux comptes, avait été d'acquérir cette île afin d'y planquer de l'argent. Son but précédent, en parrainant l'entrée de Kiwi au *Vagabond Club*...

Je me redressai d'un coup de rein. Reportai mon regard sur le papillon. Et si sa façon apparemment erratique n'était qu'un camouflage ? S'il se cachait tout de même un but, derrière ses voltes et volte-face ?

Quel but avait visé Lawrence en parrainant Kiwi, alors que, compte tenu de sa position dans le groupe, il avait eu la certitude que personne ne recalerait son candidat ? Et pourquoi l'avait-il éconduit en fin de compte ? Car c'était Lawrence lui-même, personne d'autre, qui avait balancé Kiwi, mais pour quelle raison nébuleuse ?

Et puis, dans un accès de compréhension soudaine, m'apparut la vérité. Jusque-là, je n'avais jamais posé la bonne question. Non pas *pourquoi* ? Mais *quand* ?

Quand Lawrence avait-il parrainé Kiwi au *Vagabond Club* ? Réponse : la semaine du lancement de mon « cercle de qualité ».

Quand Lawrence avait-il exigé que mon rapport lui fût présenté, à lui seul ? Réponse : quand Pearl et Tavish avaient suggéré qu'il fût soumis au comité de direction ou aux commissaires aux comptes.

Quand Lawrence avait-il insisté pour que mon programme continuât, au lieu d'être immédiatement annulé ? Réponse : quand j'avais menacé de le soumettre à ces mêmes commissaires aux comptes.

Quand Kiwi avait-il été évincé du *Vagabond Club* ? Réponse : la semaine où mon projet avait été enterré. Où j'avais pris des vacances forcées.

Dernière question : si Lawrence avait fait tout ça dans le but de m'éloigner, de me lier les bras, quand allait-il mettre son projet personnel à exécution, sinon maintenant, maintenant et *maintenant* ?

Quelle idiote j'avais été de ne pas voir tout ça plus tôt. D'un bout à l'autre, je retrouvais Lawrence, Lawrence, Lawrence. L'homme qui avait tué dans l'œuf ma première proposition concernant la sécurité. L'homme qui s'était arrangé pour descendre en flammes mes chances d'entrer à la Fed. L'homme, enfin, qui avait tenté de m'exiler à Francfort, en plein hiver.

Si vaste était son talent de manipulateur que le pauvre Kiwi avait pu croire que toutes ces idées étaient les siennes, et même que ce n'était pas Lawrence qui avait finalement refusé son entrée au club. Parce qu'à ce moment-là, il n'avait plus besoin de lui. Parce qu'à ce moment-là, je n'étais plus sur place pour lui coller dans les roues les bâtons qui l'empêcheraient de s'emparer de notre île. Comme il s'apprêtait à le faire aujourd'hui.

Il fallait absolument que je rappelle Tavish, et pas demain matin, *tout de suite* ! Je me redressai d'un saut et courus vers la maison, maudissant cordialement cette peste de Pearl pour m'avoir laissée seule. Je n'avais pas le temps de foncer à la source chaude pour requérir son aide, mais je n'avais aucune idée, non plus, d'où pêcher ce dont j'avais besoin. J'étais trop connue. Il me fallait un déguisement.

Je visitai trois des quatre pièces jusqu'à trouver, dans l'une d'elles, un vieux burnous dont la capuche me cacherait les cheveux. Je l'enfilai fébrilement, ajustai sur ma tête une écharpe de soie appartenant à Zoltan, dont je nouai les coins au-dessous de mon menton, et rabattis la capuche. Je me rencontrai dans le miroir mural au cadre rouillé. J'avais plutôt l'air d'un moine franciscain affublé d'un masque chirurgical, mais pas question de chercher davantage. Je chaussai des sandales de cuir, remontai ma jupe et dévalai la pente rocheuse, en ligne droite. Suivre les méandres du sentier me ferait perdre beaucoup trop de temps.

Il me fallut près d'une demi-heure, au risque de me casser le cou, pour atteindre l'orée du village. Lorsque je remontai la rue, portée par mon élan, mon cœur cognait à tout rompre, de peur autant que d'épuisement. L'idée d'arriver trop tard me tordait les tripes.

En courant vers l'ancien atelier, j'achevai de me voiler la face. Seuls mes yeux restaient en vue, comme il sied à une femme islamique. À l'entrée du bâtiment, un bel Oriental habillé à l'occidentale jaillit brusquement des ombres, et je sentis mon visage se convulser. Bien ma veine de rencontrer, à cet endroit, quelqu'un dont l'œil exercé éventerait à coup sûr ma piètre mascarade !

– *Allah karim !* dit-il en me contournant avec une sorte de moue écœurée.

Dieu y pourvoira ! En d'autres termes : « Adresse-toi à lui, pas à moi, pour demander une aumône ! » Un de ces jours, il faudrait que je conseille à Georgiane de renouveler sa garde-robe ! Mais d'un autre côté, l'état de son burnous m'avait peut-être épargné un incident regrettable. Pour l'instant du moins.

J'escaladai les marches en maintenant ma jupe relevée, et fis brutalement irruption, en projetant la porte contre le mur, dans la pièce aux téléphones.

Je restai pétrifiée.

Sur le tableau noir, Lélia s'apprêtait à griffonner quelques chiffres. Sur les sièges alignés, comme à l'école, voisinaient Tor et Georgiane... et dix à douze membres du *Vagabond Club* !

Toutes les têtes s'étaient retournées au bruit de mon intrusion, et Lawrence, dans la dernière rangée, se levait. À moins d'un mètre de moi.

Je m'inclinai bien bas, ressortis à reculons dans le corridor. J'allais refermer la porte, mais Tor fut plus rapide que moi. Traversant la pièce en trois bonds, il me saisit par le bras, me plaqua contre le mur opposé, en claquant la porte derrière lui.

– Qu'est-ce que tu fous ici ? Tu es cinglée ou quoi ? Tu veux qu'on te reconnaisse ?

Voile et capuche étouffèrent ma réponse :

– ... absolument... téléphone.

– Qu'est-ce que tu as dans la bouche ? Une pomme ?

Avec plus de hâte que de douceur, il m'arracha ma capuche. Sourit en découvrant son écharpe, et me releva le menton pour mieux voir mon visage.

– C'est charmant, tout ça ! C'est ton nouveau look ? J'aimerais encore mieux... si tu portais seulement l'écharpe !

La porte se rouvrit, derrière lui, livrant passage à Lélia, son bâton de craie à la main. Suivie d'une Georgiane stupéfiée par mon accoutrement. Avec les autres qui regardaient tous dans notre direction, sans comprendre. Vivement, Zoltan se retourna, son sourire figé sur les lèvres.

– Messieurs, puis-je vous présenter madame Rahadzi, l'épouse d'un de nos meilleurs clients du Koweït. Elle me demande de la conduire à l'écart, dans une pièce où elle pourra attendre, seule, que son mari ait terminé ses affaires. Si vous voulez bien m'excuser...

– Naturellement, dit Lélia, non sans une sorte de révérence. Et *saha*, madame Rahadzi.

Alors que Zoltan refermait la porte, je l'entendis ajouter :

– Votre attention, messieurs...

Au bout du couloir, Tor me poussa à l'intérieur d'une pièce vide, y entra derrière moi, referma la porte, s'y adossa, releva mon voile et m'embrassa si longuement que je ressentis, une fois de plus, cette bonne vieille faiblesse dans les genoux.

– Madame Rahadzi, haleta-t-il en reprenant son souffle, votre auguste mari verrait-il un inconvénient quelconque à ce que je promène mes mains sous votre burnous ?

– C'est pas le moment...

Le cœur n'y était pas, et il mettait son programme à exécution, le monstre.

– C'est toujours le moment... J'ai toujours envie de te toucher, je ne pense qu'à ça... Madame Rahadzi, je me demande si je vais vous rendre au harem de votre époux... fût-ce au risque d'un incident diplomatique. Pourquoi on ne sortirait pas par la porte de derrière en oubliant que vous êtes mariée ?

Je respirai un bon coup et parvins à le repousser, au prix d'un gros effort.

– Il faut que j'appelle Tavish. J'ai compris ce que tramait Lawrence, mais il faut que je le prouve...

– Tu sais quelque chose de plus ?

Cette fois, j'avais enfin suscité son intérêt :

– Je crois que c'est lui, leur banquier. Lui qui a trouvé tout cet argent... des centaines de millions de dollars, pour racheter la totalité des emprunts et des titres. Je pense qu'il a jonglé avec les capitaux de la Mondiale au cours de ces dernières semaines.

– Sans demander l'approbation du service des prêts ?

– Il est à la tête de toutes les opérations bancaires. Si on a pu pénétrer le système et détourner ce fric, pourquoi pas lui ? Il n'en a besoin qu'à court terme...

– Surtout s'il néglige d'assurer certaines obligations, comme le prix dont on était convenus !

Les yeux de Zoltan avaient recouvré tout leur éclat.

– Je crois que tu tiens quelque chose. Les seuls téléphones longue distance sont dans cette foutue pièce. Reste ici. Je vais dire à Lélia de conclure en vitesse, et de les emmener se balader dans ce qu'ils croient déjà posséder. N'aie pas peur. Je vais t'introduire dans le saint des saints.

Tavish tombait de sommeil, à l'autre bout du fil.

– Tu ne peux pas appeler à une heure raisonnable ? Tu sais quelle heure il est, à San Francisco ?

– Cas de force majeure ! Debout, plonge ta tête dans l'eau froide, bois des litres de café, n'importe quoi. Branche-toi en ligne sur la banque, et épluche-moi tous les dossiers que je vais t'indiquer.

– Tu cherches quoi, au juste ?

– De l'argent. Des tas et des tas d'argent. À peu près quatre cents millions de dollars en prêts à court terme, sans intérêt, sans pénalités de retard.

Tavish était bien réveillé, à présent, presque joyeux.

– Quelqu'un qu'on connaît ?

– Qui vivra verra !

Deux heures plus tard, j'étais nettement moins optimiste. On était encore au téléphone. Tor, Georgiane et Lélia baladaient les Vagabonds d'un bout à l'autre de l'île, et me rejoindraient au château, à l'heure des cocktails.

Allongée par terre, devant le standard antédiluvien, un appareil remontant à la Seconde Guerre mondiale posé sur la poitrine, j'écoutais Tavish grogner sans arrêt, au-delà des salves de friture.

– J'ai vérifié tous les prêts à court terme et tarif préférentiel. Même les emprunts pour acheter une automobile ou un bateau, financer une croisière ou les études d'un futur génie. Mais jusqu'à maintenant, je n'ai trouvé aucun programme universitaire de quatre ans ayant coûté cent millions de dollars !

– Il *doit* y avoir quelque chose ! Les Vagabonds ne sont pas si nombreux. Combien d'hommes mettraient-ils dans la confidence, pour une opération de cette taille ? Vingt-cinq ? Cinquante ? Cent au maximum. Et tous ces types sont des directeurs de boîtes énormes, pas des héritiers à la petite semaine. Ils ont tous des salaires princiers, mais pas à ce point. Ils n'ont pas de sommes pareilles sur leurs comptes courants. Ils les ont empruntées, et c'est Lawrence leur commanditaire. Pourquoi aurait-il été aussi implacable dans sa volonté de nous tenir à l'écart, moi, et surtout les commissaires aux comptes ?

– Une théorie fascinante, gémit Tavish. Je suis très impressionné. Mais j'ai cherché à peu près partout, et jusque-là, rien. Pas d'autre voie avant que tu te ruines en communications par satellite ?

– Essaie le mot de passe. Quoi que Lawrence ait pu faire, il doit l'avoir fait sous son propre mot de passe.

– Tu rigoles ou quoi ? Il y a cinquante mille mots de passe qui se baladent dans la boîte. Il a pu utiliser n'importe quel code, ou deux, ou cinquante !

– Essaie Lawrence.

– J'ai pas bien entendu ?

– Lawrence. L-a-w-r-e-n-c-e. Ou Larry. Ou quelque chose dans ce goût-là.

– Ne sois pas idiote. Personne ne choisirait son propre nom comme mot de passe. Ou sa date de naissance, ou le nom de jeune fille de sa mère. C'est la première chose qu'un vulgaire voleur essaierait.

– On n'a rien à perdre, à ce stade. Fais-moi plaisir. Essaie.

Je l'entendis marmonner des choses, puis, au bout d'un moment, pousser une sorte de cri de guerre.

– Il s'est servi de son nom comme mot de passe ! Question d'ego ? Bon Dieu, c'est bien le truc le plus moche, le plus crapuleux sur quoi je sois jamais tombé !

J'attrapai le combiné posé près de mon oreille et le pressai contre ma tête.

– Qu'est-ce que c'est ? Qu'est-ce que c'est ?

– Je vais tout passer à Charles Babbage pour qu'on puisse l'imprimer plus tard. Mais je vais t'en lire l'essentiel. J'espère que tu as de quoi noter.

– C'est quoi, bon sang ?

– Ce sont des titres. Trois cents millions de titres bancaires. Tous transférés au cours de ces deux dernières semaines.

– Des titres bancaires ? Des actions de la Mondiale ?

– Crois-moi, je ne sais pas d'où elles sortent, mais je peux t'en citer la désignation, le montant et le numéro de série. Pour des millions et des millions de dollars.

Tavish ne savait peut-être pas d'où elles sortaient, mais moi, je le savais. Et j'avais le sourire. Je savais où il y avait une tranche d'actions bancaires de cette importance, toujours disponible. En fait, les actions avaient été transférées sans jamais quitter le système informatique de la banque.

Lawrence avait tout simplement vidé le fonds de retraite des salariés de la Mondiale !

Le soir approchait quand je crapahutai à travers bois pour accéder au château par la petite péninsule que surplombait l'édifice. De là, tout un lacis d'escaliers et de pentes menait directement à la tour de guet sans passer par la cour où j'aurais risqué d'être repérée.

Je savais que le son montait mieux qu'il ne descendait, et j'avais envie de savoir où en étaient les choses, dans la cour où Lélia, Georgiane, Tor et les Vagabonds devaient se trouver logiquement, verre à la main et amuse-gueules sur la table de pierre.

Mais quand je risquai un œil à travers une meurtrière, je ne découvris que Lélia, Tor et Lawrence au centre du vaste espace pavé. Leurs voix m'atteignaient si clairement que je n'aurais pas mieux entendu si j'avais été à leur hauteur.

– Madame la baronne Daimlisch, disait Lawrence tandis que Zoltan servait le champagne, le docteur Tor m'a informé que vous étiez l'associée majoritaire de ce consortium. Vous ne m'en voudrez pas, j'espère, si je vous dis qu'il m'est difficile de croire en votre présence, dans le monde financier, depuis un temps considérable. Votre réclamation de trente millions, en sus du rachat convenu, est proprement insoutenable.

– Alors, pourquoi l'aviez-vous acceptée *initialement*, monsieur ? repartit Lélia de sa voix la plus suave.

Lawrence poursuivit, sans répondre à la question posée :

– Non seulement ce quartier de roche volcanique est pratiquement sans valeur, en tant que bien immobilier, mais nous n'avons même pas l'assurance, en notre qualité d'acheteurs, de pouvoir y perpétuer le fonctionnement d'un paradis fiscal. Géographiquement, nous sommes entre les eaux territoriales turques et grecques. Si ces deux pays décident de s'en disputer la possession, comme ils l'ont fait pour Chypre, nous devrons faire face à une situation inextricable.

– Mais vous avez tellement envie d'acquérir ce quartier de roche sans valeur, releva calmement Lélia, que vous voulez nous forcer à vous en faire cadeau. Le moins qu'on puisse dire, monsieur, c'est que vous n'êtes pas très *gentil*.

– Dans le monde réel, madame, celui de la finance et des affaires, la gentillesse n'est pas un critère. Si vous ne signez pas les contrats que nous avons apportés aujourd'hui, en contrepartie du million offert, je puis vous assurer que nous prendrons, mes collègues et moi-même, des mesures pas gentilles du tout pour vous évincer, vos amis et vous. Nous nous sommes mis d'accord pour courir quelques risques dans cette aventure, mais des risques calculés. Et mes propres calculs me suggèrent que vous avez pris, vous-mêmes, des risques inconsidérés en souscrivant les emprunts qui vous ont permis de financer l'opération, au départ.

Tor intervint, en distribuant les verres :

– Où sont vos risques, quand vous avez tous l'intention de cacher de l'argent ici et d'y conclure des contrats qui partout ailleurs, paieraient de lourds impôts ?

– Comme vous ne pouvez l'ignorer, dit froidement Lawrence, il est contraire à la loi, tant pour les banques que pour toutes les autres sociétés industrielles et commerciales, de mettre des capitaux à l'abri dans des paradis fiscaux.

– Comme vous ne l'ignorez pas, riposta Zoltan, souriant, c'est une pratique archicourante. Que dirait votre conseil d'administration s'il s'avérait que vous comptez vous enrichir personnellement, avec les capitaux de votre banque, en lésant celle-ci de bénéfices prévisibles ?

– Je ne sais de qui vous croyez détenir ces informations, jappa Lawrence, mais de telles allégations infondées ne pèseraient pas lourd devant un tribunal.

– Nous ne sommes pas devant un tribunal, et plus d'une réputation s'est effondrée sous le poids d'allégations moins fondées que celle-ci.

Lawrence ne répondit pas tout de suite. Tor devait se demander pourquoi cette allusion à sa réputation semblait l'avoir touché plus que tout le reste. Je me le demandais également. Après tout, s'ils apprenaient qu'un de leurs représentants de haut niveau était majoritaire sur le territoire d'un paradis fiscal, est-ce que la banque ne penserait pas, d'abord, à se protéger ? À moins que

Lawrence ne fût beaucoup plus important, à la Mondiale, que je ne le supposais.

Et puis, une fois de plus, la vérité vint me frapper de plein fouet, et j'encaissai le coup au creux de l'estomac. Lawrence n'avait pas *volé* le fonds de retraite en question. Il en était propriétaire ! Il ne s'agissait nullement d'un emprunt à long terme pour nous dépouiller de notre petit royaume. Ces messieurs ne voulaient pas seulement un paradis fiscal où parquer l'argent des autres, ils voulaient leur propre pays, et je venais d'en comprendre la raison.

– Vous ne savez pas à qui vous avez affaire, disait Lawrence.

– Mais moi, je le sais !

Plus fort que moi. J'avais crié, de ma place, sans pouvoir me contenir. Tous trois relevèrent la tête, clignant des yeux à contre-soleil, et le sourire de Tor s'accentua.

– Ah, notre associé silencieux semble avoir retrouvé sa langue.

– Associé silencieux ? répéta Lawrence.

Retroussant mes oripeaux, je descendis trois par trois les marches de l'escalier en colimaçon, et jaillis sur le parapet.

Lawrence me considéra sans ciller. Je devais être la dernière personne au monde qu'il eût envie de voir, mais c'est une justice à lui rendre, il n'en laissa rien paraître.

– Banks ! Vous pouvez m'expliquer ce que vous faites ici ?

Je tentai de maîtriser la colère qui m'habitait. Peine perdue. La rage déformait ma voix quand je réussis à articuler :

– Je vais plutôt expliquer pourquoi *vous* êtes ici. Vous et votre bande de fils de pute, vous allez faire main basse sur la banque !

Tor accusa le choc, et Lélia porta sa main à sa poitrine. Les traits de Lawrence composaient un masque impénétrable. Ses yeux n'étaient plus que deux fentes glacées, sans expression particulière. Il posa son verre de champagne sur le muret, et tira de sa poche un paquet de cigarettes.

– C'est exact. Vous n'y pouvez pas grand-chose, alors faites contre mauvaise fortune bon cœur. Acceptez ce million et signez ces papiers. Si toutefois vous pouvez désigner la personne habilitée à le faire.

– Quelqu'un, s'enquit Zoltan, pourrait-il me résumer les épisodes que j'ai manqués ?

Je m'efforçai d'être à la fois succincte et exhaustive :

– Ils doivent préparer leur coup depuis des siècles. Ils possèdent des centaines de millions de dollars en actions de la Mondiale, probablement acquises à cinquante *cents* le dollar, avec leur propre argent. Dès qu'ils seront les propriétaires de cette île, qu'on leur a servie sur un plateau, ils pourront fonder une société indépendante, ici même. Ils y transféreront, avec leurs actions, le contrôle absolu de la Banque mondiale.

– Bon résumé des chapitres précédents, approuva Lawrence en s'éventant avec son contrat. On avait l'intention de domicilier notre société au Liechtenstein, au Luxembourg ou à Malte. Jusqu'à ce que cette occasion tombe à point nommé. À présent, nous avons perdu assez de temps et d'argent, il est temps de mettre un point final à cette affaire. Rien ne pourra plus nous arrêter. L'île nous appartient déjà, ainsi que la banque...

Il avait raison, et je savais exactement ce qu'ils allaient faire, dès qu'ils tiendraient fermement les rênes. Ils n'avaient pas entrepris tout cela pour assurer à la Mondiale une meilleure direction, améliorer les services et constituer un actif hautement négociable pour les actionnaires. Ils feraient ce qu'on avait fait à Bibi, mais à une échelle inconcevablement plus grande. Ce qu'ils projetaient pourrait même modifier la donne de l'économie nationale. Et grâce au fait qu'ils disposeraient d'un pays indépendant, officiellement reconnu, ils resteraient dans les limites des lois internationales. Et de celles qu'ils édicteraient eux-mêmes.

Mon erreur essentielle avait été de ne pas identifier le Mal, quand je l'avais rencontré. J'avais voulu jouer au plus fin avec Lawrence. Rabattre sa superbe en prouvant que sa sécurité ne valait rien. Quelle idiote j'avais été, alors que la corruption partait d'en haut. Non d'un ou plusieurs services informatisés ou de quelque comité subalterne, mais de l'esprit retors, avide de puissance, d'un seul homme. Je n'avais pas le pouvoir de l'arrêter. Mais je n'allais pas lui faciliter la tâche !

Soudain, Tor se dressa près de moi. Il me tendait un verre de champagne et n'avait pas perdu son sourire. Ce qui suivit, toutefois, me prit totalement au dépourvu.

– Ma chère Verity, portons un toast au vainqueur, et tâchons de nous consoler de notre défaite avec le million qu'il nous offre. On s'est bien battus, mais si forts que l'on soit, on ne peut pas gagner toujours.

Je croisai son regard. Il avait l'air de penser ce qu'il disait, et l'univers vacillait sous mes pas. Tor n'abandonnait jamais sans combattre. Je ne l'avais jamais vu renoncer à quoi que ce soit, moi comprise, avant d'avoir remporté la victoire.

Mais il heurta mon verre avec le sien et Lélia, égarée, fit de même.

– Je bois à Lawrence, et à ses valeureux compagnons qui, sous la conduite de Georgiane, explorent leur nouveau domaine. Dommage qu'ils ne soient pas là pour assister à notre capitulation. Mais leur joie n'en sera que plus complète lorsqu'ils verront le contrat signé et attesté par les témoins.

Il but une gorgée de champagne. Me serra le bras très fort, sans nécessité concevable.

– Et je bois à Verity, notre associée silencieuse, dont la sagacité a mené cette négociation à bon terme. Bien que ce ne soit pas ce que tu espérais, ce petit million compensera, dans une faible mesure, le milliard que tu as investi, voilà trois à quatre mois.

Légèrement désarçonné, pour la première fois, Lawrence s'étonna :

– Qu'est-ce que Banks vient faire là-dedans ? Je croyais que c'était la baronne qui avait financé toute l'histoire.

– Seulement en façade, pas à l'arrière-plan ! gloussa Lélia en m'adressant une œillade.

Tout le monde avait l'air de savoir ce qui se passait. Sauf moi.

– Ce que veut dire la baronne, expliqua Zoltan, c'est qu'elle a été notre femme de paille, en quelque sorte, de A jusqu'à Z. L'achat des valeurs utilisées comme dépôts de garantie, les emprunts, la création de la société et l'acquisition de cette île, tout s'est passé par son intermédiaire. Mais le cerveau, le génie tutélaire qui a fourni les fonds a toujours été Verity Banks.

– C'est totalement absurde ! se récria Lawrence. Où aurait-elle trouvé un capital de cette importance ? Vous parlez d'un milliard en valeurs boursières !

Une vague, très vague incertitude s'était glissée dans ses yeux. Il sentait bien que quelque chose vacillait, mais il ignorait quoi. Et je n'étais pas mieux lotie.

– Peut-être devrais-tu lui dire comment tu as réuni les fonds, proposa Tor en me serrant le bras pour la deuxième fois. Dis-lui *exactement* de quelle manière tu as collecté un milliard de dollars. Et en si peu de temps !

Du coup, j'aperçus la lumière, et lui rendis son sourire. Je vidai mon verre et le remplis avant de riposter, angélique :

– Je l'ai *volé* !

– Pardon ? s'étouffa Lawrence.

Quand je reposai la bouteille, les pupilles du banquier avaient complètement disparu derrière les fentes de ses yeux. Il ôta ses lunettes, entreprit de les nettoyer, méthodiquement. Comme s'il comptait sur elles pour l'aider à mieux m'entendre.

– Est-ce que je bégaye ? Est-ce que je n'articule pas assez nettement ?

Il fit non de la tête, et j'exposai, très calme, au moins en apparence :

– J'ai volé un milliard de dollars puisé dans le système de transfert par câble de la banque. Oh, et une partie à la Fédérale de réserve, que je ne mentionne que pour mémoire. On n'avait pas l'intention de les garder, bien sûr. On comptait les restituer dès qu'on aurait touché nos trente millions. Et maintenant que vous avez décidé de renier votre parole, cette restitution ne va pas être possible.

Lawrence ne trouvait plus la force de parler, face à nos trois sourires extatiques.

– Non que ce soit une si grosse affaire... puisque je n'ai évidemment pas détourné cet argent sur des comptes portant mon nom. Personne ne pourra jamais remonter de ces fonds jusqu'à moi. D'eux, on remontera jusqu'à vous, naturellement. À vous et à vos petits camarades.

Silence. Comme si rien n'existait plus alentour. Comme si nous avions été aspirés dans le grand vide cosmique. Pâle comme un mort, Lawrence serrait convulsivement son verre. Si fort qu'il risquait de le broyer. Il ne pouvait pas ne pas lui apparaître, en cet instant, avec une clarté aveuglante, que nulle cour de justice ne croirait qu'un homme capable d'organiser de l'intérieur la mainmise sur une banque telle que la Mondiale, et de s'offrir un pays, par-dessus le marché, avait pu ignorer l'arrivée sur son compte d'un milliard de dollars.

Brusquement, il me jeta son verre à la tête, et Tor n'eut que le temps de me pousser de côté avant que le projectile n'allât s'écraser contre le mur.

– Espèce de sale putain !

La voix de Lawrence était montée si haut dans l'aigu qu'elle n'avait plus rien d'humain. Il m'aurait sauté dessus si Zoltan ne s'était interposé, ne lui avait ramené les deux bras derrière le dos alors qu'il continuait à hurler comme un animal. Puis Georgiane et Pearl arrivèrent, suivies des autres Vagabonds. Tout le monde parlait en même temps alors que Zoltan achevait d'immobiliser Lawrence en l'obligeant à s'asseoir sur une chaise.

Lélia tapota son verre à l'aide d'une cuillère jusqu'à ce que le silence revînt dans la cour.

– Messieurs, dit-elle, je vous suggère de tous vous asseoir. Notre classe n'est pas terminée, et vous aurez quelques signatures à nous donner, même s'il ne s'agit pas d'un contrat.

Les yeux fixés sur un Lawrence enragé, quoique réduit à l'impuissance, un des banquiers voulut savoir :

– Mais enfin, madame la baronne, qu'est-ce qui se passe, ici ?

– Vous avez voulu nous baiser, et nous avons interverti les rôles, ronronna Lélia en débouchant une autre bouteille de champagne.

L'œil fixé sur moi, dans la lueur des bougies, Tor s'informa doucement :

– Ça te plaît ?

Je recrachai ce que j'avais essayé de boire.

– C'est ce que j'ai goûté de plus dégueulasse depuis que je suis au monde !

– Il faut se faire un palais pour apprécier le vin résiné.

– On dirait de l'eau chlorée, comme dans les piscines.

– C'est la résine de pin. Jadis, les Grecs scellaient leur vin dans des tonneaux de pin pour décourager les Romains de les leur voler.

– Merveilleux, soupira Georgiane. Sers-moi un bon bordeaux, je suis restée très simple.

Assise sur le parapet, les jambes dans le vide, elle portait un caftan rouge foncé, le ciel avait la couleur des orchidées, et la mer flambait à l'horizon. Les bougies avaient fondu, le peu qu'il en restait clignotait et tressautait, au bord de l'agonie. Les musiciens jouaient en sourdine, dans l'ombre environnante, et le doux tintement du santouri se mêlait à la mélopée plaintive du bouzouki. Tor avait passé la soirée à nous enseigner, surtout à Lélia, les pas complexes d'une danse locale.

– La petite flûte, c'est une *floghera*, dit Georgiane, fière de sa science, et le petit tambour, c'est un *defi*. On les écoutait en bas, sur le port, avant votre arrivée. Je déteste l'idée d'avoir à quitter bientôt cet endroit merveilleux. C'est chouette qu'on ait pu y rester une semaine de plus pendant que Tor accompagnait les Vagabonds à Paris, pour y récupérer nos titres.

– Et Lawrence ? rappela Pearl. Vous croyez qu'il va ressortir de cet asile, à Lourdes ? Quand on est aussi constipé qu'il l'était, je crois que ça finit par vous bouffer le cerveau.

J'approuvai, avec ce qui ressemblait presque à une pointe, une toute petite pointe de pitié :

– Il a littéralement pété un plomb ! Heureusement que ses collègues ont été plus malléables. On a récupéré nos garanties, ils se sont délestés des valeurs qui devaient servir à nous acheter, et ils ont signé les décharges qu'il fallait, sans bavure. À condition qu'on remette l'argent à sa place, ailleurs que sur leurs comptes personnels. Ils vont avoir des ennuis avec la justice, mais ils s'en sortiront toujours. Surtout s'ils collent tout sur le dos de Lawrence, maintenant qu'il ne peut plus se rebiffer.

Georgiane pouffa dans son poing.

– On les a juste poussés dans la bonne direction. Pearl et moi, on s'est repris un bain thermal cet après-midi, pendant que vous bavardiez. J'ai des Polaroid assez intéressants à vous montrer...

Ils représentaient les Vagabonds folâtrant, tout nus, dans la piscine chaude et autour, versant du champagne sur la tête de Pearl. Tous avaient l'air de s'amuser comme des fous.

– On a pensé, expliqua Georgiane, qu'une bonne assurance ne serait pas superflue. S'ils essaient encore de nous avoir, il nous restera le chantage. J'ai fait un sacré bon boulot, non ? On voit jusqu'aux gouttes de champagne sur les nichons de Pearl. Quand on pense que je les ai prises à la sauvette, cachée dans les buissons...

Je rendis, en riant, ses chefs-d'œuvre à Georgiane.

– Vous êtes des criminelles nées, toutes les deux.

– Les pires ! Avec toi, on est à bonne école.

À minuit, quand les musiciens rentrèrent chez eux, on suivit du regard leur descente en procession, à flanc de colline. Ils chantaient et cheminaient en file indienne, dans la lueur incandescente du clair du lune qui argentait les eaux de la mer Égée.

– C'est l'*Akathistos*, me glissa Zoltan à l'oreille, en entourant ma taille de son bras. Un vrai *kontakion*. Il a été écrit par Serge le Patriarche à la veille de la délivrance de Constantinople, alors aux mains des Perses. C'est un chant de remerciement. Ils le chantent toujours à minuit, le jour de Pâques.

– C'est magnifique.

Lélia se leva.

– Maintenant, on va à la messe.

Mais quand les autres l'imitèrent, Zoltan me retint fermement.

– Pas nous deux. On a encore des choses à mettre au point.

Ils s'empilèrent dans la vieille carriole pour suivre les musiciens vers la petite église. Quand leurs bougies eurent disparu de l'autre côté du cône tronqué d'Omphalos, Tor se retourna vers moi.

– C'est le dernier jour de notre pari. Et c'est toi qui as gagné. Je crois que tu t'es beaucoup plus approchée du chiffre de trente millions de bénéfice qu'on avait fixé. On va en discuter. Mais d'abord, je voudrais qu'on parle de nous.

– Je ne serais même pas capable d'y réfléchir. Il me semble que ma vie m'a été arrachée pour faire place à une autre, et je n'y suis pas encore habituée. Je veux vivre avec toi, mais il y a quatre mois, je n'aurais même pas imaginé que ça puisse être possible.

– Et maintenant ?

Il m'observait attentivement, sous la lune.

– Maintenant, je crois que tout est possible.

– Mais si je te décroche ce job à la Fed, tu seras à Washington, et je serai toujours à New York. Est-ce qu'on n'a pas déjà vécu séparés assez longtemps ? Dis-moi, tu as quel âge ?

– J'ai passé le cap des trente ans. Tu me trouves trop vieille ?

– Juste assez pour savoir que très peu de gens ont, comme nous, au même instant, la même chance. On va creuser le sujet. Attends-moi une minute.

Il entra dans la maison, me laissant sur le parapet avec la bouteille de cognac et les verres. Je nous servis posément, en regardant les nuages défiler devant la lune, tandis que les vaguelettes poursuivaient leur murmure, au pied des fortifications. À son retour, Tor portait une grosse serviette. Il en répandit le contenu sur les dalles de la cour, et craqua une allumette. Je vis ses cheveux de cuivre briller dans la lueur de la flamme, puis je baissai les yeux alors qu'il ramassait une première feuille.

– Qu'est-ce que tu fais ? C'est les titres ! Les originaux ! Les vrais ! Tu vas brûler des millions de dollars ! Tu es fou, ou quoi ?

– Peut-être.

Ses yeux flambaient, eux aussi, dans les flammes naissantes du brasier.

– J'ai télégraphié à la Caisse des dépôts de Paris les numéros de série des faux qu'ils abritent dans leurs chambres fortes. Je crois qu'il vaut mieux en détruire toute trace, au cas où les Vagabonds essaieraient de nous rendre la monnaie de notre pièce. Tous ces courtiers et banquiers qui ne croyaient pas aux inventaires réels n'ont pas fini de se demander comment ces contrefaçons ont pu arriver là. Et leurs clients seront protégés par leurs attestations d'achat. Assieds-toi, très chère, tu me rends nerveux à te balancer d'un pied sur l'autre.

Moi, je le rendais nerveux ! Je m'assis sur le bord de la table pour le regarder procéder à son autodafé. Enfin, les flammes moururent et le vent commença à emporter les cendres au-delà du parapet. Demain, des millions de dollars auraient disparu de la surface de la terre, avec les preuves de nos exploits. Les années qui m'attendaient finiraient-elles de la même manière ? En cendres dispersées par le vent ? Tor revint vers moi, me prit dans ses bras et, comme s'il avait lu mes pensées, une fois encore, enfouit son visage dans mon cou, et respira le parfum de mes cheveux. Je murmurai :

– Il faut que je rentre arroser mes orchidées, et réfléchir à tout ça. Quand j'ai accepté ton pari, je ne savais pas que ma vie changerait à ce point. Je ne suis pas aussi clairvoyante que toi.

Il m'embrassa au creux de la gorge, puis me repoussa légèrement pour scruter mon visage.

– Au lieu de te soucier d'hier et de demain, qu'est-ce que tu penses d'aujourd'hui ? Il y a encore quelque chose qu'on a laissé inachevé.

– Inachevé ? De quoi veux-tu parler ?

– Bien que tu aies stoppé les Vagabonds dans leur parcours, qu'est-ce qui empêche d'autres salopards de recommencer ? N'importe quelle banque peut acheter un petit morceau de planète, avec des actions surévaluées. Il n'y a tout simplement aucun moyen, dans le système économique international, de s'assurer que les dépôts des clients sont convenablement évalués, assurés et sauvegardés. Aucun moyen de contrer l'appétit de requins semblables ou même pires que ceux qu'on a connus.

– Quel rapport avec nous ?

Il sourit, une fois de plus, de cet étrange et dangereux sourire qui faisait de lui quelqu'un d'autre.

– Avec toi à la Fed... qui examineras leurs réserves et leurs liquidités, et moi qui suivrai de près les OPA, les transferts de portefeuilles, etc., on devrait faire du bon boulot, tu ne crois pas ? Je te parie que je pourrai démasquer plus de fusions illicites et de mainmises frauduleuses, en un an, que toi dans ton fief, chère adversaire.

Je lui jetai un regard indigné. Et puis, incapable de tenir la distance, j'éclatai de rire et capitulai :

– D'accord. On parie combien ?

TABLE

PREMIÈRE PARTIE

DEUXIÈME PARTIE

TROISIÈME PARTIE

QUATRIÈME PARTIE

Mis en pages par DV Arts Graphiques à Chartres.
Imprimé en France par la Société Nouvelle Firmin-Didot
Dépôt légal : janvier 2005
N° d'édition : 336 – N° d'impression : 71162
ISBN 2-74910-336-3
Imprimé en France